LA VRAIE VIE DES FRANÇAIS

JANICK ARBOIS
JOSHKA SCHIDLOW

LA VRAIE VIE
DES FRANÇAIS

préface et postface
de Francis Mayor

ÉDITIONS DU SEUIL
27, rue Jacob, Paris VIᵉ

L'ÉDITION DE CE LIVRE, PUBLIÉ SOUS LA DIRECTION
DE CLAUDE DURAND, A ÉTÉ RÉALISÉE À L'INITIATIVE ET
GRÂCE À LA COLLABORATION DE JEAN-PIERRE BAROU

ISBN 2-02-004821-3

© *Éditions du Seuil, 1978.*

La vraie vie est absente. Nous ne sommes
pas au monde.
    Arthur Rimbaud, *Une saison en enfer*.

Où est ton trésor, là aussi sera ton cœur.
    Matthieu, 6,21.

Préface

On ne connaît guère mieux les Français que les Arumbayas. Et pourtant, les enquêtes buissonnent, et raffinent dans l'exploration des détails. Quelqu'un a calculé ce qu'il leur faut de litres de vin, de pastis, de whisky pour se rincer la dalle; quelqu'un étudie l'évolution de notre désir d'acheter une friteuse comme de nos opinions sur la peine de mort; quelqu'un sait pourquoi il est plus malin de montrer Sacha Distel après la soupe que Sylvia Sass, dans la *Traviata*. Il y a toujours quelqu'un pour scruter, en tapinois, nos comportements. Tout se sait : un quotidien du soir a publié naguère les proportions d'amateurs de café au lait, au lit ou pas.

Et surtout, ah! surtout — rien dans ce pays n'est plus important — : comme on faisait dans mon enfance quand le Rhône était gros, quelqu'un, chaque matin, va vérifier la cote des leaders politiques...

Aucune société n'aura déployé plus de passion à se décrire, plus d'acharnement à se déchiffrer. On raconte tout. Mais les Français ne se racontent guère. On sait tout de leurs richesses, mais on ignore leurs trésors. « Là où est ton cœur, là est ton trésor »; il fallait tenter de découvrir les cœurs. La vraie vie, livrée comme le cœur bat.

De nos fenêtres, près de la place Saint-Augustin, nous assistons chaque soir à la grande migration des travailleurs vers Saint-Lazare. Comme si l'immense Saturne de Goya avait éventré d'un coup de pied la fourmilière. Quand on est journaliste, et qu'on parle toujours tout seul, à l'aveuglette, comment ne pas éprouver l'envie poignante d'apprendre de leur bouche ce que ces hommes et ces femmes portent de rêves et d'échecs, de bonheur et d'oppressions; comment ils déjouent la mort.

Et vous-même, ça ne vous donne pas le vertige, parfois, ce qu'on ne saura jamais de tous les anonymes qui se pressent dans la foule d'un quai de gare, d'un grand magasin?

On se croit important avec ses empreintes digitales tirées à un seul exemplaire; avec son métier, ses dettes, ses plaisirs, ses intimes, on trimbale dans sa tête une planète dont on est le roi. Dès qu'on se prend à penser : « eux aussi », l'imagination tournoie, chavire dans des espaces infinis.

Car on n'a pas idée. Que saisit-on des autres? Les apparences, ou des images, des pourcentages, des informations, c'est-à-dire des généralités ou des abstractions; autant dire : la lave du volcan dans une éprouvette. La vie des autres est ailleurs, au-dedans d'eux-mêmes.

« Aristote voulait que la taille d'une ville soit calculée de telle manière que le rayon de la ville soit à portée de voix d'un homme criant sur l'Agora. C'était très sage, parce que tout le monde pouvait l'entendre et lui répondre de n'importe quel point [1]. *»*

Avec l'électronique, nous aurions perfectionné ce système rudimentaire? Certes, les gouvernants peuvent se faire entendre à des milliers de kilomètres, les leaders de partis se disputer devant des millions de citoyens... En présence de? Non, en absence. Qui peut lever la main et dire : *« A moi, la parole? »*

Les informateurs parlent, mais les informés ont quelque chose d'aussi essentiel à raconter. A son grand-père qui avait été l'ami de Daguerre, le peintre Picabia disait : *« Tu peux photographier un paysage mais tu ne peux pas photographier ce que j'ai dans la tête! »* Tant que les Français ne feront pas leur autoportrait, il n'y aura pas de portrait ressemblant.

Leur parole vive nous manque.

D'où le malaise que nous éprouvons tous devant cette espèce de schisme entre les Français tels qu'ils vivent leur vie et les responsables tels qu'ils parlent, avec des phrases exsangues. Deux îles qu'un océan sépare.

« Parlez-moi d'amour... » Personne n'ose plus se plaindre, on aurait l'air si futile, ignorant, que nos cœurs se gèlent, durs comme pierre, dans les obsessions étriquées de l'économie et de la politique politicienne. Jamais de lumière sous la porte? Au fond de ces phrases bourrées de poncifs et d'évidences, rien d'un peu plus étrange que le prosaïsme qu'elles étalent? J'ai appelé chat, un chat; et il m'a traité de menteur.

Comme tout le monde nous sommes lassés — et, en tant que communicateurs, inquiets — des mensonges aux jambes courtes et des discours stéréotypés, momifiants, qu'on tient aux Français d'aujourd'hui. On les aplatit comme des panneaux électoraux; ils refusent de s'y configurer. De se reconnaître dans les réductions jivaros, de se laisser figer dans une réalité de béton.

Étonnez-vous qu'ils se détournent. Leurs passions sont ailleurs, et leurs tourments, leurs bonheurs, leurs combats, bref, leur existence quotidienne. Les discours passent à côté, comme un engin spatial qui rate une planète.

Je lis dans l'*Almanach Actuel 1978 :* « *Les plus jeunes en ont soupé*

---

1. Denis de Rougemont, interview dans *le Point* (10 octobre 1977).

de répéter les idées de leurs aînés... On les retrouve dans un apolitisme agressif. » Qu'est-ce qui les exalterait? Les mots charrient tant de choses mortes. Le discours social est une plaine calcinée.

Irriguez, d'urgence! En ouvrant les écluses à la vraie vie. Dans *Network*, ce film affolant sur une télévision que l'argent a rendue dingue, le présentateur-vedette a le délire terriblement lucide quand il crie aux téléspectateurs : « *Vous, le public, vous commencez à gober nos illusions! A croire que vos vies sont irréelles!...* »

A quoi bon notre métier, si ce n'est pour que les hommes et les femmes ne crèvent pas d'humiliation, de solitude et d'impuissance? Oui, partout, ils commencent à croire, ils ont fini par accepter que la réalité soit le spectacle qui se déroule dans cette capsule étanche tournant au-dessus de leur tête, et qu'on appelle l'information.

Il nous faut commencer à croire que nos vies sont réelles.

Journalistes, qu'est-ce que nous y pouvons? Ce n'est pas parce qu'on publie un magazine de musique et de cinéma, de radio et de télévision, qu'on doit se contenter de distribuer des confiseries à l'entracte. Nous ne sommes pas des sociologues à bonnets carrés. Encore moins sommes-nous des créateurs. Des médiateurs seulement. Des relieurs.

A d'autres, donc, plus ailés, penseurs, prophètes, la déclamation ou le manifeste. Voici sur la vraie vie des Français l'enquête originale et simple qui nous a paru manquer. On n'y trouvera pas de *scoops* aussi retentissants que dans les aventures du Watergate; on s'en doute. Mais nous y avons mis en œuvre la même lente minutie (une équipe y travaille depuis un an) et appliqué la même méthode : engranger patiemment les faits et les témoignages. Et nous effacer devant eux. On ne pouvait aboutir sans un rapport humble avec ce qui nous était confié : n'en pas faire du cinéma. Quoiqu'il y ait dans ces centaines de récits que vous allez lire, fraîcheurs d'amour ou déréliction, allégresses ou visitations du malheur inimaginables, de quoi tourner des films à foison.

Voici, je l'ai dit, un premier autoportrait des Français d'aujourd'hui. Nous ne décrivons pas la réalité objective, qui est photographique — et dont on a tiré beaucoup de clichés. Ici, nos concitoyens eux-mêmes racontent la façon dont ils voient et sentent la réalité, leur réalité. Par-delà le fugace et l'écorce des choses, qu'est-ce qui accélère leur pouls, les asphyxie ou leur donne assez d'oxygène pour l'envol? Quelle est leur gravitation? Qu'est-ce qui agite leurs âmes? Nous sommes dans les fantasmes, les désirs, les frustrations, les espoirs. A l'intérieur des têtes. En pleine subjectivité. Et dans l'imprévisible; écoutez cette ancienne vachère :

« A 67 ans, seule dans une maison où il pleut, abandonnée par mon mari, c'est bien la première fois que je raconte ma vie. J'ai élevé trois enfants — dont un infirme — sans aucun confort, sans meubles, sans rien. J'ai passé ma vie à laver, coudre, jardiner, élever une basse-cour pour nourrir mes enfants. Mais que croyez-vous que je désirais violemment? Une machine à laver? Un vélomoteur? Des draps à mon lit? Non. Une encyclopédie complète, tous les dictionnaires, plein la maison de livres. Aujourd'hui, quoi faire? Attendre la mort en rêvant encore à tous ces livres que j'ai tant désirés. Et à une paire de lunettes convenables pour les lire... »

Ce monde subtil, variable, impalpable, les chiffres seuls, assurément, ne peuvent pas l'éclairer. Le travail, les loisirs, les envies d'évasion et de création, la mort... Tant de questions nous montaient aux lèvres, que nous avons fait poser, par l'IFOP, dans un long sondage national; nous les voulions aussi charnelles, proches et fluides que possible. Mais les pourcentages, comme dit le psalmiste à propos des idoles, « ont une bouche et ne parlent pas ». Ce livre n'a pu s'écrire qu'avec beaucoup d'interviews et des centaines de récits. On verra vite qu'il leur doit toute sa force et sa fascination.

Durant des mois, nous les avons mendiés, grapillés, auprès des lecteurs de *Télérama* d'abord, et, de proche en proche, à d'autres Français de toutes sortes [1]. L'accueil fut d'étonnement ou de plaisir — au-delà de ce que nous imaginions :

« Votre appel à la vraie vie m'intéresse au point que, secouant ma paresse, je suis incitée à m'interroger, plume en main, sur mon existence passée. »

« Enfin, on ne nous prend pas pour des ... cornichons!... On a envie de tout lâcher pour vous écrire. »

« Cette enquête est d'abord pour moi une occasion de m'arrêter (je suis maman de deux enfants jumeaux). De prendre un peu de recul par rapport à mon existence familiale quotidienne. »

« Dans un monde où tout est axé sur la vitesse et la rentabilité, il est réconfortant d'apprendre qu'il existe des gens qui vous invitent à prendre le temps de vous raconter. L'occasion est trop belle, il ne faut pas la gâcher. »

Et toujours ce leitmotiv : « C'est la première fois que ça m'arrive. » Ils ont eu confiance qu'on les écouterait, qu'on les accepterait tels quels. Comme dit Anaïs Nin dans son *Journal* : « *Nous grandissons avec l'idée que si nous sommes nous-mêmes, nous serons rejetés... Nous gardons la crainte de n'être pas aimés pour notre moi réel.* » Pour la

---

1. Voir « Les matériaux de l'enquête », p. 12.

première fois, le cœur ouvert, ces Français disent ce qu'on ne confie, et si rarement, qu'à ses meilleurs amis : comment ils vivent le temps, les amours, la chance, leur destin; ce qui fait notre bonheur et notre malheur.

Et c'est superbe. A chaque relecture de ces lettres, nous en avons eu la gorge serrée, le même frisson. Il y a là des mots drus et chauds, des visages-paysages, des voix inimitables et des élans de spontanéité qui rendraient envieux bien des écrivains. C'est que raconter sa vie, c'est raconter sa mort, essence et origine de toute écriture. C'est que le talent naît d'abord du besoin de dire. Un jour, une fois, ils l'auront eu...

Ce qu'on nous a dit à l'oreille, nous le clamerons sur les toits avec l'espoir (sommes-nous naïfs?) que les responsables de ce pays, eux aussi, et dans ce moment particulier, délaissant un peu leurs dossiers et les réunions pas si folâtres des sous-commissions, seront curieux, pressés, enchantés de se plonger dans ce fleuve d'eau vive.

Tel quel, avec tout ce qui lui manque, tant de faces non éclairées, ce livre entame une grande conversation; d'autres la poursuivront. Tel quel, déjà, nous y sommes tous, vous et moi, nous nous y retrouvons :

« Quand un homme libre se parle réellement à lui-même, il s'adresse à tous : sa voix rejoint les paroles endormies au fond de tout être vivant. » (Jean Sullivan.)

Francis Mayor

Les matériaux de l'enquête

I. LE SONDAGE

Entre le 30 novembre et le 7 décembre 1976, l'IFOP a réalisé, à la demande de *Télérama*, un sondage sur la ville et la campagne, le travail, l'argent, les loisirs, l'avenir, les retraités et les mères de famille [1].

76 questions ont été posées à un échantillon de 1 063 personnes, représentatif de la population française âgée de 18 ans et plus.

L'échantillon était constitué de la façon suivante :

COMPOSITION NUMÉRIQUE DE L'ÉCHANTILLON
« REPRÉSENTATIF » DE L'ENQUÊTE « IFOP »

Ensemble	1 063 personnes
Sexe	
hommes	512
femmes	551
Age	
18 — 34 ans	376
35 — 49 ans	275
50 — 64 ans	213
65 ans et +	199
Habitat	
communes rurales	315
villes de — de 100 000 habitants	300
villes de + de 100 000 habitants	262
agglomération parisienne	186
Profession du chef de ménage	
agriculteurs	84
CIL (cadres supérieurs professions libérales, professeurs, artistes)	191
cadres moyens	209
ouvriers	343
inactifs	236

1. Voir les résultats détaillés de cette enquête en annexe, p. 261 à 292.

II. LE COURRIER

Les lecteurs du journal avaient été invités à répondre le plus librement et le plus longuement possible aux trois questions suivantes :
— Que faites-vous quand vous ne faites rien?
— Quelle est la part de votre vie qui vous passionne davantage : celle qui est réservée au travail ou celle qui vous reste après le travail?
— Qu'avez-vous, parfois, eu follement envie de faire et que vous n'avez pas fait? Faute d'argent? Faute de temps? Ou pour toute autre raison?

Trois cent vingt-deux lettres ont été recensées et analysées.

La composition de la « population » qui a écrit ces lettres est la suivante :

126 hommes
196 femmes

La répartition par tranches d'âges et lieux d'habitat fournit les deux tableaux suivants :

Age		*Habitat*	
18 — 34 ans	82	Communes rurales + pe-	
35 — 49 ans	51	tites villes	71
50 — 64 ans	65	Villes moyennes	
65 ans et +	55	(— 100 000 habitants)	86
Non identifiés [1]	69	Grandes villes	
		(+ 100 000 habitants)	35
		Agglomération parisienne	87
		Non identifiés [1]	43
	322		322

1. Dans une correspondance spontanée comme celle-ci, certains renseignements ne sont pas fournis et non déductibles d'une lecture attentive.

RÉPARTITION PAR PROFESSION

Agriculteurs	4
CIL (cadres supérieurs, professions libérales, professeurs, artistes)	81
Cadres moyens	105
Ouvriers	10
Inactifs	100
Non identifiés actifs et divers	21
	322

RÉPARTITION SELON L'ÉTAT CIVIL

Célibataires	53
Mères célibataires	8
Mariés	164
Veufs (ves)	14
Divorcés (es)	16
Non identifiés	67
	322

NB — La proportion des « familles nombreuses » et celle des « croyants convaincus » est beaucoup plus forte ici qu'elle pourrait l'être dans un échantillon représentatif de la population française considérée dans son ensemble. Ce sont là des traits particuliers aux lecteurs de *Télérama* qui ont écrit.

En conséquence, ce courrier ne sera utilisé au cours du livre qu'à titre indicatif, ou comme illustration d'une tendance révélée par le sondage. Il peut aussi nous servir *a contrario* comme expression d'une minorité qui s'est livrée spontanément à travers ces lettres. Mais il ne peut prétendre, à lui seul, être « représentatif » de l'ensemble des Français. Nous distinguerons toujours dans les pages qui suivent, les informations recueillies par le sondage IFOP — exprimées en pourcentages —, et celles qui nous sont parvenues à travers le courrier et que nous nous garderons de généraliser. Si par la voie de cette expression libre, on ne peut prétendre explorer systématiquement l'ensemble de la population française, on peut du moins — et ce n'est pas d'un mince intérêt — découvrir ce qui tient le plus à cœur *à un certain nombre de Français,* lecteurs de *Télérama,* et de plus assez hardis pour dire tout haut ce que peut-être beaucoup d'autres pensent tout bas.

* Nous remercions le Centre d'études sociologiques et travaux de recherches appliqués (ESTA), 19, rue de l'Amiral-d'Estaing, 75116 Paris, de sa collaboration pour l'analyse du courrier et la critique du sondage.

1

A quoi rêvent les Français?

Volontiers prolixes quand on les fait parler de leur travail ou de leur famille, les Français ont-ils peur de révéler leurs rêves? Ce serait bien naturel. Raconter ses rêves est une façon imprudente de se mettre à nu. *« La décence m'interdit de répondre »*, écrit un de nos correspondants.

A notre question : *qu'avez-vous, parfois ou souvent, eu follement envie de faire et que vous n'avez jamais fait?* certains de nos correspondants se sont d'ailleurs dérobés :

> Je n'ai pas souvenir d'avoir eu follement envie de faire une chose et de ne pas l'avoir faite, depuis que je suis adulte. Cela est peut-être dû au fait que je suis extrêmement réaliste et que, en conséquence, je rêve très peu. Ma femme me le reproche d'ailleurs souvent, écrit un ingénieur *(B. O., 40 ans, Jeumont).*

Abandonnant aux femmes et aux enfants ce qu'il considère un peu comme une faiblesse, cet homme précis, amoureux du réel, se méfie de tout épanchement incontrôlé :

> Contrairement à vos recommandations, j'ai été bref... Je ne vois pas ce qu'apportent de plus trois ou quatre pages sur un sujet quelconque : on en voit souvent l'exemple à la télé.

Il n'est pas seul à prendre cette attitude... Ceux qui refusent de se laisser entraîner sur les chemins dangereux de la rêverie, se révèlent souvent les adeptes d'un bonheur « sage » : « Il faut se contenter de ce qu'on a »; « J'ai toujours essayé de limiter mes désirs à mes possibilités. »

Ne se sentent pas concernés par cette question ceux (ils sont rares) qui estiment jouir d'un bonheur si total qu'ils ne peuvent, ou n'osent, rien souhaiter ou rêver de meilleur : « J'ai tout eu et j'ai tout. »

D'autres cherchent ailleurs, dans leur passé, ou dans un conditionnement social, la raison de leurs réticences :

Votre question éveille d'abord en moi les mêmes scrupules que chez l'adolescent à qui l'on demande de traiter ce sujet en composition française. La vie et la société nous apprennent avec tant d'insistance à aligner nos désirs sur nos possibilités, à ne pas bâtir de châteaux en Espagne, qu'il me semble toujours un peu incongru de lâcher la bride à nos rêves *(Albert L., 62 ans, professeur, Bourg-en-Bresse).*

Ceux qui osent « lâcher les lions », comme l'écrit une lectrice de *Télérama,* trouvent dans le rêve la consolation de leurs échecs, la compensation de leur médiocrité, ou bien encore un plaisir si intense qu'il peut en devenir douloureux.

Je rêve à telle aventure, tel accomplissement qu'il ne m'est pas donné de vivre *(Michel B., 29 ans, attaché d'administration).*

Le rêve, cette soupape de sécurité, est indispensable à la vie quotidienne. Comment n'en être pas persuadé en lisant certains témoignages?

Il m'arrive d'avoir des envies folles, comme de glisser sur les pentes, faire de grandes ballades dans la neige, dans le calme d'un paysage. J'ai ressenti une fois cette envie avec tant d'acuité que j'ai dû quitter prestement le repas familial pour cacher les larmes qui me montaient aux yeux *(Gisèle R., 45 ans, mère de famille).*

Ce qui me fait follement envie, et depuis longtemps, c'est, par exemple, de faire la folle, de me déchaîner complètement, de faire rire les autres, et surtout de m'envoler. Cela m'arrive parfois en rêve. C'est toujours merveilleux, cette liberté totale, cette rupture de tout lien.

La femme qui s'exprime ainsi est une mère de cinq enfants, visiteuse de prison et dame catéchiste, préoccupée en vrac, comme toute mère de famille, de la réussite au bac du petit dernier, de la grossesse de la fille aînée, du permis de conduire de l' « adolescent timide ». Une femme de 50 ans qui se bat avec la réalité et ne craint pas d'écrire :

Je n'oublie pas les ombres. Les chagrins aussi, c'est vivre vraiment *(Denise de M., Chomérac).*

18

Le droit de rêver, certains le prennent, d'autres le revendiquent en disant bien fort que sans lui la vie ne serait pas tenable.

> Dès l'enfance, j'ai eu des rêves, des désirs secrets qui malheureusement n'ont pas pu se réaliser. Mais au fait, pourquoi malheureusement? Le rêve fait partie de notre vie, et il est toujours permis de rêver (M*lle* M. D., 35 ans, Paris).

Oui, il est permis de rêver, et même s'ils s'en défendent, nos contemporains, Dieu merci, ne s'en privent pas. Il est vrai que par le pouvoir de la publicité, de la communication de masse, certains de leurs rêves tournent à l'obsession; certaines de leurs aspirations les plus légitimes se muent en mythes nourris artificiellement et continuellement par les déceptions de la vie quotidienne.

Vivre à la campagne, par exemple, est un de ces désirs qui enfièvrent l'imagination de nos contemporains... Mais tous ceux qui rêvent d'un retour à la nature, savent-ils exactement ce qu'ils mettent derrière ces mots?

Le voyage, autre rêve obstiné de ces Français que l'on disait casaniers, chauvins jusque dans leurs goûts culinaires, apporte-t-il toujours le plaisir espéré?

Créer, s'exprimer, est également devenu un besoin, d'autant plus impérieux celui-ci, que notre civilisation impose à tous une existence confortablement robotisée.

Vivre à la campagne, voyager, créer et, aussi, être propriétaire... Les rêves des Français d'aujourd'hui révèlent des frustrations, des aspirations qui prennent racine dans la réalité quotidienne et la jugent, la condamnent parfois. Ce jugement, cette condamnation sont des réactions de santé... Nous sommes tous soumis à la pression de la mode (aussi impérieuse dans le domaine des idées que dans celui de l'habillement), nous nous laissons tous piéger par la publicité, nous subissons les lois de la tribu... On retrouve bien sûr, dans nos rêves, ces influences et ces slogans qui nous ont été imposés. Il faut en quelque sorte les lire à l'envers et à l'endroit, ces rêves.

Vivre à la campagne

Rêvez-vous d'aller vivre à la campagne? Posée sous cette forme à des citadins, la question ne sous-entendait pas que les interviewés aient les moyens matériels ou moraux de survivre en pleine nature. Elle cherchait seulement, comme beaucoup de questions de cette enquête, à saisir une aspiration enfouie peut-être, mais d'autant plus forte. La réponse, en tout cas, est impressionnante : un citadin sur deux rêve d'aller vivre à la campagne. La proportion est plus faible dans les petites villes et les villes moyennes (42 et 44 %) que dans les grandes villes et l'agglomération parisienne (51 et 53 %).

Le pourcentage d'enthousiastes diminue aussi avec l'âge des interviewés : de 57 % de « oui » entre 18 et 35 ans, il passe à 51 % pour les 35/49 ans et descend à 30 % à partir de 65 ans. Comme le remarque Emmanuel Leroy-Ladurie : *« Les plus de 65 ans, qui sont le plus souvent originaires du monde rural, ne désirent guère y retourner, alors que les moins de 35 ans qui, pour la plupart, sont nés en ville, voient dans la vie à la campagne l'occasion d'une belle échappée* [1]. » Mais ces chiffres peuvent aussi signifier que les personnes âgées sont, plus que les jeunes, effrayées par un changement d'habitudes et de modes de vie : elles vivent en ville, donc elles préfèrent y demeurer... En outre, ont-elles les moyens de faire autrement?

Les exilés

Rêver de vivre à la campagne est une chose, pouvoir y gagner sa vie en est une autre. En dépit de la nostalgie que manifestent ces réponses de citadins, les campagnes françaises n'ont pas cessé de se vider de leurs habitants depuis plus d'un siècle... et elles se vident encore.

1. Interview dans *Télérama*, n° 1423, 20 avril 1977.

Pourtant, cet exode n'a plus la même signification aujourd'hui qu'au siècle dernier... Dans le passé, le jeune campagnard abandonnait la ferme de ses parents et partait tenter sa chance en ville en ayant le sentiment d'échapper aux travaux pénibles de la terre, de fuir la pauvreté, la misère parfois. La ville figurait pour lui l'espoir d'une vie plus douce.

Aujourd'hui, la même émigration est ressentie par ceux qui l'entreprennent comme une cruelle nécessité, c'est un exil imposé par des contraintes économiques. Ils ne partent en ville que pour survivre, sans espoir de vivre, en contrepartie, une aventure exaltante. Pour ceux qui en ont été chassés, retourner à la terre n'a rien de littéraire et ne doit rien à la mode :

> Je suis né voici près de vingt-sept ans, dans la campagne girondine, à 60 kilomètres au nord de Bordeaux. Notre modeste propriété familiale se révéla rapidement trop petite pour pouvoir subvenir aux besoins des grands-parents, du frère et des parents (nos besoins s'étant développés plus vite que l'agriculture, et ceci reste un problème d'actualité encore aujourd'hui). Ma mère partit pour travailler en usine pendant que mon père, à la ferme, assurait les travaux. Cette situation fut provisoire, car quelques années plus tard, il la rejoignit.
>
> A 14 ans, il n'y avait que la terre qui m'attirait. Malheureusement, l'échec récent de mes parents m'interdisait ce rêve. Alors, un peu contre mon gré, « nous » avons choisi la sécurité du travail de bureau, car « il fallait vivre, faire quelque chose »... Après trois ans de cours commerciaux, j'ai débuté dans les bureaux d'une cartonnerie, près de chez moi. Là, je fus confronté aux réalités, et je me heurtai à de telles difficultés d'adaptation que, quelques mois plus tard, je faisais une dépression nerveuse, maladie bien de notre époque, s'il en est une. Après une année perdue à accomplir mon service militaire, je retrouvai mon emploi, pour deux ans. A la suite d'une fusion commerciale, je fus muté à Bègles, d'où je suis reparti presque à zéro, avec, « en prime », la ville à affronter. C'est dur quand on se sent paysan... Aujourd'hui, je me sens mieux dans ma peau, les petits problèmes d'adaptation ont laissé la place aux problèmes que j'appellerai « de fond » et qui tiennent en quelques questions. Pourquoi vit-on mal? Va-t-on vivre mal longtemps encore? sans espoir de mieux? que peut-on, que doit-on faire pour en sortir tous ensemble? *(José S., 27 ans, célibataire, Bègles).*

Le désarroi de ces déracinés se double souvent d'un profond pessimisme sur leurs chances de survivre s'ils revenaient à la campagne... Agé de 35 ans, occupant, écrit-il, *« un emploi monotone et sans possibilité de promotion »*, ce correspondant est sans illusion sur ce qui l'attendrait s'il revenait au pays :

Je rêve... de n'avoir pas quitté la campagne de mon enfance : la campagne du Bugey qui entourait mon hameau. J'y vivrais modestement, péniblement même, sur quelques hectares de terre, de prés et de bois. Mais, en contrepartie d'un dur labeur, j'aurais la satisfaction incomparable de juger du résultat de mon travail et d'œuvrer avec la nature au fil des jours et des saisons... Hélas! mon rêve n'était qu'une utopie balayée par le destin. D'ailleurs, là-bas aussi, le « progrès » a transformé les choses et les hommes, pour le meilleur et pour le pire. Pour le meilleur en réduisant la peine des hommes, en leur procurant de meilleures conditions de vie : création de coopératives... et surtout une meilleure protection sociale. Pour le pire, en les assujettissant à un système qui accorde la priorité absolue au machinisme, au rendement, au profit. Et ceux qui ne peuvent croître survivent sur leur lopin de terre ou deviennent des paysans-ouvriers : une autre forme d'aliénation. Non, décidément, là ou ailleurs, la vie n'est pas facile pour ceux qui refusent d'être conditionnés, manipulés, de subir une évolution imposée, mais qui aspirent à l'épanouissement de leur être dans une société qui donnerait (enfin) la primauté à l'homme *(René M., 35 ans, employé, Lyon).*

Les frustrés

Après ceux qui rêvent de vivre à la campagne parce qu'ils en viennent, voici ceux qui se déterminent *contre* ce qu'ils connaissent : la ville. Ils aspirent à la campagne parce qu'ils n'aiment pas leur ville et la vie qu'ils y mènent.

Imaginez-vous que chez moi (j'y suis depuis 1937), on ne voit pas un brin d'herbe, pas un arbre, à part quelques pots de fleurs sur les fenêtres. En se penchant, on peut apercevoir un ou deux arbres d'une rue transversale, à une trentaine de mètres. C'est tout. Et au bureau, c'est le même univers. De quoi vous donner le cafard. J'espère, quand je serai à la retraite, vivre enfin près de la nature et, si je suis encore valide, me payer quelques petites escapades de temps en temps *(Geneviève B., employée de bureau, célibataire, Paris).*

Un dessinateur industriel (sans doute d'origine rurale) que son travail laisse insatisfait (contraintes horaires, autoritarisme des chefs de service, maigre salaire) écrit :

Ce que j'ai envie de faire? D'abord un retour à la nature, élevage et culture par exemple. Certains l'ont déjà fait, mais je n'en ai pas le courage par peur d'être obligé de me restreindre et peut-être de me casser le nez *(Michel A., Beuvrages).*

Pour beaucoup de nos contemporains, le monstre, le symbole de tous les excès de la vie moderne, c'est évidemment Paris. Paris qui dévore ses habitants, qui se prend pour le nombril de la France, qui impose ses modes et son pouvoir. Paris, capitale de tous les maux, au point qu'après les avoir longtemps jalousés, les provinciaux prennent aujourd'hui sur les Parisiens une sorte de mauvaise revanche : vivre à Paris n'est pas loin d'être, dans leur esprit, une sorte de malédiction.

De leur côté, et peut-être impressionnés par tout ce qui se dit et s'écrit contre leur ville, beaucoup d'habitants de Paris, contraints d'y demeurer pour y gagner leur vie, se surprennent à rêver d'une existence provinciale, à mi-chemin entre la campagne, trop rude, et la ville, trop grande.

D'abord, j'en ai ras le bol de cette vie. Et pourtant, je continue. Peut-être parce que je n'ai que 22 ans et qu'à peine deux ans de contraintes et de concessions, ce n'est pas assez pour foutre le camp autre part et arrêter tout. J'ai l'espoir de réaliser mon rêve, mais il n'est pas encore temps, du moins je le pense, car je crois être limitée par l'argent... Je ne conçois pas de vivre ou plutôt de subsister à Paris encore longtemps. Je ne conçois pas d'y être heureuse et c'est pourquoi je ne veux pas y faire un enfant.
Mon rêve, il est simple. Il est celui de beaucoup de gens, celui des déracinés ou de ceux qui aspirent simplement à une vie naturelle. Je vois une petite maison (pas un château, ne soyons pas exigeant), un jardin et des animaux, avec la nature tout autour, un chemin que l'on peut prendre tranquillement à pied ou à vélo, une petite ville avec des rues qui mènent partout

23

quelque part. J'espère trouver un poste d'institutrice dans cette petite ville pour pouvoir rentrer à midi soigner mes bêtes. J'espère aussi que l'homme de ma vie trouvera du travail dans la région. Pour réaliser ce rêve, que faut-il quand on n'a pas d'héritage en vue, pas de parents vivant à la campagne? Au minimum quelques millions gagnés (ou plutôt arrachés) à force de sacrifices et d'asservissement (si l'on n'a pas la chance d'avoir un métier passionnant et lucratif de surcroît) et l'immense chance de trouver une activité en province. Alors, j'attends et espère quand même, malgré que l'épargne ne progresse pas (elle aurait même tendance à régresser de plus en plus). Cette attente, je la vis quand même, de ce qui me semble être la meilleure façon. Je dis bonjour aux chats et aux chiens dans la rue, je nourris les pigeons qui viennent sur le rebord de ma fenêtre. Je fais du footing, je vais au cinéma, je regarde la TV (quand elle est intéressante), je danse, je fais des photos, je lis, j'écoute de la musique, je fais l'amour, je rencontre des amis, je fais du crochet, je soigne mes plantes. Voilà, je m'appelle Muriel et je suis normande, mais sans maison et sans ferme (hélas!).

Vivre avec un animal

Moins désintéressés peut-être que Muriel, les citadins sont nombreux à reporter sur les chiens, les chats, les oiseaux en cage, leur amour malheureux pour la nature. La population française de chiens et chats est la plus élevée au monde après celle des États-Unis. Il y a sept millions de chats et sept millions et demi de chiens (sans compter les « clochards »). Un foyer sur deux possède au moins un animal domestique. Il reste que les motivations des maîtres ne sont pas toujours évidentes, leur affection souvent accablante pour les animaux, quand ils ne s'en débarrassent pas au coin d'une rue pour partir tranquillement en vacances.

Le Dr Condoret, vétérinaire à Bordeaux, ne se contente pas de soigner les animaux malades, il s'intéresse aussi à la relation qui s'établit entre l'homme et l'animal :

Une relation, motivée par diverses frustrations, l'environnement urbain, le désir de chasser, de se promener. Le regard de l'animal rappelle un buisson, une aube, un couchant sur un lac. Quand la frustration est de type affectif, la relation est encore plus privilégiée : les gens seuls, les vieux, les jeunes couples sans enfant, « pouponnent » un chien. Celui-ci vient compenser un manque affectif et proposer un mode de communication que ses maîtres ne parviennent pas à établir ailleurs. Parce qu'ils éprouvent un sentiment d'abandon, de détresse, ou un poids de domination (le chef de service est un exemple typique...), ils cherchent à le compenser par une revalorisation sur le plan social : à défaut d'une belle voiture ou d'une belle maison, un beau chien assure la considération du quartier... et oppose une sorte de dimension esthétique à la laideur de l'environnement. Nos conditions de vie nous donnent parfois le sentiment d'une désagrégation des relations humaines. En réaction contre cet « enfer social », nous tissons avec les animaux des relations que nous éprouvons comme spontanées, naturelles [1].

Un autre vétérinaire, le Dr Jean Costa, répond à la question : *pourquoi vit-on avec les animaux?*

Au départ, l'homme recherche sans doute le contact avec quelque chose de naturel. C'est un réflexe égoïste en même temps que logique : on a remarqué que plus la concentration des individus est forte (dans les grands ensembles, par exemple), plus le nombre d'animaux est élevé [2].

L'amour de la nature

La nature : mot magique pour nos contemporains privés d'air pur, de verdure, d'eaux claires. Vieux pays agricole, la France a eu du mal à faire sa mue, à s'urbaniser, à s'industrialiser. Les Français gardent toujours un peu de terre à la semelle de leurs souliers, du moins ils s'en vantent volontiers.

Comment expliquer autrement, sinon par un peu de bluff, qu'ils soient 88 % à se croire capables de reconnaître le pin du sapin! 86 % à distinguer le chêne du hêtre et 85 % le cerisier en fleur du pommier en fleur!

1. Interview recueillie par Anne-Marie Paquotte.
2. *Ibid.*

Pour le lièvre et le lapin de garenne, passe encore : ce peuple de chasseurs et de gastronomes a l'œil averti. Mais reconnaître le seigle de l'orge, voilà qui suppose une compétence agronomique plus poussée. Eh bien! 62 % de Français sont persuadés de pouvoir le faire; même si ce n'est pas tout à fait vrai, la chose leur paraît suffisamment importante pour valoir un petit coup de pouce à la vérité.

L'amour de la nature et de ses bêtes sauvages, la nostalgie des plantes que l'on fait pousser, des rivières que l'on regarde couler, ne sont pas toujours des sentiments superficiels, même s'ils sont nourris de souvenirs littéraires. Quelquefois le regret d'un paradis perdu déchire le cœur :

> J'ai planté cet été, en plein mois d'août, dans les quelques mètres carrés de terre qui entourent ma cour, une petite branche de chèvrefeuille arrachée à la campagne environnante. Il y a quelques jours, le 5 janvier très exactement, cinq petites feuilles vertes sont sorties de terre. C'était gentil de leur part, n'est-ce pas? Elles y ont mis beaucoup du leur, car il ne faisait vraiment pas chaud. Alors ce jour-là, j'ai eu l'impression que la nature me faisait un cadeau personnel, et je me suis sentie très honorée. J'ai évidemment prévenu mes trois garçons afin qu'ils prennent bien garde... et quelques jours plus tard, mes petites feuilles mouraient écrasées sous le poids d'une balle barbare (*mère de famille, Rochefort-sur-Mer*).

Les pêcheurs à la ligne qui feignent de ne prêter attention qu'aux mouvements de leur bouchon ne sont-ils pas aussi des amoureux de la nature?

> Il est extraordinaire de se balader dans la nature, une canne à pêche prétexte à la main, et de remonter pendant des heures une rivière ou un torrent. Au bord de l'eau, les soucis s'envolent, l'esprit est tout entier à recevoir les images du paysage, le souffle du vent, la vision d'une belette, le roulis de l'eau. Je pense que c'est à cet endroit que je ressens l'impression de vivre de la façon la plus intense. C'est même tellement simple que toutes les réflexions au sujet de ce bonheur viennent après, car l'instant présent, au bord de l'eau, n'est que vie. C'est d'ailleurs quand les mots ont du mal à définir une sensation de bonheur, de vie vraie, qu'on s'aperçoit qu'on ressent quelque chose de plus intense et de très personnel. Ça se place sur un plan très spirituel, mais avec une harmonie entre le corps et l'esprit, sans décalage (*Bernard L., 27 ans, employé de bureau, Villers-les-Nancy*).

26

On peut aimer la nature sans cesser pour autant d'apprécier la vie en ville. Mais dès qu'on vous invite à rêver, ce n'est pas la ville, mais la campagne qui l'emporte.

> De toute façon, de plus en plus, j'ai l'irrésistible envie de vivre plus près de la nature. J'aime la ville. Mais six mois par an loin d'elle serait mon vœu le plus cher. Pourrai-je un jour le réaliser? Attendons sagement la retraite pour tenter de le faire *(Lucienne B., 60 ans, célibataire).*

Encore la retraite comme seul espoir :

> Mon rêve : passer un an dans un petit village de montagne pour voir défiler les saisons. C'est irréalisable. Quand je serai à la retraite!... *(Paulette G., 45 ans, employée, Nantes).*

Notons au passage que, dans leurs rêves, ces correspondants prennent soin de limiter le temps de leur séjour à la campagne : six mois, un an... Pas toute la vie.

La résidence secondaire

Faire alterner vie à la campagne et vie en ville, plus régulièrement, plus généreusement que ne le permettent les habituels « congés », est sans doute le rêve secret de beaucoup. Ainsi faisaient les aristocrates de l'Ancien Régime : on avait son hôtel à Paris et son château à la campagne. Mme de Sévigné allait de l'un à l'autre et pouvait s'émerveiller de batifoler dans l'herbe en croyant faire les foins! C'est, aujourd'hui comme hier, un luxe de privilégiés : celui des citadins qui sont propriétaires de résidences secondaires.

D'après une étude réalisée pour le secrétariat d'État à la Culture en décembre 1974[1], 15,4 % seulement des Français disposent d'une résidence secondaire et s'y rendent pour les vacances et les week-ends. On ne sera pas étonné d'apprendre que l'usage d'une résidence secondaire est largement plus répandu dans les milieux de cadres supérieurs et pro-

---

1. *Pratiques culturelles des Français,* étude réalisée par l'ARC, avec le concours de l'Institut de sondage Lavialle et la Générale de services informatiques entreprises.

fessions libérales (39 %) et particulièrement à Paris (35 %). Un tiers des cadres moyens ont une résidence secondaire. La proportion tombe à 18 % pour les employés, 13 % pour les OS et manœuvres, 11 % pour les ouvriers qualifiés et les contremaîtres. Pour ces deux dernières catégories, l'étude citée ne précise pas s'il s'agit de propriétaires d'origine rurale (autrement dit : ayant conservé la maison de leur enfance ou hérité la fermette des grands-parents). En tout cas, dans cette minorité de propriétaires aux ressources modestes, certains portent à leur résidence secondaire un amour intelligent et tentent de vivre dans leur campagne une vie fraternelle et harmonieuse qui les guérit de leur existence citadine :

> Quand je ne travaille pas, j'ai un petit bout de terrain dans le Midi, en Languedoc. J'y fais pousser des arbres et maintenant, dans ce petit bout de lande dans les marais, il y a des pins, des peupliers et même des champignons... Quand je ne travaille pas, je ne languis jamais, j'écris un recueil de poèmes, je me construis avec un groupe de copains, autour d'un bon feu, un monde que j'imagine plus juste, je partage avec eux une grillade, au « cabanon », ma « salade biologique », je fais un montage « cassette et photos », je fais le point avec ma femme, je vais tailler la vigne chez mon fils qui est retourné à la terre. J'ignore l'ennui, c'est uniquement le temps qui me manque. Tous, en ce moment, nous reconstruisons un mas en ruine au pied du Larzac (il a coûté 160 000 anciens francs), comme les anciens le faisaient. Il n'y aura qu'une seule pièce, mais avec une cheminée immense. Là, dans un paysage rude, magnifique, on y partagera bien des choses...
> *(René T., permanent syndical ouvrier, 34 ans, Fabregnes).*

Dans quelle mesure le phénomène « résidence secondaire » est-il lié à ce besoin de vivre à la campagne, à ce rêve du « retour à la terre » qui s'exprime si massivement dans le sondage et dans le courrier?

Les observateurs de notre société, généralement sévères pour les propriétaires de résidences secondaires, doutent parfois de la profondeur de cet attachement à la terre. Emmanuel Leroy-Ladurie dit par exemple : *« Ce rêve campagnard explique en fait l'attrait de la résidence secondaire qui n'est qu'une sorte de mensonge que les gens se font à eux-mêmes. Elle sert de rassurant substitut à cette " aspiration paysanne ", car elle n'implique aucun enracinement affectif dans ce paysage tant chéri*[1]. »

1. Interview déjà citée.

Il serait cependant injuste de ne pas tenir compte de ceux qui s'efforcent, quand ils en ont les moyens, de préserver ou de restaurer l'identité régionale, que ce soit en rebâtissant de leurs mains, parfois, les demeures abandonnées, ou en participant à l'activité économique du coin de France où ils ont installé leurs pénates du week-end et des vacances. Ils polluent aussi la campagne en y apportant des habitudes de confort et des besoins nouveaux; ils modifient le paysage en construisant des bâtiments, en perçant des fenêtres, parfois inconsidérément, en exigeant des routes... Mais toute vie est polluante, dérange l'ordre des choses. Et l'agriculteur qui construit un hangar en fer et en tôle ondulée là où, depuis un siècle, se dressait une grange aux tuiles moussues, détruit l'harmonie du paysage, lui aussi.

D'ailleurs, les propriétaires de résidences secondaires, qui sont souvent nés dans la région où ils retournent en vacances, ne sont pas toujours ces citadins hautains, indifférents et barbares, que se plaisent à décrire des sociologues sceptiques :

> Tous les jours de congé, nous nous évadons à 100 kilomètres dans le golfe du Morbihan, d'où je suis originaire, et là, nous avons une petite maison perdue dans le silence et la verdure, proche de la mer. Nous sommes surtout très attachés à notre petite commune. Nos enfants connaissent tous les jeunes du pays et les autres qui reviennent avec nous « aux sources » *(Mme S., 41 ans, mère de famille, Nantes).*

La résidence secondaire n'est pas non plus toujours le symbole de la bourgeoisie repliée sur elle-même; certains aspirants propriétaires ont le cœur plus large qu'on ne le croit communément :

> Un grand rêve : celui d'une maison perdue dans un lieu sauvage, par exemple le plateau central du Larzac... Une maison où l'on pourrait aller, soit pour se retrouver dans la solitude, soit pour faire des fêtes. Une maison communautaire qu'on achèterait à plusieurs, car cela coûte moins cher, mais aussi pour le principe, pour le symbole *(psychologue-conseillère conjugale, Paris).*

La maison de campagne pleine d'amis : un rêve qui témoigne au moins contre l'égoïsme :

> Envie de faire et jamais fait? En vrac, avoir une grande maison à la campagne où l'on peut recevoir tous les amis, parents, frères,

> sœurs, etc., et où tout le monde ait envie de venir. *(Jean-Claude, 31 ans, Montpellier).*

La maison de campagne est le refuge de tous ceux que la vie moderne blesse jour après jour. Plus encore que le « rassurant substitut à l'aspiration paysanne » dénoncé par Emmanuel Leroy-Ladurie, elle signifie aussi que nos contemporains ont un étrange besoin de retour au passé. Parce qu'ils vivent mal, aujourd'hui, dans leurs cités, les Français rêvent d'un autrefois mythique, d'un âge d'or auquel ils prêtent tous les charmes :

> Ce qui m'intéresse le plus, c'est de partir dans le Sud-Ouest, dans la maison que nous avons achetée à la campagne, en pleine forêt. J'aime y retrouver la nature, le rythme paisible de ma nature profonde de paysan. Je ne suis pas paysan. Mon père était employé devenu cadre. Mes grands-parents, ouvriers. En fait, j'aime bien le passé, la campagne, découvrir, au fond, les gens, ce qui les fait vivre ou faisait vivre leurs parents, leurs villages *(J.S., 37 ans, cadre, père de deux enfants, Aulnay-les-Valenciennes).*

Les plus lucides (peu nombreux) ne sont pas dupes. Ils savent très bien que la fascination qu'exerce la résidence secondaire tient aussi au fait qu'elle est alternative, secondaire justement. Ce qu'exprime fort clairement cet attaché d'administration dont l'un des loisirs préférés est :

> [...] l'aménagement d'une résidence secondaire, plus pour ma femme et mes fils en bas âge. Là aussi et par contraste, le silence, le dépaysement et la nature, qui secréteraient à la longue, l'ennui, donnent leur prix à Paris, au bruit et à la précipitation.

Posséder une résidence secondaire, c'est enfin découper dans l'image du monde moderne un coin de nature préservé des périls. Illusion sans doute, égoïsme de privilégiés, assurément; mais illusion qui aide ces privilégiés à supporter l'étouffement, le rythme épuisant des villes.

C'est décidé, nous partons!

Pour certains, la frustration est trop forte, l'attraction trop violente : ils font le saut dans l'inconnu, ils coupent les amarres qui les retiennent à la ville détestée. Il y a le frémissement d'une grande aventure dans ces lettres qui disent toutes la même folle espérance :

> Au mois de juillet prochain, c'est décidé, nous allons dire adieu à Paris. Destination : une grande vieille baraque en Bourgogne. Utopie? Peu importe. Moins de rentrées d'argent? Certainement. Mais nous aurons les arbres, les petits ruisseaux tout neufs. J'aurai mon chien, la terre, de l'herbe. Je suis heureuse. J'ai 50 ans, un mari qui m'aime et tout l'avenir devant moi *(Monique P., Paris).*

Même rêve exprimé dans les mêmes termes par un homme :

> Réfléchir, vendre la voiture, les meubles; partir à la campagne. Le jardin, s'habiller soi-même, élever ses enfants, leur ouvrir les yeux et leur faire découvrir les joies simples de la vie. Bien sûr, il faudrait beaucoup de sacrifices, car un seul petit salaire sera à peine suffisant. Tant pis! Où est le risque? Mener une vie austère mais vraie. C'est décidé, nous partons cette année... *(Pierre D., Loos).*

Troublante ressemblance de toutes ces lettres qui débordent du même espoir, sont gonflées du même désir de vivre mieux, de s'enraciner dans une terre... et sont pleines aussi des mêmes inquiétudes :

> J'ai 26 ans, mon mari 29. Notre vraie vie qui sera bientôt une réalité, ce sont 11 hectares de cailloux et de chardons en Lozère, où nous commencerons dans quelques mois à nous bâtir (nous-mêmes) une maison dessinée par lui. Nous ferons tout de nos mains, la maison, les meubles, le jardin, la décoration. Nous ne savons pas encore de quoi nous vivrons (tourisme, art, agriculture et/ou emploi extérieur). D'un côté, ça m'attire beaucoup : le paysage fascinant, l'espace, le silence, la vie dure et saine, la création, beaucoup de travail, et une unité du fait que nous aurons tout sur place, et que nous serons presque un monde (et je recherche avant tout l'unité). Nous pourrons réaliser tous nos rêves. Mais aussi, j'ai peur de m'ennuyer dans la solitude, j'ai peur d'avoir peur la nuit. Cette vie sera un tel changement pour une citadine, qu'il y a de quoi être à la fois séduite et effrayée.
> D'ailleurs nos activités attireront certainement du monde, il y

aura des contacts humains... Il nous manque des tas de choses pour être tout à fait heureux, mais nous savons que nous y arriverons, lui à disposer de son temps pour peindre et réfléchir, moi à mener une vie active et créatrice, à régner sur une maison, un jardin, éventuellement une famille, à créer une vie simple et farfelue, à être fée, sainte, romancière, danseuse, photographe, muse, restauratrice de vieilles maisons, guérisseuse, fondatrice (de quoi, je ne sais pas encore), cavalière, odalisque, peintre sur soie, travailleuse intellectuelle et manuelle, faiseuse de bonheur et d'harmonie. Vivre une réalité qui soit aussi belle qu'un rêve *(ex-professeur de lettres, actuellement gérante de magasin, Nîmes).*

C'est une lettre dont la sincérité ne saurait être mise en doute, même si les souvenirs littéraires habitent cet ancien professeur de lettres reconvertie dans le commerce. En attendant le royaume dont elle serait la souveraine, cette jeune femme puise à la source dont elle connaît les richesses : le rêve.

Ils sont partis

Après les exilés, les frustrés et les rêveurs, voici quelques témoignages de ceux qui ont réalisé leur rêve de campagne. Ils sont partis pour de bon, ils ont changé de vie, de métier, pour s'approcher de cet idéal naturel et agreste qui enflamme l'imagination de nos contemporains...

Une véritable agricultrice — il y en a tout de même parmi les partisans du « retour à la terre »! :

J'ai 25 ans, célibataire, et je crois être de ces Français qui vivent leur vraie vie. Quand j'ai choisi mon métier sans rapport avec ma formation intellectuelle, c'est à la fois un travail et un passe-temps que j'ai choisi. J'élève des moutons et vis une vie d'agriculteur, et ceci occupe la plus grande partie de mon temps, temps qu'il m'est difficile de répartir du fait de ma grande liberté de l'utiliser. J'aurais beaucoup de mal aussi à dire quelle est la part de ma vie qui me passionne davantage... Ma part de loisirs et ma part de travail me passionnent également, celle-ci permettant l'expression de celle-là. Quand je ne travaille pas... il est commun (et c'est tout à fait vrai), d'entendre dire que dans une ferme, il y a toujours quelque chose à faire. Mon genre de vie est peut-être une fuite devant l'éventuelle vie de fonctionnaire que j'aurais pu avoir, c'est aussi un choix et une philosophie : celui de préférer la solitude de la campagne à celle de la ville, de préférer obéir aux impératifs climatiques et saisonniers plutôt qu'à ceux de l'économie et de la production industrielle. Et c'est la philosophie de prendre le temps de vivre... Professionnellement, je peux envisager de passer du stade de salarié agricole à celui d'exploitant. Réalisation d'une passion, plus grande autonomie, sinon liberté, qui vont me permettre de réaliser un rêve que je n'ai pas encore concrétisé, faute d'argent quand j'étais plus jeune, et encore à présent, et faute de temps, parce que, malgré tout, en tant que salarié, il y a un nombre d'heures de travail qu'on est tenu de respecter... Je regarde autour de moi mes parents, amis, voisins... Et je pense qu'aussi imparfaite que puisse être mon existence, j'ai réussi à me hausser au rang des privilégiés de la vie. Je ne sais pas l'ennui, j'aime mon travail comme une détente et mes loisirs comme un autre travail, passionnants. Et j'ai le sentiment qu'il n'y a pas de vraie ou fausse vie. Il y a la vie et c'est une œuvre individuelle, et il faut choisir entre la subir et la vivre. Je l'ai fait et je vis ma vie (*Anne-Marie D., Saint-Just-le-Martel*).

Pour concilier leur amour de la nature et l'obligation d'exercer un métier dans une ville, certains citadins, sans rêver d'impossibles retours à la terre, se contentent d'un compromis au prix parfois de sacrifices financiers. Ils trouvent en province un rythme mieux accordé à leurs besoins profonds. Besoin de campagne, certes, mais aussi d'une vie unifiée qui s'écoule sans rupture entre les jours ouvrables et les jours fériés, une vie qui réconcilie le travail et le loisir.

Pendant longtemps, nous avons vécu à Paris, en appartement. Le dimanche, nous allions aérer les enfants à la campagne, chez mes parents. Un jour, mon mari et moi avons décidé de nous « régionaliser » et de ne plus couper ainsi les week-ends du reste de la vie. Nous avons cherché une maison campagnarde et avec jardin, à la périphérie d'une grande ville, refusant que les week-ends soient passés dans un cadre différent des autres jours de la semaine. Mon mari, pour cela, a dû changer de profession, mais ne le regrette pas. Il est bon, le dimanche matin, de se réveiller tranquillement chez soi, au milieu de ses objets familiers, de terminer ce qu'on n'a pu faire les autres jours et d'entendre des chants d'oiseaux. Évidemment, c'est plus facile à réaliser en province qu'à Paris. Au fond, la « vraie vie », nous nous en sommes rapprochés en quittant Paris que nous trouvions trop artificiel *(Anne C., Sainte-Foy).*

Solution séduisante, certes, mais élitaire par définition : les grandes maisons campagnardes avec jardin, à la périphérie des grandes villes, deviennent rares... Et quand beaucoup de Français rêvent, eux aussi, d'un jardin et d'une maison à proximité d'une grande ville, la campagne se transforme en banlieue et les grands manoirs campagnards en affreux pavillons! Quant à la banlieue résidentielle de type anglais ou américain, ces « villages » de maisons individuelles qui fleurissent dans la région parisienne, notre correspondante — qui a du goût, c'est évident — n'en voudrait pas non plus. Elle a la chance d'avoir tiré un bien meilleur lot... Tant mieux pour elle.

Mais les autres? Ceux et celles qui doivent aller travailler en ville, dont les enfants doivent se rendre au lycée, à l'Université?... En lisant le témoignage suivant, qui n'élude aucune des contradictions du débat, on se dit qu'il faut aimer bien passionnément les bourgeons pour payer de ce prix leur contemplation...

Depuis un an que je suis banlieusarde, avec trois heures de transport par jour, auto-train-métro, je n'ai plus « un instant à moi ». Certains jours, ma fille (13 ans) et moi, quittons la maison à 6 heures et demie du matin et ne rentrons qu'à huit heures du soir.

Jadis, j'aimais beaucoup cuisiner. Maintenant, c'est « la grande bouffe » du week-end. Prévoir chaque dîner de la semaine, et les déjeuners où ma fille est seule. A cela, ajoutez les courses, le ménage, le linge, la vaisselle, la couture... Les travaux ménagers s'enchaînent sans relâche durant le week-end.

Il y a aussi la pelouse à tondre, les arbres à soigner, le bois à scier. Et le bricolage — il n'y a pas d'homme à la maison : travaux d'électricité, peinture de la salle de bains, des volets... J'aimais travailler de mes mains, mais quand on s'est éreintée toute la journée sur un plafond et qu'en descendant de l'escabeau on retrouve la vaisselle de midi et qu'il faut préparer le repas du soir, ce qui était passe-temps nécessaire, mais somme toute pas si désagréable, devient corvée. Auparavant, chacune de ces occupations était en soi « un loisir », mais l'accumulation, la succession, le rythme éprouvant ont entraîné une perte d'équilibre. Je suis saturée de tous ces « loisirs »... Ils sont devenus le bagne! Être assise dans un fauteuil, dix minutes, et... ne rien faire! Et si je disposais d'un peu plus de temps : tricoter devant un beau feu de bois, en écoutant un disque!

Pourquoi ne pas revenir vivre à Paris, si c'était possible?

Si vous posiez la question à ma fille, elle répondrait : jamais. Pour elle, les loisirs sont de vrais et de... bons loisirs. Se balader à bicyclette par les petits chemins (nous vivons en pleine campagne), aller à la recherche de mûres ou de champignons, m'offrir des bouquets de fleurs sauvages ou de feuillages d'automne, cultiver son potager, et quand la nuit tombe, la télé... Je préfère la savoir se promenant dans les champs qu'en train de traîner dans les rues ou tournant comme un fauve dans un appartement parisien. Pour être heureux, il suffit pourtant de quelques instants d'harmonie avec les êtres et le monde qui nous entourent : la demi-heure de train où ma fille, m'interdisant toute lecture, se raconte, le pont sur la Marne verte ou nimbée de brume matinale, le dîner pris sur la pelouse, la boursouflure d'un bourgeon et la rouille d'une feuille à quoi l'on mesure la progression de la saison... L'automne a été si beau cette année *(Christiane Prakash, journaliste).*

Quitter Paris, vivre en Province, mais pas nécessairement de l'agriculture, suffit souvent à satisfaire le désir d'une existence plus naturelle, plus humaine. Mais c'est le même mouvement qui lance les uns dans l'aventure du retour à la terre et les autres, comme ce jeune couple, dans une reconversion professionnelle qui leur fait fuir Paris.

Nous nous sommes connus à Sarcelles et rêvions de vivre plus près de la nature. Michèle s'est préparée à la profession d'assistante sociale, j'étais dessinateur industriel (CAP par cours du soir, car entré au travail à 15 ans), et mal dans ma peau de dessinateur. Elle m'a donné le goût de sa profession.
Nous avons choisi de renoncer pendant trois ans à la moitié de mon salaire (bourse de moitié), et de redémarrer à un salaire beaucoup plus bas trois ans plus tard pour que je m'épanouisse dans mon travail (actuellement, nos salaires sont chacun de

2 500 F). Puis nous avons cherché un emploi en province. Du dixième étage que nous habitions, il y a peu de temps, nous voilà habitants d'un hameau, et travaillant, Michèle en milieu rural et moi dans une ville de 12 000 habitants. Voilà pourquoi toutes nos envies « folles » n'ont pas été sans se réaliser et que nous avons l'impression d'être comblés. Les différents choix nous ont imposé des renoncements importants : possibilités d'échanges et de culture que permet la ville, privation financière ou projets moins coûteux, travail dans un contexte moins grouillant d'idées neuves comme en milieu urbain *(Gérard T., 26 ans, Cosnes-sur-Loire).*

Le revers de la médaille

Ainsi, même quand on a fait librement, joyeusement, le choix de vivre à la campagne, on peut aussi ressentir avec vivacité ce qu'on a perdu en quittant la ville : les incitations multiples, les possibilités de contact, l'effervescence culturelle et sociale.

Chaque médaille a son revers, les joies d'avoir une maison à la campagne s'arrêtent là où commence l'isolement *(Mme G. F., 29 ans, Saint-Symphorien-d'Ozon).*

La vie sociale, les possibilités d'échanges, donc de renouvellement, préoccupent particulièrement les moins de 25 ans : 30 % d'entre eux comptent parmi les avantages de la vie urbaine le fait « d'être sollicités constamment par des activités intellectuelles, artistiques, politiques ». Les Parisiens, conscients du privilège qu'ils détiennent dans ces domaines, sont 36 % à penser de même. Un Français sur deux rêve de vivre à la campagne, mais un sur quatre apprécie en ville le choix et la variété des distractions, l'éventail des emplois (surtout les jeunes). Plus du tiers trouvent agréable d'avoir à proximité de nombreux magasins. Ce sont curieusement les plus âgés, les retraités, qui sont sensibles, en ville, à la présence et à la multiplicité des magasins. Les personnes âgées ont de la peine à s'adapter au mode de vie que leur impose le commerce à la campagne. Combien de vieillards, bloqués dans les villages déser-tés par les commerçants, doivent se contenter des marchands ambu-lants qui leur font payer au prix fort des produits de second choix? Si aucun ami, parent ou voisin ne les conduit au supermarché qui s'étale en pleine campagne à mi-distance de deux agglomérations, ils sont dans l'incapacité de s'approvisionner.

Mais le grand avantage de la ville, celui que mettent en avant 60 % des adultes de 35 à 49 ans (les parents des adolescents...), c'est de permettre aux enfants de faire de meilleures études. Vivre à la campagne, c'est très bien tant qu'on n'a pas d'enfant ou quand ils sont encore très jeunes. Les agriculteurs savent les difficultés qui les attendent lorsque leurs enfants cessent d'aller à l'école du village. Ce sont les longues attentes du car de ramassage, matin et soir, par tous les temps, ou l'obligation de conduire chaque jour les enfants à la ville la plus proche. Quant aux études supérieures, elles sont encore plus inaccessibles aux enfants de la campagne, si leur famille n'a pas les moyens de les entretenir dans une ville universitaire... S'il est déjà difficile pour un enfant d'ouvrier de poursuivre ses études, c'est tout à fait exclu pour un enfant d'ouvrier agricole ou de paysan pauvre!

Les avantages reconnus à la ville font un peu figure de privilèges abusifs. Mieux fournie en écoles, en distractions, en emplois, en magasins, la ville n'en est pas pour autant mieux aimée... Un peu enviée peut-être... On voudrait bien jouir des avantages de la ville tout en vivant à la campagne...

Vivre en ville? Jamais!

« *Beati agricolae* », disait déjà Virgile. Le désir de vivre à la campagne est vieux comme les villes et... la poésie. Qu'un citadin sur deux en caressant ce projet soit devenu poète n'a rien de surprenant. Mais ce qui est nouveau, très nouveau, c'est le sentiment de ceux qui habitent la campagne : 89 % d'entre eux n'ont pas la moindre envie d'aller vivre en ville! Près de neuf ruraux sur dix préfèrent leur village à la cité voisine, quels que puissent être, par ailleurs, les avantages qu'ils lui reconnaissent sur le plan pratique.

Cet attachement des ruraux à leur terre va de pair avec un besoin d'enracinement ressenti par une très forte majorité de Français : 71 % ont le sentiment d'appartenir à une ville ou à une région, même s'ils n'y résident pas... 26 % seulement n'avouent aucun attachement à leur petite patrie. Parmi ces derniers, les Parisiens et les jeunes sont les plus nombreux.

Ceux qui ont le sentiment d'appartenir à une région ou à une ville sont presque aussi nombreux (67 %) à répondre qu'ils la connaissent très bien. Et, dans un ordre décroissant, ils connaissent aussi « très bien » : son climat, sa végétation, ses ressources, sa gastronomie, son folklore. En dernier, un peu plus loin derrière, son histoire...

Ce qui compte ici, ce n'est pas forcément la véracité des réponses. Peu importe que les Français connaissent aussi bien qu'ils le croient leur ville ou leur région. L'important est qu'ils attachent assez d'importance à cette connaissance pour faire, en si grand nombre, de telles réponses. Elles traduisent ce besoin d'enracinement, cet amour d'une petite patrie qui se manifestent aujourd'hui un peu partout en France.

La régionalisation, dont chacun dans ce pays clame l'urgence, avance cependant à pas comptés. Les conflits entre les provinces et l'administration centrale se multiplient, tournant parfois au drame. On le sait : les jeunes Bretons, les jeunes Occitans revendiquent le droit de vivre et de travailler « au pays »; des mouvements se forment pour obtenir des pouvoirs publics les moyens de mettre en valeur des régions jusqu'ici défavorisées économiquement et devenues des réservoirs à main-d'œuvre pour les grands centres industriels.

Il serait politiquement grave de méconnaître l'exigence qu'expriment les chiffres que nous citons : 71 % des Français, ce n'est pas négligeable. Ils veulent rester proches de leurs racines, de leur terre, refusant de se fondre dans l'anonymat des mégapoles. Le centralisme français a développé ce sentiment en privant les régions de vraies responsabilités dans les choix qui les concernaient. Le chômage, la somnolence économique, en contraignant les habitants des régions à s'exiler, ont attisé ce regret de la « petite patrie ». Mais il serait tout aussi néfaste pour les régions de s'enfermer dans un particularisme étroit. L'identité régionale ne serait plus alors qu'une illusion, prête à déboucher sur une forme de ségrégationnisme... Le brassage de populations d'origines diverses fait la richesse d'une nation. Rester frileusement entre soi, cultiver sa singularité pour le plaisir, ne serait ni très sérieux, ni riche de promesses pour l'avenir. Le nationalisme est un sentiment collectif difficile à manipuler et dont tout être humain lucide devrait se méfier... Il y a, dans ce nationalisme régional comme dans la critique systématique des villes modernes, le risque d'exciter une tentation réactionnaire toujours latente...

Que reproche-t-on à ces villes?

D'être bruyantes, polluées, tristes, monotones... Les jeunes (18-25 ans) et les Parisiens souffrent un peu plus que les autres de la durée des trajets qu'imposent les dimensions excessives des villes modernes. Les jeunes, encore, sont sensibles (22 %) à l'agressivité des habitants des villes... Plus d'un tiers des Français font à leurs villes un grief qui peut sembler para-doxal : l'absence de nature. M. de la Palisse dirait que la ville n'est pas la campagne, et Alphonse Allais qu'il faut construire les villes à la cam-pagne... Mais en fait, cette liste de reproches : bruit, pollution, tristesse, agressivité, absence de nature, fait le procès de la ville moderne.

L'exemple de Paris est probant. Une « ceinture verte » instituée sur l'emplacement des anciennes fortifications, et qui devait être préservée, a été peu à peu grignotée par des voies rapides, des constructions qui ont sérieusement entamé cette zone destinée en principe à des jardins publics, à des lieux de promenade ou de sports. Les banlieues dépourvues d'équipements culturels (non rentables) accumulent les habitants, sans leur permettre de vivre vraiment ensemble. La ville a, de tout temps, été un foyer de civilisation, un lieu d'échanges et de ferment culturel. Sous la pression d'un système économique, nos villes se sont dégradées en appareils de production, devenant de cannibales et gigantesques machines, toujours prêtes à s'emballer, impossibles à ralentir.

Mais le « retour à la terre », aujourd'hui, est aussi une sorte de luxe. La terre n'est pas gratuite. A défaut d'exploitation agricole, difficile sans capitaux, du moins dans notre société, les amateurs de vie agreste qui réalisent leur rêve sont souvent des riches d'une autre sorte : des intel-lectuels convertis à l'artisanat mais qui gardent un pied dans la ville voi-sine pour y gagner de temps en temps quelque monnaie, y faire éditer le produit de leurs cogitations, y vendre celui de leurs travaux manuels. Ce retour à une sorte de vie contemplative, tout séduisant qu'il soit, n'est réservé qu'à un petit nombre d'élus. Ceux qui ont les moyens de vivre leurs rêves, sont-ils des transfuges qui abandonnent notre monde à son triste sort, ou bien les prophètes d'un nouvel art de vivre?

Rosanne et Gérald, couple franco-suisse, la trentaine, vivent à 40 kilo-mètres de Rome, dans une maison rustique, assez isolée, avec quelques chats et chiens. Lui est à la fois assistant-réalisateur de Federico Fellini, producteur de radio et, à l'occasion, journaliste. Elle a travaillé quelques années dans une grande administration puis l'a quittée, préférant à la sécurité d'un salaire mensuel les aléas d'un métier artisanal : la restaura-tion de meubles « nobles ». C'est un couple tranquille et accueillant, équi-libré, sympathique.

> *Votre mode de vie ne pourrait-il pas être considéré comme une régression, comme un refus du monde actuel, dans lequel nous sommes tous condamnés à vivre? Retrouver le geste auguste de l'artisan, n'est-ce pas une facilité, une fuite?*

ROSANNE : J'essaie de vivre au jour le jour. Si mon chat est malade, je prends la chose à cœur. Quant aux autres, ceux qui ont des problèmes et beaucoup d'ennuis, bien sûr que leurs soucis me touchent, mais je crois que chacun doit résoudre ses difficultés par lui-même. La politique ne m'intéresse pas beaucoup.

GÉRALD : La cellule communiste du village a pris contact avec nous. Mais les militants ont vite compris que nous étions un peu plus à gauche que le parti, et ils ont pris peur. Cela dit, pas mal de gens viennent à la maison. Ils disent en partir « rechargés », mieux préparés à mener leur vie dans la société d'aujourd'hui. Il y a toujours ici deux lits prêts à n'importe quel moment de l'année, pour accueillir les personnes qui ont envie de se reposer de la ville et de l'action.

ROSANNE : L'engagement suppose toujours quelque chose de « forcé ». Il faut prendre parti, il faut être féministe, il faut avoir des idées politiques. Je comprends très bien ceux qui y croient et qui défilent dans les rues. Mais moi, je n'en ai pas envie. J'ai envie d'être moi-même, je n'ai pas honte de me lever à midi quand j'ai envie de me lever à midi. Mon travail est un loisir. Et j'aime aussi faire le ménage. Gérald, lui, doit exercer son métier, que ça lui plaise ou non.

GÉRALD : Pour moi, être l'assistant de Fellini, c'était un vrai plaisir, mais maintenant c'est devenu une profession, un « gagne-pain », ma source principale de revenus. Restaurer des meubles avec Rosanne est devenu mon loisir d'équilibre. Je me sens angoissé pendant la période d'attente entre deux films. J'ai envie de reprendre tout de suite une activité. C'est comme une fuite. C'est la crainte que l'on éprouve souvent dans notre métier : le chômage. Je vis moins au jour le jour que Rosanne.

Et le journalisme, est-ce un travail ou une détente?

GÉRALD : C'est une contrainte que je m'impose, une violation de moi-même. Mais c'est justement un plaisir dans la mesure où l'obligation de rédiger un article, je me la suis créée. Et quand j'écris, je suis bien.

Le loisir, c'est aussi partir en vacances, aller au spectacle, suivre des événements artistiques.

GÉRALD : Aller au cinéma n'est plus pour moi un loisir, mais une recherche, une démarche intellectuelle. Quand je vois de bons films, je pense à mon métier, j'apprécie les plans en professionnel et non plus en amateur. De même que lire les journaux est moins une détente qu'une information. Rosanne, elle, lit beaucoup.

ROSANNE : C'est-à-dire que je suis engagée à ma manière. Quand je commence un livre, je vais jusqu'au bout. Je m'intéresse aux Indiens, alors, pendant deux ans, je lis uniquement des ouvrages sur les Indiens, à l'exclusion de toute autre chose.

Et les voyages?

GÉRALD : Nous sommes partis, avec Rosanne, pour faire des repérages dans une île grecque. Au bout de trois jours, nous avions envie de rentrer, au bout de cinq jours, nous sommes rentrés.

ROSANNE : Pour voyager, il faut être motivé, par exemple être amoureux de quelqu'un qui habite ailleurs. Ce qui est important pour moi, c'est le voyage de l'imaginaire. C'est bien beau de faire le tour du monde pour rencontrer des tas de gens, mais je crois qu'on peut aussi rencontrer certaines personnes sans bouger. C'est un voyage bien plus important, cette connaissance de l'autre et cette connaissance de soi-même. Non, le dépaysement, ça ne m'attire pas. Je suis trop attachée à ma maison, et je trouve qu'une chambre d'hôtel, c'est mortel. Si j'allais en Amérique, il faudrait que j'emporte tout avec moi.

Vous êtes heureux?

ROSANNE : Je ne suis pas malheureuse, parce que je vis comme j'ai envie de vivre. Si on me contraignait à vivre autrement, je serais malheureuse.

GÉRALD : Pour moi, être heureux, c'est apprendre petit à petit qui je suis. Je suis une ligne de bonheur dans la mesure où le style de vie que nous nous sommes donné l'un et l'autre, avec les compromis que nous nous sommes faits, permet de nous trouver, de nous retrouver.

Vous n'éprouvez pas d'angoisse?

GÉRALD : De quoi?

De la fragilité de cette situation, par exemple.

GÉRALD : On vit aujourd'hui. Demain, on verra bien [1].

---

1. Interview recueillie par Gilbert Salachas.

Voyager

Parce qu'ils ont trouvé, loin de la ville, une existence qui leur apporte l'équilibre et une forme de bonheur, Rosanne et Gérald n'ont pas envie de quitter leur maison, de fuir leur vie quotidienne. Le voyage, le dépaysement n'ont pas d'attraits pour eux! Mais ils sont d'une espèce devenue rare aujourd'hui!

Voyage est un mot qui fait « tilt » dans la tête de nos contemporains. Un Français sur deux rêve de voyager. Les Français seraient-ils si mal dans leur peau qu'ils aient un si vif désir de s'échapper? *« J'aimerais faire ce tour du monde que d'aucuns citent dans leurs rêves. Mais un voyage long, si long que j'en oublierais mon pays d'origine, la France!!! »*, écrit un ouvrier-menuisier de 19 ans *(Saint-Quentin).*

Ou bien le commerce du voyage est-il devenu si puissant qu'il a réussi à nous persuader qu'ailleurs l'herbe est plus verte, le soleil plus chaud, la mer plus bleue, la vie plus douce?

Quelles que soient les causes de cet engouement, le rêve de voyage surgit toujours de notre courrier et du sondage avec la même force, la même naïveté, la même fraîcheur. Dans le sondage, à plusieurs reprises, les questions donnaient à choisir entre différentes sortes de loisirs. Tout d'abord, les interviewés étaient invités à se prononcer entre plusieurs propositions : le repos physique, la détente sportive, le divertissement, la découverte de paysages et de gens nouveaux, la retraite au calme, l'enrichissement culturel, la vie familiale ou amoureuse...

Avec 41 % des préférences, c'est la découverte de paysages et de gens nouveaux qui arrive largement en tête, les autres possibilités oscillant entre 3 % et 15 % de suffrages...

Dans une deuxième question, les interviewés étaient amenés à préciser leur choix, en indiquant parmi neuf activités celle qu'ils préféraient exercer si on leur offrait tout de go une semaine de vacances, « tous frais payés, seul ou avec qui vous voudrez ». Entre faire du ski, rester chez soi pour bricoler, pratiquer un sport de plein air, suivre des stages d'artisanat, réfléchir dans le calme, faire la fête, visiter sa famille, passer une semaine au Club Méditerranée, visiter un pays nouveau, c'est encore le voyage qui est préféré aux autres formes de vacances : avec 19 % pour le Club Méditerranée et 22 % pour le voyage-découverte, on retrouve les 41 % qui, dans la question précédente, recherchaient paysage et gens nouveaux.

Si on leur demande dans quels domaines (la mode, les spectacles, la voiture, les vacances, le week-end, les livres, les disques, le sport, etc.) ils ont le sentiment de se priver le plus, les Français sont 47 % à répondre sans hésiter : les voyages! Les agriculteurs sont dans ce domaine plus frustrés que les autres : 60 % d'entre eux estiment qu'ils se privent surtout de voyages (59 % de vacances en général).

Les agriculteurs ne prennent guère ou pas du tout de vacances. D'après l'enquête de l'ARC déjà citée, un tiers seulement d'entre eux sont partis en vacances en 1974... Mais leur plus long séjour n'a pas dépassé en moyenne onze jours. Quitter une exploitation ne va pas sans problèmes.

Un agriculteur de la région de Rennes, militant de l'organisation « Paysans-travailleurs », explique les difficultés qu'il a rencontrées :

> Depuis trois ans, nous prenons dix à douze jours de vacances. La première année, pour nous remplacer, nous avons engagé un vacher pour la laiterie, mais nous n'avons pas renouvelé l'expérience : il ne s'occupait pas des porcs et, de plus, ça coûte cher... Depuis, ce sont des copains, non paysans, mais qui aiment le travail à la ferme, qui s'occupent de tout et logent dans notre maison pendant les vacances. Mais, d'une année sur l'autre, nous ne savons jamais si l'un d'eux pourra nous remplacer.
> L'idéal serait de s'arranger à trois paysans. Chacun son tour, on pourrait prendre deux périodes de vacances de quinze jours. De toute façon, je ne voudrais pas changer de travail pour avoir droit à des congés payés [1]!

Il y a plusieurs suggestions intéressantes dans cette déclaration : l'entraide entre agriculteurs, d'abord, qui commence à se développer, surtout entre jeunes exploitants. Mais aussi l'échange entre les paysans et les non-paysans. Puisque tant de ceux-ci rêvent d'aller vivre à la campagne, pourquoi, en effet, ne pas organiser des remplacements d'agriculteurs pendant les semaines de congé par des volontaires? Ils trouveraient dans une activité rurale l'occasion de satisfaire leur besoin d'une vie plus proche de la nature. Des garanties pourraient être exigées par les agriculteurs, qui ne confieraient leur ferme qu'après avoir vérifié le sérieux et la

1. Interview recueillie par Bernard Rémond.

compétence de leurs remplaçants... Mais que de préjugés, de méfiances et d'habitudes à vaincre pour en arriver là! Bien des paysans préféreront longtemps encore, comme cet autre agriculteur breton, s'en tenir aux traditionnels loisirs des aïeux... Il a 42 ans, une petite exploitation. Faut-il le blâmer de ne pas se jeter étourdiment sur les routes encombrées?...

Je ne prends jamais de vacances, parce que je n'ai pas assez de terrain et que je ne peux donc pas embaucher d'ouvrier agricole. Dans les grandes exploitations, les propriétaires peuvent partir : c'est leur ouvrier qui fait le boulot. A leur retour, l'ouvrier part en vacances à son tour.

Mon installation n'est pas assez moderne et j'ai un revenu trop faible pour embaucher un vacher de remplacement, qu'il faut payer 150 F par jour pour dix à trente vaches. De plus, le vacher ne s'occupe que des vaches. Il faut donc trouver quelqu'un d'autre pour soigner les volailles, les lapins, le chien, etc. Je trouve tout à fait normal, pour un ouvrier qui est tenu par son travail sans être libre de s'arrêter dans la journée, ou qui est enfermé tous les jours, de prendre des vacances. Un mois de bon temps, pour lui, c'est très bien. Mais je ne voudrais pas être à sa place. Et puis, on a toujours été habitué à vivre à la ferme. Si on partait en vacances, on s'ennuierait au bout de huit jours...

Trois fois par été, ou à peu près, on passe une journée au bord de la mer, à 90 kilomètres d'ici. On part le matin à 8 heures et on rentre le soir. Pour cela, on doit se lever deux heures plus tôt que d'habitude pour faire tout le travail avant, surtout la traite, et le soir, au retour, il reste encore deux heures de travail [1]...

Autre catégorie de Français qui se sentent particulièrement privés de voyages (55 %) : ceux qui ont entre 50 et 64 ans. La retraite est proche, c'est-à-dire, pour beaucoup d'entre eux, une diminution notable de leurs revenus. La vieillesse, enfin, avec sa fatigue et parfois ses maladies, contrarie tous les projets. Alors, adieu les voyages!...

Ce que j'ai eu follement envie de faire? Visiter la Grèce au printemps, en particulier les îles Ioniennes, la Perse, Rome. J'ai découvert, voilà quelques années, Florence, Venise, Pise, avec un total enthousiasme, j'aurais aimé y retourner, afin d'approfondir sur place les trésors de leur passé.

1. Interview recueillie par Bernard Rémond.

Maintenant que les années m'ont dépouillée de ma vie familiale, mais aussi libérée de ses tâches, j'aurais la faculté de voyager : ma santé ne me le permet plus... Mais il me reste les livres et leur richesse inépuisable. J'y retrouve ces pays que j'aurais aimé visiter, je suis fascinée par les livres d'art, j'aime les biographies, ce qui a un accent de vérité. Un bibliobus stationne par bonheur près de chez moi. J'y puise largement *(Mme G. L., 62 ans, femme au foyer)*.

C'est un fait : une fois la retraite venue, seulement 13 % de ceux qui en bénéficient entreprendront ces voyages tant désirés! C'est bien peu. Ces 13 % qui réussissent à partir représentent pourtant le chiffre le plus élevé de réponses à la question : *qu'avez-vous entrepris de nouveau depuis que vous êtes à la retraite?*

Quand on en a les moyens, physiques et financiers, voyager reste donc l'activité la plus appréciée des inactifs... Quant au courrier, il fait beaucoup plus que confirmer ces chiffres : la nostalgie du voyage y prend des formes obsessionnelles...

« Je rêve de voyager... Je voudrais tant faire le tour du monde... » Ces mots reviennent dans presque toutes les lettres, comme un refrain lancinant, une soif parfois pathétique parce qu'elle traduit un malaise. Fuir la réalité monotone et les soucis, se laisser surprendre et envahir par la nouveauté, rompre avec le rythme imposé par le travail, semblent des besoins si violents aujourd'hui qu'ils ne laissent pas d'inquiéter...

Rosanne, évadée de la ville comme d'une prison, avait-elle tout à fait tort de nous dire : *« C'est bien beau de faire le tour du monde pour rencontrer des tas de gens, mais je crois qu'on peut aussi rencontrer des tas de gens sans bouger »*? Il faut bien le constater, notre époque n'entend rien à cette sagesse qui fait un étrange écho à celle de Pascal : *« Tout le malheur des hommes vient d'une seule chose, qui est de ne pas savoir demeurer en repos, dans une chambre... »* Le voyage est devenu pour nos contemporains plus qu'un plaisir, une sorte d'obligation. Comme si ne pas souhaiter voyager pouvait être suspect socialement...

Un correspondant, qui fait preuve dans sa vie quotidienne d'un remarquable équilibre entre le travail et les loisirs et qui termine sa lettre en écrivant : *« Je n'ai pas de folles envies. Je me contente de ce que j'ai et j'estime avoir beaucoup... »*, croit devoir ajouter, comme soudain pris d'une sorte de remords :

> Peut-être aimerais-je entreprendre quelques voyages à l'étranger, bien que je n'en éprouve pas aujourd'hui un désir impérieux *(G. S., 54 ans, documentaliste, Lamballe).*

Un autre, employé de bureau sans doute, la cinquantaine, et qui rêvait d'être musicien d'orchestre, *« ni chef d'orchestre, ni PDG »,* conclut tout d'abord sa lettre par ces mots : *« Pour le reste, je suis heureux comme je suis, dans mes pantoufles... »,* puis, lui aussi, se ravise, comme s'il avait failli à une règle :

> Ah! si, j'aimerais voyager un mois par an, plus que je ne le fais. Je connais bien la France, de long en large et de haut en bas. Mais j'aimerais beaucoup sortir de France. Je connais un petit peu les pays limitrophes, mais j'aimerais aller « aux Amériques », oui, voilà ma passion, j'oubliais, je suis un passionné des États-Unis. Pas des gratte-ciel, j'ai la Défense! mais des grands espaces, Colorado, Nevada, Texas, Nouvelle-Orléans, Mississippi... C'est le manque d'argent qui m'empêche. Enfin, pour un grand voyage. Car le charter pour New York, c'est encore dans mes prix : mais foin des buildings, comme je vous l'ai dit *(Roger M., 50 ans, Rueil).*

Le rêve surgit du fond des êtres; le renoncement, ici, l'accompagne; ceux qui ne peuvent pas voyager se sentent cruellement déshérités, honteusement privés de quelque chose d'essentiel.

Mais qu'attendent-ils tous de ces voyages tant désirés, les hommes de notre temps? Si l'on s'en tient à ce que nous écrivent nos lecteurs, il y a deux manières de voyager, deux dispositions intérieures et, au demeurant, à peu près incompatibles, pour aborder le voyage : l'une est passive, consomme les paysages, les curiosités, les merveilles; elle satisfait essentiellement un besoin d'évasion, de changement. L'autre est active; elle étudie, elle compare, elle essaie de comprendre.

La première manière de voyager était représentée en ces termes dans le sondage : *« Une semaine au Club Méditerranée dans un pays ensoleillé, au bord de la mer »;* la seconde résumée par ces mots : *« Se rendre dans un pays pour en découvrir les habitants, les beautés, les problèmes. »*

C'est le voyage-découverte que 22 % des personnes interrogées choisissent de préférence, 19 % se prononçant en faveur du Club Méditerranée.

Le voyage-évasion

Un peu moins de deux Français sur dix accordent donc leur préférence au Club Méditerranée ou du moins à la forme de vacances qu'il symbolise. Ce n'est pas de l'engouement... Il y a place en France pour une autre manière de voyager et de passer ses vacances.

Le Club Méditerranée, tout le monde le connaît, au moins par ouï-dire, et par la publicité qu'il se fait lui-même. Formule paresseuse peut-être, luxueuse sans doute, commode assurément pour les isolés, et idéale pour ceux qui souhaitent trouver le ou la partenaire disponible pour les vacances, sans que cette rencontre engage nécessairement l'avenir. On peut faire confiance au dynamique PDG de l'entreprise, Gilbert Trigano, pour mener son affaire au succès : tenant compte de toutes les critiques, rectifiant les formules, le Club Méditerranée évolue au vent de toutes les modes et n'est en retard d'aucun slogan. Gilbert Trigano s'en explique sans le moindre complexe :

> Dans un monde comme le nôtre, si on était resté figé, on serait mort. Le Club est né il y a vingt-six ans de la découverte de la Méditerranée et d'une deuxième idée : la démocratisation, disons la vulgarisation de sports réservés jusque-là à une minorité.

Il n'est pas certain que les prix pratiqués par le Club ne réservent pas, aujourd'hui encore, la pratique de la voile, du ski nautique et de la plongée sous-marine à un petit nombre de privilégiés...

Gilbert Trigano reconnaît d'ailleurs dans le même entretien :

> Nous avons toujours été mieux implantés dans les professions libérales et parmi les employés, les prestataires de services et les commerçants. Nous avons malheureusement une très faible pénétration dans le monde ouvrier (et pas seulement à cause de l'argent...) et dans le monde agricole.

Vacances idéales pour les classes moyennes, en effet, le Club donne à ses adhérents l'illusion du luxe. Il leur impose aussi un mode de relations qui exclut d'office les ouvriers et les agriculteurs. La camaraderie affectée, les rites que l'on prend à moitié au sérieux (le tutoiement, les colliers de fleurs, les séances d'accueil des nouveaux arrivés, les soirées-spectacles organisées par les « gentils organisateurs »), toute la mythologie du Club, fabriquent un monde étrange et inquiétant pour des ouvriers ou des paysans qui ne parlent pas le même langage, ne rient pas des mêmes plaisanteries, n'apprécient pas les mêmes jeux que les amateurs du Club.

Il n'est pas certain d'ailleurs que Gilbert Trigano regrette vraiment l'absence des ouvriers et des paysans... S'ils allaient faire fuir les autres!

En revanche, il est très attentif à tous les courants qui traversent l'opinion de cette clientèle moyenne, de ces cadres, amateurs de *news-magazines* et soucieux d'information. Il ne se laisse déborder par aucune vogue... Il a réponse à tout :

L'écologie?

> Voulez-vous un exemple de notre évolution? Un des sports les plus pratiqués au Club, la chasse sous-marine, est maintenant un des sports que nous interdisons... Parce que nous voulons protéger la faune sous-marine. Maintenant, on va la voir pour la photographier et on ramène des photos avec des appareils qui n'existaient pas il y a vingt-cinq ans.

La connaissance des peuples chez lesquels on s'installe et dans lesquels on vit?

> Le Club est un instrument de découverte et de brassage. Le brassage se faisait d'abord entre nos adhérents et continue à se faire ainsi. Il s'élargit maintenant à la découverte des hommes et des femmes du pays qui nous reçoit et aussi grâce au côté presque universel du Club. Il y a vingt ans, il y avait au Club 87 % de Parisiens, 10 % de Bruxellois et 3 % pour le reste du monde. Aujourd'hui, la proportion d'étrangers a beaucoup augmenté. Il y a vingt-cinq ans, on était des touristes, on allait voir surtout les vieilles pierres, on allait visiter l'Acropole à Athènes, etc. Maintenant, ce qui nous importe beaucoup plus, c'est de découvrir les Grecs, la vie des Grecs. C'est pour cela que, dans nos villages, vous trouverez des étrangers qui viennent vivre avec nous et qui viennent se raconter...

Le goût de nos contemporains pour la culture, la formation permanente?

> D'une manière générale, le Club va évoluer en fonction des surprises et des modifications de notre vie quotidienne. Si le temps de loisir augmente, le Club deviendra un moyen d'enrichissement culturel. Les ateliers de langues, par exemple, commencent à

devenir très importants chez nous. Beaucoup de nos adhérents profitent du temps de leurs vacances pour commencer à apprendre une langue étrangère ou pour faire des objets de leurs mains...

On le voit, le PDG du Club Méditerranée est prêt à tout, y compris à transformer ses établissements en Maisons de la Culture s'il le fallait...
Avouons-le tout de suite : les lecteurs de *Télérama* ne comptent pas beaucoup de fervents du Club, ou du moins ne se sont-ils pas fait connaître. Mais on trouve cependant dans notre courrier des amateurs de tourisme confortable et d'exotisme facile, de voyage-évasion. Tahiti en reste le symbole le plus fréquemment évoqué et son nom scintille toujours dans les rêves des Français.

> Ce que j'ai souvent eu envie de faire, c'est de voyager : aller au bout du monde. Mon frère habite Tahiti! Quel rêve que d'y aller! Mais cela est impossible pour le moment, étant donné que nous sommes dans les dettes pour cette construction (rêve de mon mari!) *(Pascale A., 36 ans, deux salons de coiffure, ville de 12 000 habitants, mariée, deux enfants).*

La même coiffeuse fascinée par Tahiti a été affreusement déçue par un voyage à Paris, dont elle fait une description infernale... Que dirait-elle de Tahiti! ...qui surgit une fois de plus.

> A quoi je rêve? Voyager! Aller voir ma nièce à Tahiti! *(Marie-Claude B., mariée, deux enfants, Avignon).*

On se donne chaque fois l'alibi d'un parent à visiter... mais le nom de l'île magique est un aimant bien plus puissant que tous les liens de famille! Voyager c'est aussi, dans les rêves de certains, vivre pendant quelques jours à la façon d'un grand de ce monde, mener une existence dorée dans un décor de rêve.

> J'ai eu parfois envie de faire des voyages luxueux, essentiellement dans les pays ou villes que j'adore : Venise, Londres... quinze jours dans un palace, et errer sans but dans ces deux villes.

Les rêveurs savent si bien qu'il y a loin de leurs songes à la réalité que certains se résignent :

49

Faute d'argent, je n'ai jamais fait ces fêtes fastueuses auxquelles je rêvais. J'ai fait par contre les voyages projetés, mais dans des conditions beaucoup plus modestes, faute d'argent surtout et aussi de temps. Je n'en conçois pas d'amertume, je garde mes rêves, je vis au jour le jour, le plus passionnément possible, et je crois bien que je suis heureuse *(Monique B., 29 ans, psychologue, mariée, deux enfants, Paris)*.

L'hôtel, luxueux de préférence, joue un rôle de premier plan dans l'idée que les femmes se font du voyage. Être en voyage, c'est d'abord pour elles être à l'hôtel, c'est-à-dire libérées de certains soucis domestiques. « *Qu'auriez-vous envie de faire que vous n'avez jamais fait? Faire un voyage avec un bon ami, descendre dans un grand hôtel, et rêver une semaine, débarrassée des contraintes journalières, matérielles et pécuniaires* » *(Mme A.V., 51 ans, Marseille)*. C'est une enseignante très sage et très rangée qui laisse ici courir la folle du logis...

Même attirées par l'exotisme comme les papillons par la lampe, certaines rêveuses savent bien que la réalité les décevrait sans doute, et jettent sur leurs rêves un regard non dépourvu d'humour :

Ce que j'ai envie de faire et que je n'ai jamais fait? Des voyages lointains. Partir, détachée de tout, avec ma toute petite valise, et me retrouver par exemple sur une plage baignée par l'océan Pacifique (ne me demandez pas pourquoi celui-là plutôt qu'un autre; à cause de son nom peut-être). Et là, tremper mes pieds dans l'eau, à bonne distance des requins, bien sûr. Et là, je me dirais : quelle chance tu as, toi, la petite Française, de te reposer au bord de l'océan Pacifique...

Mais franchement, dites-le, est-ce que cela vaut vraiment la peine d'entreprendre un tel voyage, moi dont tout le monde dit que je suis une « femme si raisonnable »? Et d'ailleurs, ma fille m'écrit de Nouvelle-Zélande, et elle a trouvé là-bas, elle aussi, son trésor, la liberté, de charmants amis, un métier passionnant, une végétation luxuriante, et la mer plus bleue que tout ce qu'elle avait jamais vu... Mais la vie est finalement la même, avec ou sans contraintes, selon la manière dont on l'envisage, me semble-t-il. Il ne faut jamais oublier de s'émerveiller de tout. Dans trois mois, le printemps sera revenu et j'attendrai la fête de Pâques. C'est celle que je préfère *(Mme Y. T., 51 ans, secrétaire dans une maison d'édition, mariée, Paris)*.

Comme quoi on peut être « raisonnable » aux yeux de tous ses proches et cultiver en secret un jardin exotique.

En tout cas, dans la lettre ci-dessus comme dans la suivante, perce le soupçon que cette grande fringale de voyage pourrait être mystificatrice...

> J'ai eu parfois follement envie de voyager, de faire le tour du monde. Je ne l'ai jamais fait. D'abord par crainte de gaspiller. Gaspiller le temps vis-à-vis de mes proches, gaspiller l'argent, car il faut le gagner. Enfin, l'autre raison à demi avouée : tout souhait réalisé a-t-il la saveur de l'espoir de sa réalisation? *(L., Bois-l'Abbé).*

Mais rêver de voyage est peut-être l'évasion nécessaire de tous ceux qui sont prisonniers d'une existence sans espoir, les pauvres, les malades. *« Si j'avais de l'argent, j'aimerais voyager, découvrir les merveilles de notre planète, les chefs-d'œuvre de Dieu et des hommes, et rencontrer d'autres gens. Avec un salaire moyen de 1 214 F, il n'en est pas question »,* écrit une veuve de 53 ans, mère de cinq enfants, ouvrière dans une conserverie de poissons aux Sables-d'Olonne...

Encore la pauvreté :

> Ce que j'aimerais faire, ce sont des voyages. Cette année, je suis allée à Rome, Florence, Venise, pendant quinze jours. J'en avais rêvé pendant quarante ans! Mais faute d'argent... *(Suzanne G., veuve, trois enfants, St-Fargeau-Ponthierry).*

A 79 ans, une vieille demoiselle contemple-t-elle une carte des États-Unis en nous écrivant?

> J'ai toujours eu envie de voir New York. Mes cousins y ont habité, et j'en ai en Californie (Seattle), à Great Barrington (dans le Massachusetts), et à Lansing (Michigan). Une cousine, qui a élevé les enfants du président Taft et leur a appris le français, a habité à Narraganset, dans le Rhode Island. Ma tante était infirmière-chef *(nurse)* à l'hôpital St. Luke à New York. A seize ans, j'aurais pu aller à Seattle pour apprendre le français à ma cousine, mais je n'ai pas osé. Et je n'ai jamais vu l'Amérique. Pour me consoler, je suis allée quinze fois à Londres... J'avais des réductions, car j'étais cheminote (SNCF) *(Mlle B., Le Raincy).*

Une institutrice à la retraite, de sa belle écriture avec des pleins et des déliés, et avec quelques fautes d'orthographe pour venger ses élèves, refait indéfiniment un beau voyage imaginaire :

> Quand j'étais jeune fille, j'aurai *(sic)* voulu faire le tour de notre belle planète avec mon amie intime, par train, auto et avion pour traverser la mer. J'adore voyager par avion. Je serai *(sic)* descendue en bateau le long des grands fleuves. Jeune mariée, j'aurai *(sic)* voulu vivre pendant la mauvaise saison dans un coin très reculé de l'île de Tahiti *(tiens, la revoilà)*, pour avoir une idée de la vie au Paradis terrestre avec les indigènes. Faute d'argent, de temps, et ma santé délicate, ne me l'ont pas permis *(G. T., institutrice retraitée, Valréas)*.

Voyage-découverte

La deuxième manière de voyager, le voyage-découverte, est très vivement revendiquée par de nombreux correspondants. Ils font partie de ces 22 % de Français qui choisissent de préférence, pour leurs vacances, de « *se rendre dans un pays pour en découvrir les habitants, les beautés et les problèmes* ». Ce sont les amoureux du voyage culturel, voire du voyage-aventure, ou du voyage-historique, archéologique, politique ou religieux. Commençons par ce dernier, bien qu'il soit le moins représenté dans le courrier.

> Ce que j'aurais envie de faire, pas follement (j'ai passé l'âge : 74 ans) : aller à Jérusalem avant de mourir. Peut-être le pourrai-je; la fatigue, la maladie m'en ont empêchée jusqu'à maintenant, mais si les circonstances économiques ne s'arrangent pas, je doute que mes moyens me le permettent *(L. S., éducatrice)*.

Voici un correspondant aux goûts éclectiques et qui veut tout à la fois. Ça ne coûte rien de rêver...

> Des croisières archéologiques, des voyages d'études dans divers pays, des « tournées » touristiques en solitaire à travers l'Espagne, la France, l'Italie, des croisières en Italie, en Grèce, en Égypte, en Asie, en Amérique du Sud, partout! Des pèlerinages en Terre Sainte, à Fatima, à Rome. Des séjours prolongés dans des monastères. Dans des communautés de volontaires au sein

du tiers monde. C'est fou ce qu'on peut rêver! Pas le temps, pas les moyens! On s'évade parfois quelques jours, trois semaines...
(R. P., professeur, Clermont-Ferrand).

Ce sont les enseignants qui, évidemment, évoquent le plus souvent le voyage d'intérêt culturel :

J'ai follement envie de voyager. J'ai toujours rêvé d'aller en Grèce, mais d'y aller avec des amoureux du monde antique. Pas d'agence de voyage, d'organisation derrière un guide pressé. Non, je veux rencontrer Agamemnon et la Pythie et Euripide et la mer... Un jour, je me promets ce cadeau! Qu'importe si ce jour n'arrive pas! *(O. C., 50 ans, enseignante).*

En revanche, plus on voyage, plus on en veut... Alors la culture ne devient-elle pas un alibi? Quel appétit dans la lettre suivante! Ou quelle boulimie?

Puisque vous m'y invitez, je vous dirai que mes rêves inassouvis (un peu par manque de temps, mais surtout par manque d'argent) sont à base de voyages, évidemment, conjugués avec des chasses aux images, car ma joie de découvrir n'est jamais complète si je ne peux pas « mettre en boîte » mes découvertes. En fait de voyages, je ne suis pourtant pas totalement frustré puisque je connais déjà assez bien la France, l'Allemagne, un peu le Danemark, la Norvège, la Belgique, la Hollande, la Suisse, le Nord de l'Italie, la côte dalmate, la Tunisie, et même la Louisiane où j'ai passé une semaine l'été dernier. Mais il me reste encore infiniment plus de choses à voir : le reste de l'Italie, la Sicile, la Grèce, le Cappadoce, le Yemen, Samarkand, Cusco, Machu-Pichu et, si je vais au bout de mon délire, l'île de Pâques. Sans préjudice, bien entendu, des mille et un coins de France que je ne connais pas encore et que j'aimerais voir en hélicoptère, comme de son vivant les filmait Albert Lamorisse. Comme vous voyez, les régions sauvages m'attirent moins que les pays marqués par l'homme. Voyager, en effet, ce n'est pas, pour moi, dévorer des kilomètres, ni collectionner des sites grandioses, mais m'imprégner d'un décor, d'un mode de vie. Un de nos meilleurs souvenirs de vacances familiales, ce sont les trois semaines que nous avons passées naguère à Trogir, une petite ville de la côte dalmate, où, quoique ne parlant pas le serbo-croate, nous avions presque cessé d'être des touristes *(Albert L., professeur de langues, marié, deux enfants, Bourg-en-Bresse).*

C'est pour répondre aux désirs de ce type de voyageurs que se sont créées des agences comme « Nouvelles Frontières ». Une agence qui se veut différente des *tours operators* et autres marchands de tourisme, affirme son directeur, M. Maillot :

> Quand nous avons vendu un Paris-Delhi ou un Paris-Bangkok, nous n'avons fait qu'une partie de notre travail. La plupart des gens ne savent pas voyager. Alors, nous leur proposons tout un système de préparation au voyage, et même grâce à nos différentes formules, une sorte de pédagogie du voyage. Nous essayons de leur apprendre à voyager.
>
> Le client peut venir s'informer sur le pays qu'il a choisi de visiter, rencontrer des accompagnateurs de voyages et des spécialistes de ce pays.

> *Est-ce que les candidats au voyage suivent fréquemment cette préparation ?*

> En général, oui. Mais plus les pays sont lointains, plus le voyage est aventureux, et plus, naturellement, les voyageurs viennent s'informer.
>
> Nous n'hésitons pas à le dire : voyager est un acte politique. Pour nous, il n'y a pas de voyage s'il n'y a pas découverte réelle du pays, s'il n'y a pas de contact avec la population.

> *Et cette « pédagogie » du voyage, comment la concevez-vous ?*

> Au début, aux gens qui sont inquiets et n'ont pas beaucoup voyagé, on propose un circuit organisé, en groupe de trente à trente-cinq personnes, avec un accompagnateur qui règle les questions de transport et d'hébergement, mais ne s'occupe ni des visites, ni des repas... On incite donc déjà les voyageurs à se débrouiller, à prendre des initiatives.
>
> L'année suivante, si le client est doué, il peut partir dans un groupe de douze à quinze personnes en « initiation au voyage » : il participe beaucoup plus à la préparation et à la réalisation. Et enfin, quand il en aura envie, il partira en « découverte individuelle », seul ou avec trois ou quatre amis.

> *La découverte individuelle a-t-elle plus de succès que les circuits organisés ?*

50 % de nos voyageurs partent en « découverte individuelle ». C'est notre principale formule, l'aboutissement de tous nos efforts de pédagogie du voyage.

Vous proposez aussi des circuits « aventures ». Comptez-vous sur un certain attrait du risque?

Le mot « aventure » accroche les gens... Il y a, bien sûr, quelque ambiguïté derrière ce mot. On trouve des gens qui souhaitent du « risque organisé » et voudraient qu'on les fasse frissonner une fois par semaine, mais pas plus... Pour le Yemen, par exemple, il y a toute une clientèle pour circuits « aventure » : des cadres, des professions libérales... Ils viennent chez nous parce que c'est moins cher, parce qu'ils veulent de « l'aventure », mais ils exigent aussi du super-organisé!...

Qui sont vos meilleurs clients?

Des employés, des gens aux revenus modestes, pour les pays proches... Comme dans toute entreprise de voyages, les enseignants comptent pour 15 à 20 %. Ils voyagent beaucoup, même si leur pouvoir d'achat est parfois très moyen.

Comment votre métier évolue-t-il?

Les statistiques nous apprennent que les Français (à l'inverse des Américains) s'adressent très peu aux agences de voyages. Sans doute parce qu'elles ne leur proposent pas ce qu'ils attendent. En 1975, nous avons fait voyager trente-cinq mille personnes. Cette année, nous avons dépassé les cinquante mille. Il y a de plus en plus de gens pour qui le voyage, loin d'être une simple évasion, s'accompagne d'un véritable besoin de communication et de contacts.

Cette agence n'est pas la seule à prospecter une clientèle qui attend du voyage un peu plus que le dépaysement superficiel ou la jouissance béate de climats agréables. La publicité est un bon baromètre de l'état de l'opinion publique. On a pu voir l'an passé une fort belle affiche : une jonque asiatique, mince silhouette noire sur un fleuve large et embrumé, promet à la fois les sortilèges de l'Extrême-Orient et sa nature vierge. En guise de slogan, deux mots seulement sur cette image : *l'Anti-Club!*... Tout le monde comprend sans autre discours quel « club » est visé...

Autre formule publicitaire : *l'Amérique en toute liberté.* Autant d'invites à nos 22 % de candidats au voyage-découverte.

Bizarrement, les plus nombreux à désirer ce type de voyage ne sont pas les jeunes (22 %), mais les agriculteurs (36 %) et les cadres moyens (29 %)... Peut-être dans ce domaine les jeunes s'estiment-ils déjà satisfaits : un sac à dos, un « duvet » leur suffisent souvent pour aller au bout du monde. Ce qui n'exclut d'ailleurs pas une rigoureuse préparation :

On voudrait un bouquin pour préparer un raid en deux-pattes...

Ils sont deux garçons de 17 ans, Jean-Luc et Marc. Des élèves de terminale. Ils habitent Bois-Colombes, chez papa et maman. Ils raisonnent, sont lucides, regardent vivre les adultes et voudraient tout simplement échapper au piège qui les attend : métro-boulot-dodo.

Alors, ces deux copains sont entrés dans une librairie dont le nom est tout un programme : « Ulysse ». En ouvrant la porte, leur « beau voyage » a commencé :

C'est pour dans quatre ans, précise Marc.

Pourquoi quatre ans? C'est long...

Il faut d'abord penser à l'avenir, répond Jean-Luc. Bien sûr, l'aventure, c'est le but du voyage, mais je ne veux pas partir à l'aventure, sans me garantir une stabilité. Je suis passionné par les sciences. Je voudrais être astronome. Quand j'aurai passé mes examens et que j'aurai un métier, je pourrai partir, et lorsque je reviendrai, je me remettrai sur les rails avec plus de chances que ceux qui n'ont pas de bagages. Je gagnerai de l'argent. Et quand il me plaira, je pourrai partir à nouveau, toujours avec l'idée de revenir en retrouvant un travail qui me plaît et la sécurité.

Et puis il y a l'organisation du voyage, ajoute Marc. Cela demande une longue préparation. Il faut penser à tout, au matériel, aux pièces de rechange, à la subsistance, à l'itinéraire, aux dangers, aux visas, aux vaccinations. Si on ne s'assure pas des bases solides pour arriver, on revient au bout de quinze jours, et ce n'est pas la peine.

Où voulez-vous aller?

Oh! ce n'est pas tellement important, déclare Jean-Luc. L'Inde, l'Orient, des pays mystérieux, différents de ce que nous connaissons. Pour casser la monotonie de la vie qui nous attend.

Pour moi, corrige Marc, ce n'est pas forcément pour échapper à quelque chose. C'est pour la découverte. Avec des copains, bien sûr, mais sans partager forcément les mêmes idées, les mêmes objectifs, le même programme. Si c'est pour mener la même vie que les autres, cela ne m'intéresse pas. Autant rester ici. Moi, je veux devenir trompettiste. Déjà la musique m'apporte beaucoup. Je voudrais connaître toutes les musiques du monde. Il n'y a que le voyage qui peut me le permettre. La musique, c'est déjà une évasion, alors, avec le voyage, j'ai l'impression d'aller encore plus loin!

Comment vous est venue l'idée de partir?

Cela a dû mûrir doucement, commente Jean-Luc. Au cours des moments creux, où on ne se sent plus très bien chez soi, en famille, et lorsque les études vous lassent. Alors, un jour j'ai dit à Marc : « Ce serait chouette de partir! » Et on a commencé à en discuter. Depuis, cela nous occupe beaucoup. Trop, peut-être. Ainsi, pendant certains cours, en philo particulièrement; le professeur n'a pas l'intelligence de se taire parce qu'il s'ennuie et moi, je ne peux pas me permettre de le lui dire. Alors, je sors le guide du routard et j'organise mon rêve.

Au lycée, poursuit Marc, on passe pour des originaux, et les copains ne nous prennent pas au sérieux. Peu importe. L'idée nous soutient, nous aide à vivre. La réalité future sera peut-être tout autre de ce que nous envisageons, mais elle est déjà engagée dans notre présent. Et l'important, c'est ce qui se passe maintenant.

Vous avez déjà fait de grands voyages?

Avec mes parents, je suis allé en vacances dans l'Yonne, se souvient Jean-Luc. Et j'en ai profité pour me créer ma petite aventure. En cachette, j'ai préparé soigneusement mon itinéraire, choisi le jour (pas un dimanche, il y a trop de circulation et tout est fermé en cas de panne), vérifié mes outils. Et, un matin, je suis parti sur ma mobylette. C'était passionnant. J'étais libre... pour la journée [1]!

1. Interview recueillie par Michel Lefebvre.

L'aventure, considérée comme une sorte de mise à l'épreuve de ses forces personnelles, est-elle encore possible dans notre civilisation qui ne laisse rien à l'imprévu?

> J'aimerais beaucoup partir tout un hiver en montagne et faire de grands parcours en ski de randonnée. Cette idée me tient à cœur, surtout cette année où j'ai un certain nombre de responsabilités à assurer et des contraintes. Pourquoi? Désir d'aventure, désir de me connaître à travers l'effort, de savoir jusqu'où je peux aller. Désir d'être en contact avec la nature et surtout la beauté que représente un paysage de montagnes enneigées. Désir de liberté et de partager à deux l'aventure (*Maryse M., 24 ans, professeur d'éducation physique, Béarn*).

Presque à l'opposé de cette conception un peu héroïque du voyage, des sages rêvent de

> traverser la France à pied, tranquillement, la traverser plusieurs fois, rencontrer des villages, des gens, dormir n'importe où, prendre le temps de voir les choses, les cathédrales, les églises romanes, longer les rivières, les canaux... prendre le temps (*Jacques S., 37 ans, cadre d'entreprise, deux enfants, Aulnay-les-Valenciennes*).

Tourisme officiel

Traverser la France à pied : voilà un désir cher à Jacques Blanc, chargé en 1977, par le président de la République, de définir une nouvelle politique du tourisme en France.

Fils de médecin, quatrième d'une famille de six enfants, 37 ans, médecin lui-même, Jacques Blanc, quand il nous a accordé cette interview, n'était pas encore ministre de l'Agriculture dans le deuxième gouvernement R. Barre, mais il était déjà président de la commission du Tourisme.

Maire de son village en 1971, élu député RI de la Lozère en 1973, il devient peu après président de l'Office départemental et président du Comité régional pour le Languedoc-Roussillon. Cela le conduit à approfondir les problèmes du développement du tourisme sur le plan national.

> Dans la mission que le président de la République m'a précisée, il m'a demandé de réfléchir et de faire des propositions concrètes, afin de réduire à la fois les inégalités des Français et des régions face aux loisirs et aux vacances.

Mais en même temps, il faut permettre aux Français de choisir les formes de loisirs et de vacances qui leur permettront de mieux se réaliser. A ce propos, Jacques Blanc a des conceptions précises :

> Quittant leur univers concentrationnaire, les hommes ont besoin de se « ressourcer » dans des régions où la nature reste protégée, de se mettre à un rythme différent de la vie quotidienne, de se libérer des contraintes. Mais pour sortir du cadre habituel, s'évader, découvrir autre chose, il n'est pas nécessaire de partir pour l'étranger. Sans aller trop loin, nous avons chez nous des sites très variés. Par exemple, tout le Massif central, toute la moyenne montagne offrent ce dépaysement.
>
> Encore faut-il équiper ce pays pour qu'il puisse accueillir les citadins, sans détruire ce qui fait son atout essentiel. Il y aura donc une responsabilité très grande de l'État et des collectivités locales pour faire respecter l'harmonie, l'équilibre entre la nature et les équipements nouveaux. Il ne faut pas gâcher l'espace. Au lieu de créer une ségrégation touristique en isolant des catégories humaines dans de super-grands ensembles distractifs hiérarchisés, j'estime qu'il est préférable de couvrir le territoire d'une trame diffuse d'accueil, diversifiée, conçue en fonction de l'identité du lieu, qui n'exclura ni le gîte rural, ni le camping à la ferme. De cette façon, on fait coup double. On revitalise un certain nombre de régions à faible densité de population en apportant un complément de vie et de revenus, et on va dans le sens de ce qui est véritablement l'intérêt des Français, c'est-à-dire leur épanouissement.
>
> Je suis prêt à revenir sur ce que je pense si on me démontre que je me trompe. Mais, en fonction de mon expérience personnelle, je suis convaincu que ce n'est pas à partir de grandes opérations massives que l'on aboutira à quelque chose de positif. Moi, je crois que les hommes sont faits pour vivre dans des unités conçues à leur échelle, que ce soit sur le plan de la vie quotidienne, du travail ou des vacances. La qualité de cette vie en dépend. La mienne, en tout cas, sûrement [1].

Chaque année, le temps des vacances et des exodes massifs hors des villes ramène dans nos journaux les descriptions apocalyptiques des embouteillages sur les routes du départ, aux postes de douane, ou sur les

---

1. Interview recueillie par Michel Lefebvre.

plages à la mode... Chaque année, les chroniqueurs désabusés constatent que l'étalement des vacances souhaité, en théorie, par une majorité de Français, est en fait à ranger une fois de plus au rayon des vœux sans espoir... Pierre Viansson-Ponté écrit[1] :

> De sorte qu'on en vient à se demander s'il ne s'agit pas là d'une réponse de pure convention qu'on fait parce que c'est ainsi qu'on doit penser alors qu'en pratique on recherche, consciemment ou non, la gaieté, l'animation, en un mot la vie dans la bousculade de l'été, et qu'on redoute confusément la solitude, la paix et le repos, qu'il est néanmoins de bon ton de vanter et de réclamer. A la limite, ne sont-ils pas nombreux ceux qui ont besoin d'agitation, de frénésie collective et veulent simplement, en vacances, changer de foule, d'encombrement et de bruit parce que, ayant perdu toute vie intérieure, ils ne supportent plus le calme et le silence ?

L'hypothèse de Pierre Viansson-Ponté est, hélas!, confirmée par notre enquête : prendre une semaine de vacances dans un endroit calme où l'on puisse être dans le silence et la tranquillité, cela n'intéresse que 6 % des interviewés...

Pourtant, ceux qui aiment le voyage pour lui-même et non pour le seul plaisir de « changer de foule et de bruit » continuent de se plaindre de l'encombrement du mois d'août :

> Le plus long temps de loisir dont je dispose est celui des congés annuels. En général, je choisis de visiter un pays étranger. Je me réserve de visiter la France quand je serai plus âgée ou à la retraite.
> Je suis, comme beaucoup de Français, *condamnée* au mois d'août pour voyager, car l'entreprise ferme ses portes (industrie chimique) : solution de facilité puisque tous les problèmes sont rangés pendant un mois. On attend la solution par l'aménagement des vacances scolaires. Que fait-on des célibataires, des ménages de plus de 40 ans qui ont des enfants majeurs, et des jeunes ménages qui ont des enfants non scolarisés ? Cela représente-t-il seulement 20 % des Français ?
> Que fera-t-on quand 100 % des Français voudront leurs vacances au mois d'août ? Plus de boulangers, plus de stations-service, plus de gardiens de camping, etc.

1. Dans *Le Monde* du 24-25 juillet 1977.

Voyageur ou voyeur?

Personne dans ce courrier (et c'est étrange) ne semble mettre en cause la valeur sociale et culturelle du voyage. Nulle lettre, par exemple, ne soupçonne le voyageur, même inspiré des meilleures intentions, de n'être souvent qu'un voyeur qui fait ses délices de choses peu délicieuses pour le peuple visité. Surtout lorsque l'Occidental, civilisé et riche, se promène dans les pays du tiers monde ou dans les pays pauvres qui ont à ses yeux le charme du bon vieux temps; il compte pour rien la pauvreté, l'inconfort, l'ignorance... On perçoit cependant une inquiétude de ce genre dans la lettre suivante; une femme, militante syndicale et enseignante, a fait l'expérience de la coopération. Bien qu'il ne s'agisse pas seulement de tourisme dans son cas, son expérience à l'étranger ressemble à celle de tout voyageur.

J'ai eu la chance de passer deux années en Afrique noire comme enseignante et en ai conservé la nostalgie de faire de grands voyages, en particulier dans le tiers monde. Mais étant donné ma qualification professionnelle, je ne pourrais partir que comme enseignante, et j'ai trop ressenti l'inutilité, pour ne pas dire la nocivité du travail que j'ai effectué au cours de mes deux années de coopération : contribuer de nouveau à la formation d'une élite de « petits bourgeois » africains, parasites s'engraissant sur le dos de leurs frères paysans, très peu pour moi! Je n'ai aucune envie d'avoir une part de responsabilité dans le néo-colonialisme culturel que cache le terme « coopération ».
Je me suis rendu compte qu'en restant sur place en France, on pouvait faire beaucoup plus pour le tiers monde. Cependant, je rêve toujours plus ou moins de partir un jour (il faudrait que je gagne le gros lot, dans ce cas!) du côté de la Tanzanie, seul pays d'Afrique noire où, apparemment, commence à s'instaurer un socialisme convaincant. La Chine populaire également me fascine, non que je sois d'accord avec sa forme de gouvernement, mais parce que j'ai été émerveillée des rapports que l'on nous a faits sur la démocratie réelle qui semble s'exercer dans les quartiers et les entreprises. Ce doit être tellement différent de chez nous! Étant enfant, je rêvais d'aller en Inde, mais je ne suis plus tellement attirée par les mondes en décadence, n'y voyez pas de mépris pour les Indiens! *(Colette B., enseignante, Angers).*

Les vertus du tourisme ne sont pas aussi évidentes que l'enthousiasme de certains correspondants le laisserait croire. L'Église, préoccupée depuis quelques années d'adapter son action pastorale à ces grands mouvements saisonniers qui déplacent les Français, s'interroge, elle aussi, sur la valeur des échanges humains qui s'opèrent dans le tourisme. Le père Gérard Defois, dans un article de *Toute l'information*[1], bulletin de la pastorale de l'opinion publique, rappelle fort justement que le tourisme est aussi une marchandise.

Qu'on le regrette ou non, le tourisme est une forme de loisir qui est à l'image de la société industrielle qui est la nôtre : il est un produit, fabriqué, vendu parmi les autres marchandises qui occupent le marché. Mais là surgit une question morale : quel homme et quelle culture sont ainsi « fabriqués? » Une première évidence s'impose à nous : il n'est rien de moins sûr que le temps de loisir soit une sorte de parenthèse dans le temps habituel de travail. Une société fondée sur le productivisme et la production intensive engendre des comportements chez le touriste, des recherches de profit chez les producteurs de biens de loisirs. Le tourisme moderne est dépendant de la loi de l'offre et de la demande; par là, durant ce temps, sont maintenus des rapports vendeurs-clientèle entre tous ces acteurs de l'activité touristique. D'où ces attitudes d'attente de prestation de services, d'animation organisée et de spectacle préétabli qui marquent beaucoup les vacanciers : on paye, donc qu'on nous serve!
Les travailleurs saisonniers ou les personnels de l'hôtellerie connaissent bien ces exigences de client-roi de la part d'hommes et de femmes qui, le reste de l'année, sont en situation inverse, je veux dire de dépendance. Et il arrive que ces travailleurs eux-mêmes, pris dans cette logique, dépensent en une soirée leur propre salaire afin de jouer à leur tour au client-roi, c'est-à-dire de renverser symboliquement l'ordre social dont ils sont habituellement les serviteurs.
Il y a dans le temps du tourisme une permanence de ces relations de domination-dépendance qui caractérisent une société de pouvoirs et d'avoirs inégalement répartis. Le tourisme s'inscrit dans une réalité économique et sociale dans la mesure même où il est industrie. Nous ne pouvons ignorer le déplacement de travail-

1. N° 148, janvier 1976.

leurs saisonniers, même si parfois le salaire est élevé, et les conséquences morales que paient à cette industrie les fils de paysans. Ils se mettent au service de membres de professions libérales pour qui l'argent est un moyen de se faire encore servir.

Nous ne pouvons ignorer les conséquences culturelles pour le monde rural d'une implantation anarchique de résidences secondaires. Elles privent les agriculteurs de leur sol, de leurs responsabilités politiques et diffusent parmi leurs jeunes des modèles de comportement aisé accentuant leur désir de consommer. Nous ne pouvons ignorer l'industrialisation de la grande hôtellerie et la mainmise de sociétés multinationales sur les équipements des stations d'été comme d'hiver.

On peut dire qu'il n'y a pas un problème spécifique du tourisme, mais un problème de croissance ou parfois de sous-développement dont le tourisme est le révélateur. Quand la croissance risque de devenir un but en elle-même par la logique du profit maximal, elle ne peut pas ne pas menacer la civilisation et ses finalités : l'organisation du tourisme l'emporte alors sur les finalités du loisir.

Il reste le vœu d'une existence réconciliée. Cela passe par la reconnaissance d'un passé; et les vacances, par le retour à la campagne de ses origines ou aux monuments de notre tradition culturelle, sont l'occasion de cultiver la mémoire d'un peuple. Cela passe par la connaissance de visages autres et de cultures différentes, et le camping comme les résidences secondaires offrent ainsi l'occasion de comprendre les chemins d'hommes et de femmes dont l'histoire ou la race sont habituellement hors de nos préoccupations. Cela passe encore par la découverte de la créativité, par des possibilités d'expressions différentes, tant de soi-même que de ses proches; les loisirs sont des temps pour mieux s'estimer.

La faim des vacances est une chance pour l'homme s'il n'accepte pas d'être fabriqué par des loisirs préfabriqués.

Les vagabonds philosophes

Lorsque le voyage cesse d'être synonyme de vacances pour devenir recherche de l'identité du voyageur, de sa vraie manière d'exister, il prend une dimension philosophique, devient une sorte d'absolu, il remplace autre chose...

> Je rêve de voyager. Depuis longtemps. Peut-être depuis toujours. Je rêve d'aller en Amérique et en Afrique du Nord. J'espère bien avoir un jour les moyens de faire l'un et l'autre. Impression que j'irai, là-bas, retrouver des racines. Dans le sens où chaque être est un monde et possède, outre des racines biologiques, géographiques réelles, d'autres racines dans des terres avec lesquelles il est en connivence profonde et ressemblance. Je sens que je suis aussi de ces terres au-delà des mers *(Jeanne R., psychologue, Paris).*

Plus encore que la recherche des racines, c'est la signification même de sa vie que ce correspondant attend du voyage :

> [...] pour l'enrichissement quotidien et l'évasion qu'il procure (rien à voir avec le tourisme). Il peut permettre aussi une remise en cause des structures d'existence : métro-boulot-dodo-vacances-métro-boulot-dodo-retraite-cimetière. Pouvoir percevoir dans le voyage la causalité, la finalité, la réalité de son existence et parvenir à en vivre d'une manière ou d'une autre : voilà un grand projet non réalisé, faute de temps, faute d'argent, mais heureusement toujours possible *(Jean-Claude B., préparateur en pharmacie, Rueil-Malmaison).*

Ce projet, Anne-Bénédict l'a réalisé. Elle est la vagabonde, celle qui ne vit que pour partir... Voyager est son but ultime, sa joie de vivre... Sa lettre bouillonne de santé et témoigne pourtant d'une certaine angoisse. Elle court, elle court, mais après quoi? Le bonheur, bien sûr. Mais elle est exigeante et le sait difficile à capturer. Anne-Bénédict dit très bien, avec une vivacité de style qui lui ressemble, ce que ressentent plus ou moins confusément tous nos contemporains qui rêvent de voyage : prenons le train qui passe, courons le vaste monde avant qu'il ne devienne inhabitable...

> La partie de ma vie qui me passionne le plus est sans conteste celle qui me reste après le travail. Car en fait mon travail n'est pas un but, mais uniquement un moyen : moyen de me procurer l'argent nécessaire à la réalisation de ma « vraie vie ». J'entends par « vraie vie » celle que j'ai choisie (du moins pour le moment)

par vocation. J'ai en effet une vocation bien ancrée de vagabonde, ce qui n'est évidemment pas très rémunérateur ni même très prudent pour une fille de 22 ans, totalement désargentée. Je travaille donc pour m'offrir le minimum de sécurité dans mes déplacements : assurance (parfois), train (je n'ai pas particulièrement envie de finir au palmarès d'un amateur d'auto-stoppeuses) et auberge de Jeunesse ou camping. Mes pérégrinations m'ont jusqu'à présent emmenée en Espagne, Portugal, Italie, Maroc, pays scandinaves, Canada, États-Unis, et je prépare actuellement un voyage au Yémen. Ces vagabondages (étalés sur six ans) étaient jusqu'il y a trois ans limités aux vacances scolaires. Ayant arrêté mes études après le bac, je dispose maintenant de tout mon temps et ma vie est un sandwich : travail-voyage-travail-voyage.

En fait de travail, n'ayant aucune qualification particulière, je fais un peu de tout, ce qui est loin de me déplaire. Quand je ne voyage pas dans l'espace, je voyage ainsi dans les divers corps de métier et catégories sociales. J'ai été caddy au golf (mon premier job, je devais avoir 15 ans), vendeuse-serveuse dans une pâtisserie-salon de thé (où j'ai toujours des entrées, et des prix d'amis), « hôtesse-jockey » dans une société de location de voitures (ce qui m'a permis d'essayer un grand nombre de véhicules), vendeuse de légumes dans un libre-service, jeune fille au pair au Canada anglais, vendangeuse, manutentionnaire dans une imprimerie-papeterie, secrétaire chez un avocat. J'ai pu fréquenter de cette façon les milieux commerçants et agricoles, les professions libérales, les travailleurs immigrés. Ma vie « professionnelle », bien qu'elle ne me passionne pas à proprement parler, m'apporte quand même beaucoup. Du fait du peu de durée de mes jobs, je n'ai pas le temps de vraiment m'en lasser, et j'ai suffisamment de temps pour en tirer des enseignements que je ne regrette jamais sur le plan humain, social ou purement pratique et matériel.

On me dira (et mes parents ne s'en privent d'ailleurs pas, ce que je comprends parfaitement, d'autant que j'ai la chance d'avoir des parents en or, qui me laissent libre d'expérimenter par moi-même les difficultés et les joies de la vie et de l'aventure), que je devrais avoir une situation, penser à l'avenir, me stabiliser, bref rentrer dans le rang. Je n'en doute pas, et j'y pense; mais chaque fois que je me dis : « cette fois-ci je cherche du travail pour de bon et je me fixe quelque part », le démon du voyage me reprend et le vent du large m'emporte.

J'adore voir des pays nouveaux, connaître des mœurs différentes, écouter une langue étrangère, goûter des plats inconnus. Dans un pays que je connais pas, tout m'intéresse : la géographie, l'histoire, la religion, l'architecture, etc. Et par-dessus tout, j'essaie de comprendre les gens, de communiquer avec eux, malgré tous les obstacles culturels ou linguistiques. C'est parfois assez difficile, car ma manière de voyager me cantonne un peu dans le milieu un peu marginal des « routards » dans mon genre. Le meilleur moyen étant de vivre assez longtemps parmi les gens du pays et de travailler avec eux, ce que j'ai pu faire au Canada, et que j'aimerais tenter dans un kibboutz israélien. Je ne peux pas voir un reportage, lire un livre sur un pays, si inhospitalier puisse-t-il paraître, sans avoir envie d'y aller.

Le monde entier m'attire, depuis les neiges polaires jusqu'aux forêts d'Amazonie, en passant par le Sahara et les mégalopolis américaines, avec peut-être une préférence pour les déserts (mon rêve est de traverser le Sahara avec des Bédouins et de visiter l'Afghanistan) et toutes les régions d'abord un peu difficiles. Je suis née sous une étoile filante et j'ai le goût de l'aventure, de l'inattendu, et d'un certain effort physique. Un pays ne s'offre pas, il faut le mériter et le découvrir. Les voyages d'Alexandra David-Neel au Tibet sont le modèle de ce que j'aimerais faire. On me reproche souvent d'aller à l'étranger et de ne pas connaître la France. J'avoue que, jusqu'à présent, j'ai quelque peu négligé mon pays, bien que je tâche d'y remédier entre deux voyages plus lointains. Mais je préfère profiter de ma jeunesse et des facilités que j'ai actuellement pour aller le plus loin possible.

Je ne sais pas ce que ces voyages m'ont apporté (outre une belle collection de photos, des amis un peu partout, et une bonne connaissance de l'anglais courant), j'ai oublié à quoi servaient les logarithmes et qui était Spinoza, mais il y a deux choses que j'ai apprises par moi-même et dont je suis sûre : il faut être honnête avec soi-même et il ne faut jamais laisser passer sa chance. Il est parfois assez difficile de concilier ces deux impératifs, mais si on essaie de les prendre réellement en considération, cela oblige à revenir sur soi-même de temps en temps et à réfléchir sérieusement avant d'agir, ce qui peut éviter bien des désagréments. J'essaie aussi d'être disponible, aux autres et à l'inattendu, d'être prête à sauter sur l'occasion. C'est pour cela que mes voyages sont toujours peu organisés, de façon à laisser libre cours à l'improvisation en fonction des circonstances et des rencontres...

Quant à l'avenir, le moins que l'on puisse dire, c'est qu'il m'inquiète. C'est peut-être cela, paradoxalement, qui m'empêche de me fixer définitivement dans un endroit et un métier. Je n'ai pas la chance d'avoir une réelle vocation pour une profession ou une autre. Quand j'étais au lycée, il y avait de temps en temps des réunions d'orientation : quoi que nous choisissions, nous avions la joie d'apprendre qu'il n'y avait pas de débouchés, ou que la profession envisagée n'était pas assez lucrative pour permettre d'en vivre. Mes amis ayant poursuivi leurs études universitaires sont presque tous au chômage ou ont abandonné, découragés par des études inintéressantes, interminables, et des méthodes d'enseignement absurdes et qui, au lieu de leur élargir l'horizon, ne servent le plus souvent qu'à leur mettre des œillères et à en faire de bonnes petites machines spécialisées et productives. Il est tellement rare actuellement de pouvoir vivre d'un travail que l'on a choisi et que l'on aime, qu'il devient presque plus facile (et en tout cas plus raisonnable) d'aimer ce que l'on fait, que de faire ce que l'on aime; et je ne suis pas tellement pressée de rejoindre le troupeau.

La plupart des gens ne vivent pas. Ils se contentent de survivre pendant les trois quarts de leur existence pour tâcher de vivre le quart qui leur reste : la retraite. Je préfère prendre ma retraite dès maintenant. La vie est faite pour être vécue. Qu'on appelle cela de l'imprévoyance, de la folie, cela m'est égal. Tout va si vite maintenant que si l'on ne prend pas les choses au vol, elles disparaîtront à jamais.

En dix ans, ma petite ville a tellement changé qu'elle est presque méconnaissable. Je ne dis pas que c'est un mal (sur beaucoup de plans, je suis même persuadée du contraire), mais le ruisseau où je pêchais des grenouilles a disparu, ainsi que le petit bois de chênes que je traversais lorsque j'allais au lycée à bicyclette. Je veux voir le monde avant qu'il ne disparaisse. Alors, je vis et je voyage. Ce qui me passionne en fait, c'est la vie, la mienne et celle des autres. J'aime la vie, le monde, les gens, le beau ciel, respirer, me sentir en forme, lire un bon livre. Je m'émerveille sans arrêt du temps qu'il fait, du paysage, des possibilités de mon corps. Je ne me lasse pas de vivre, de regarder, de sentir, d'écouter, et j'espère bien que je ne m'en lasserai jamais *(Anne-Bénédict P., La Teste)*.

Nous retrouverons dans les chapitres suivants les inquiétudes d'Anne-Bénédict et de ses contemporains sur l'avenir, l'environnement qui change à « vue d'homme », le travail que l'on ne choisit pas... Cette lettre contient à peu près tous les thèmes de notre enquête, et représente assez bien l'état d'esprit de la jeunesse.

Certes, la vie d'Anne-Bénédict rompt avec bien des habitudes; pourtant, quand un Français sur deux rêve si intensément de voyage, ce n'est pas seulement par manie de la bougeotte ou pour suivre la mode. C'est que ses rêves lui murmurent à l'oreille que la « vraie vie est ailleurs ».

Créer

Rêver de partir à la campagne ou de voyager sont en effet deux manières d'exprimer que l'on voudrait vivre *ailleurs :* dans un cadre plus naturel, plus humain, plus exaltant, ou tout simplement différent. Les aspirations que nous allons rencontrer maintenant traduisent le besoin de vivre *autrement.*

Comme la nature ou le voyage, la création est une façon de protester contre un mode de vie qui étouffe l'initiative, creuse des vides difficiles à combler, entretient l'insécurité et la solitude. Plus diffus que le rêve de nature ou de voyage, celui de création n'a pas de prime abord leur caractère massif. Un citadin sur deux, nous l'avons vu, rêve d'habiter à la campagne; huit ruraux sur dix souhaitent y demeurer; presque un Français sur deux a la bougeotte et s'imagine qu'il serait plus heureux ailleurs... Cela fait beaucoup d'individus habités par les mêmes rêves... On n'en trouvera pas autant pour affirmer le besoin de créer qui se manifeste avec une émouvante ardeur dans la lettre suivante :

Il y a les moments de vraie vie, et les autres. Un moment de vraie vie, de vie intense, pour moi, c'est un moment où l'on vit en étant conscient de vivre et où l'on crée quelque chose. C'est la vie en plus. La vie en moins, c'est lorsque l'on vit machinalement, coulé dans les moules préfabriqués de nos habitudes, abruti de travail ou de... loisirs. Je sens confusément que je possède certaines virtualités qui ne demanderaient qu'à s'exprimer. Mais tout est là : s'exprimer! Vivre vraiment, c'est aussi pouvoir s'exprimer, pouvoir traduire par une œuvre ce qui gît au plus profond de soi. Si je pouvais répondre, en créant, à ce quelque chose, indicible, qui est ainsi interpellé, je crois que je vivrais la vraie vie. Mais je manque de tout pour répondre! Je me sens totalement démunie en présence d'un film, d'un poème, d'une symphonie, d'un tableau qui me touchent en profondeur. Pauvre en création, je ne suis riche que d'aspirations vers cet ineffable alors interpellé, je sens que je demeure prisonnière de mon incapacité à traduire cet élan vers autre chose que la vie quotidienne, vers l'autre vie, vers la vraie vie *(Jacqueline A., Aix-en-Provence).*

Créer n'est certes pas une obsession des Français d'aujourd'hui, comme voyager ou vivre à la campagne, si l'on en croit certains chiffres. C'est un rêve qui n'habiterait guère plus de 8 à 10 % de nos contemporains.

Rien d'un raz-de-marée, donc. En réalité, chaque fois que dans le sondage figuraient les mots « créer » ou « création artistique », le pourcentage de personnes intéressées a manifesté une poussée insolite, comme si une petite lumière se mettait à clignoter, signalant l'intérêt des interviewés pour toute activité qualifiée de créatrice.

On ne saurait donc négliger totalement cette aspiration un peu naïve, un peu vague, à laquelle la télévision, la radio et la presse ne sont pas étrangères. Les seuls héros que ces médias donnent en exemple aux foules, les seuls modèles que cette société offre à l'admiration des masses, ne sont-ils pas des artistes, des comédiens, des chanteurs, des écrivains?... Ou ces artistes de leur corps que sont les champions du sport?

Comment s'étonner alors que le mythe de la « vie d'artiste » soit de nos jours si puissant? Une enseignante, conseillère d'éducation (ce qu'on appelait naguère surveillante générale) dans un CET de la région parisienne, écrit une lettre où l'on devine que la sagesse et l'équilibre ont été, chez elle, conquis de haute lutte. Elle se félicite, en définitive,

> [...] d'une vie pleine et heureuse, ni riche, ni pauvre, que je crois utile : des combats que je mène parce que j'y crois, des difficultés que j'ai essayé de dépasser et une très grande confiance dans la jeunesse actuelle quoi qu'on en dise, une jeunesse lucide pour la plupart, ce qui la fait descendre dans la rue. Une jeunesse mieux informée que je ne l'étais à leur âge et qui peut-être saura faire évoluer les choses; du reste le chemin déjà parcouru dans certains domaines n'est pas négligeable.

Après ces pensées d'une tête lucide et bien faite, un cri du cœur en postscriptum surprend et dément la belle ordonnance de la façade :

> Ce que j'aurais aimé faire et que je n'ai jamais pu faire réellement pour des raisons matérielles, c'est peindre, écrire, la vie d'artiste, quoi! *(Hélène B., 55 ans, veuve).*

Tout le monde ne peut pas être artiste! Cependant, 38 % des Français ont le sentiment d'avoir en eux des possibilités que la vie laisse inemployées. Que d'ambitions déçues, que de rêves étouffés derrière ce chiffre!

Surtout qu'il s'élève encore de façon sensible pour plusieurs catégories, les plus dynamiques, les plus jeunes : les moins de 25 ans (48 %) et les 25/34 ans (51 %); un sur deux, parmi ces Français en pleine possession de leurs forces, se dit qu'il vaut mieux que ce qu'il fait! Un cadre moyen sur deux aussi : toute une masse de ces « cols blancs » qui ont rêvé pendant leur jeunesse que le baccalauréat et quelques diplômes, durement obtenus, leur ouvriraient l'accès d'un paradis social, et qui se réveillent, après quelques années, déçus par la médiocrité de leur sort.

Les cadres supérieurs ne sont guère plus satisfaits : 40 % estiment que leurs véritables capacités ne sont pas utilisées! Alors, ils rêvent d'une vie différente dans laquelle ils se « réaliseraient », et qui leur permettrait d'exprimer ce qu'ils sentent bouillonner en eux. Ils rêvent d'échapper à la hiérarchie écrasante des petits et des grands chefs imbus d'une supériorité aléatoire; de faire quelque chose dont ils soient seuls responsables, qu'ils puissent mener à bonne fin... Ils imaginent avec un délicieux tremblement de plaisir le tête-à-tête fascinant entre le créateur et son œuvre. C'est un rêve de riches, bien sûr, le rêve d'un peuple qui n'a plus faim. Mais l'homme ne vit pas seulement de pain...

Et, parmi toutes les capacités jugées inemployées, celles qui viennent en tête sont les capacités « artistiques, culturelles, créatrices » (24 % en moyenne). Les capacités intellectuelles (13 %) et celles de travailler (11 %) viennent assez loin derrière.

Écrire : rêve de midinette?

Un sur trois de ces cadres moyens déçus par la médiocrité de leur sort rêve de créer. Que mettre derrière ce mot? Le courrier émane souvent de ces classes moyennes suffisamment cultivées et suffisamment à l'aise matériellement pour s'offrir ce luxe : des aspirations intellectuelles. *Écrire* y représente la création par excellence.

> J'ai toujours été taquiné par l'envie d'écrire, des vers pendant ma jeunesse, puis des chansons, puis, pendant une dizaine d'années, un roman. Actuellement, j'écris une thèse de doctorat de droit sur un sujet de Sécurité sociale. Quand je l'aurai finie, je terminerai une licence de russe que j'avais commencée dans ma jeunesse (je suis diplômé de russe, des Langues orientales).
> Un regret : ne pas être capable d'écrire un roman équivalent, en 1977, à *Madame Bovary*. Mais n'est pas Flaubert qui veut. Si j'avais des journées de 48 heures, je les occuperais pleinement.

Je ne me suis jamais ennuyé, je ne sais pas ce que c'est que
« tuer le temps ». Je suis rarement satisfait de ce que je fais, bien
que ce que je fasse ne soit pas toujours nul. Je suis un « créateur », je préfère mes œuvres (peintures, chansons, écrits) à celles
des autres, dont je reconnais pourtant le mérite et qui m'intéressent. Mais ce qui me passionne, c'est de créer. Ce qui me
plaît dans mon travail, c'est que j'ai l'impression que je contribue
à créer quelque chose, qu'il y a une marge de liberté où je peux
exercer, en partie du moins, cette activité créatrice.
M'occupant de questions sociales, je suis, bien entendu, par
comparaison avec toutes les misères de notre temps, prodigieu-
sement privilégié (privilège conquis à force de travail, car mes
parents étaient des cadres moyens). Mais le fait d'appartenir
aux 5 % de la population française la plus cultivée et la plus
aisée crée plus d'obligations, en fait, que de droits sur le plan
familial comme sur le plan social *(Jean B., travaille à l'Action
sanitaire et sociale, Paris).*

Il n'y a pourtant pas que des intellectuels, des professeurs ou des
artistes, pour rêver de création...

Je suis dilettante et j'écris ou je dessine, car j'en ai réellement
besoin et paradoxalement, d'une certaine façon, le travail m'aide
à créer (selon la fatigue qui m'accable) car cette force que je
contiens et retiens se libère le soir venu *(Jacques M., 19 ans,
ouvrier-menuisier, Saint-Quentin).*

Écrire est la forme de création la plus fréquemment évoquée dans le
courrier. Parce que la culture dispensée dans nos écoles repose essentiellement sur l'écrit; parce que c'est une activité qui ne requiert d'autres matériaux qu'un stylo et du papier; parce qu'elle ne semble nécessiter aucun
apprentissage préalable... On rêve d'écrire un roman, des chansons, une
thèse ou ses mémoires... L'essentiel étant de s'exprimer et de communiquer. L'âge, comme dirait Brassens, ne fait rien à l'affaire. Jeune ou
vieux, quand on se rêve créateur, on ne décroche pas facilement sa
charrue des étoiles.

J'ai vécu mes années de jeunesse dans une période qu'on a
appelée « les années folles ». La guerre de 14-18 avait laissé des
traces, et l'agitation des plaisirs n'empêchait pas de penser qu'il
y avait un grave malaise dans notre pays et des périls à redouter
à plus ou moins proche échéance. Des écrivains appréciés par-

laient d'un « nouveau mal du siècle ». Plein d'illusions, je m'imaginais pouvoir être un de ceux qui pourraient contribuer à « changer le monde », ce monde où les massacres du passé avaient blessé et troublé mon âme, où j'espérais pourtant que les efforts d'hommes d'État de bonne volonté parviendraient à garantir la paix si les peuples soutenaient leur action. Pour apporter ma participation à cette œuvre, j'écrivis un roman. Je fus très déçu quand l'éditeur auquel je l'avais soumis me répondit que son programme ne prévoyait pas de romans. Mais je me dis : « Je recommencerai », et je ne me laisserai jamais encroûter, même si je parviens à une extrême vieillesse!... Ce livre, ce nouveau livre que je voulais écrire, je n'en ai pas abandonné le projet et je ne voudrais pas mourir avant de l'avoir écrit! *(Jean D., 73 ans, retraité, Épinac).*

Un autre grand-père que son stylo démange prend le gracieux prétexte d'écrire pour son petit-fils. Mais sous les plus glorieux auspices littéraires :

J'ai relu ou lu Balzac, Maupassant, Flaubert, des œuvres d'histoire, Lenôtre, André Castelot, Alain Decaux, Claude Manceron. Des biographies de célébrités historiques. Des œuvres ouvertes sur la (ou des) vie. Troyat, Genevoix, Sabatier, qui ressuscitent des êtres et un temps. Pris de contagion, je me suis mis, moi aussi, à raconter ce premier demi-siècle, à écrire quelque trois cents pages pour mon petit-fils de 15 ans. J'ai recherché mes souvenirs, mes impressions, le vu et le vécu, hors de toute tendance politique, à la façon d'un objectif, enregistrant les besoins et les conquêtes sociales, ma famille et les deux guerres.
[...] J'ai cru donc avoir beaucoup à dire à mon petit-fils. Ayant soumis mon texte à la lecture d'amis, on m'a conseillé de prendre contact avec un éditeur et de tenter l'édition de ces souvenirs sans prétention, sans doute présentés de façon brouillonne mais, disent-ils, présentant de l'intérêt, et pouvant être mis en meilleur ordre avec quelques conseils; ils sont en tout cas véridiques *(Franc-Réan, pseudonyme d'écrivain, 79 ans, horloger-bijoutier pendant soixante-trois ans, L'Aigle).*

Quand on est un peu plus jeune, on attend pour écrire d'être... à la retraite :

> J'écris un peu (pas assez) en espérant écrire un livre ou deux quand je serai à la retraite. J'aurais aimé vivre de ma plume *(Roger P., Clermont-Ferrand).*

Comme il est difficile de réaliser le rêve d'écrire, on se donne de bonnes raisons pour reculer le moment décisif, l'épreuve du feu :

> Oui, il y a une foule de choses que j'avais envie de faire et que je n'ai pas faites (ou pas encore) : j'ai 23 ans, ma vie n'est pas finie, et j'espère que les années à venir me permettront de réaliser certains de mes vœux. Parmi ces choses, une surtout : depuis longtemps, je rêve d'écrire à mon tour. Rêve de midinette? Non, ce n'est pas la gloire que je cherche, ça m'est égal d'être connue ou anonyme. C'est très difficile à expliquer et cela pourra paraître pédant si je dis que c'est une exigence intérieure. Et c'est pourtant comme cela que je le ressens. Petite fille, j'ai écrit des contes, des nouvelles, des poèmes, bien sûr. Je voudrais écrire un roman. Je n'en ai pas le premier mot, mais j'y pense sans cesse. Pourquoi? Je ne le sais pas... Parce que j'ai peur d'écrire une œuvre médiocre. Ce serait catastrophique pour moi... Je ne sais pas si j'ai du talent, mais ce dont je suis sûre, c'est que je n'ai pas de génie. Il me serait insupportable de gâcher ces mots que d'autres ont maniés et manient avec tant de bonheur. On ne sait jamais... Je me lancerai peut-être un jour *(Claire D., 23 ans, femme au foyer, un enfant, Athis-Mons).*

Loin d'être un rêve de midinette, le besoin d'écrire, et les raisons qui retiennent certains au bord du gouffre qu'ils pressentent, se retrouvent chez l'agrégé de lettres :

> De temps en temps, l'envie me prend d'écrire un livre, mais sur quel sujet? Et puis une certaine pudeur me retient, en même temps que la conviction de n'être sans doute pas à la hauteur (bien que le lecteur d'aujourd'hui ne semble guère exigeant!) *(Jean-Pierre D., 42 ans, deux enfants, professeur agrégé de lettres classiques).*

D'impénitentes cigales écrivent des chansons et rêvent que d'autres les chantent.

> Mes chansons, c'est mon royaume. C'est là que je me perds. Elles sont les jalons de ma vie. Je me les chante et d'ailleurs elles

se font toutes seules. Il suffit que je quitte ma maison, que je parte en pleine nature, que je grimpe haut, que je marche dans le vent, dans le soleil, avec un crayon dans ma poche et un carnet. Et ça y est. Alors là, je rencontre la « vraie vie ». En pleine nature, seule, libre, et sans contrainte, oubliant les problèmes des enfants, du mari, et même des petits-enfants, là je vis! Et là, je rencontre Dieu plus facilement que partout ailleurs *(Denise de M., 50 ans, cinq enfants, Chomérac).*

Voici encore un auteur de chansons, et qui a failli se faire éditer :

A la maison, en rentrant, j'écris des paroles de chansons, dans la cuisine, en préparant les repas. J'aime bien faire la cuisine, ça sent la nature. J'ai un gros bloc de papier sur le frigo : c'est mon bureau préféré. Je sais que j'écris de bonnes choses. Un jour, il y a deux ans, j'ai eu un des plus grands bonheurs de ma vie : j'avais osé envoyer quelques textes à une très grande marque de disques. Un coup de téléphone au bureau : un responsable de cette maison me disait que c'était très bon, qu'il voulait me voir, que ça y était! Un rendez-vous, le cœur qui cogne, le sang qui galope. Pas tellement pour l'argent, mais pour la rencontre d'une musique et d'un texte, pour l'émulation, pour le dialogue, en fait. Je n'ai pas pu me rendre au rendez-vous. Professionnellement, j'étais indispensable (!!) ce jour-là, à cette heure-là, à mon bureau. Indispensable! Laissez-moi rire! Je me suis excusée auprès du monsieur important. Il a été compréhensif, mais peu après il a quitté la maison. Il est parti au Canada. C'est tout! *(Monique P., 50 ans, mariée).*

Un jeune instituteur, qui se sent impuissant à faire de ses élèves des « écologistes révolutionnaires et non violents », confie au papier les idées qui ne « passent pas » aussi bien qu'il le souhaiterait dans sa classe :

Je me suis mis à écrire des grandes histoires dérisoires pour les enfants et les adultes. Des histoires de castors atteints par la société de consommation, des castors qui rongent des poteaux électriques un soir de match des « Verts » pour faire entendre leurs revendications, des histoires de royaume anarchiste, mais les quelques éditeurs que j'ai consultés furent très polis... Alors, je suis resté avec mon message si grand dans mes tiroirs *(Marc T., instituteur, Juvisy-sur-Orge).*

75

Et le bricolage?

Il est au moins un domaine dans lequel, plus modestement mais sans complexe, la créativité de nos contemporains semble s'exercer : c'est le bricolage.

Plus d'un Français sur deux (55 %, dont 72 % des 25 à 39 ans) pratique le bricolage [1]! Pour mieux cerner le phénomène, notre sondage, lui, portait sur un éventail très large d'activités, englobant, outre le bricolage proprement dit, le jardinage, les travaux manuels, le tricot, la couture, etc. Il n'est donc pas étonnant que les trois quarts des interviewés se soient montrés intéressés. Sur ce nombre, 66 %, largement plus de la moitié donc, bricolent par « plaisir », 9 % seulement reconnaissent qu'ils le font par nécessité, « parce qu'ils n'ont pas les moyens de faire autrement ». Ce qui n'empêche pas 73 % des « bricoleurs » (79 % des ouvriers, 93 % des agriculteurs) d'estimer aussi que les travaux qu'ils exécutent leur font « davantage économiser d'argent qu'ils ne leur en font dépenser ». Après tout, économiser fait aussi partie du plaisir...

Peut-être ces bricoleurs se font-ils là quelques illusions. Si l'on sait [2] que 37 % d'entre eux possèdent une perceuse ou un autre appareil de bricolage, sont-ils tous en mesure de « rentabiliser » un investissement aussi coûteux?... Il est vrai aussi que le plombier, le menuisier, l'électricien du quartier, prêts à dépanner ou pratiquer de menus travaux, se font de plus en plus rares. Alors, de plus en plus nombreux sont les Français qui peuvent souscrire à la déclaration suivante :

> Quand je ne « travaille pas », je bricole. 1. Par nécessité : réparation et entretien de maison, ainsi que jardinage et pelouse; 2. par plaisir : petits meubles, objets de décoration, réparation d'objets anciens *(Michel A., dessinateur industriel, marié, deux enfants).*

La résidence secondaire est le lieu privilégié du bricolage que l'on pratique à la fois par nécessité (économique, éloignement des artisans) et par plaisir :

1. *Pratiques culturelles des Français,* op. cit.
2. *Ibid.*

Nous venons d'acheter une vieille maison à la campagne. Comme je suis très habile de mes mains, je bricole, je jardine, je décore, je tapisse, je couds, je peins. Peut-être arriverai-je à trouver ici la concrétisation d'un besoin de création *(Geneviève E., 29 ans, chômeuse, mariée, un enfant, Saint-Symphorien-d'Ozon).*

Les feux de la rampe

Le théâtre, le cinéma, la musique exercent, eux aussi, une forte attraction sur ceux de nos contemporains qui se voudraient créateurs. Faire du théâtre attire particulièrement les femmes. Peut-être parce que les comédiennes sont les seules femmes à être vraiment acceptées, reconnues comme créatrices et comme femmes à la fois. Les seules qui n'aient pas à s'excuser d'être ce qu'elles sont, les seules qui n'aient pas à se faire pardonner d'exercer leur métier : leur beauté, naturelle ou factice, leur élégance renforcent la très conformiste et traditionnelle image de la Femme et font oublier qu'elles sont aussi des travailleuses. Leur talent et leur succès sont autant de mythes rassurants : on leur accorde un caractère magique, surnaturel, oubliant ce que ces facilités apparentes doivent au travail, à l'ambition, à l'acharnement.

Quand j'avais 15 ans, je voulais faire du théâtre, écrit un professeur de lettres. Cette envie ne m'a jamais quittée. Je me dis parfois que j'y arriverai peut-être un jour. Comment? Je n'en sais rien. Je veux d'abord élever mes enfants. Ce qui m'a manqué? le culot peut-être... A 30 ans, j'ai voulu écrire. Je m'y suis essayée, mais si j'ai pas mal de choses à dire, je crois que je n'ai pas assez de facilité ni non plus d'imagination *(Jeanne K., 42 ans, Vert-le-Petit).*

Les rêves ont la vie dure...

Ce qui frappe aussi dans ces confidences touchantes par leur sincérité, leur détresse, c'est l'indétermination qu'elles manifestent : on veut créer, mais on ne sait trop comment; ni trop pourquoi.

La lettre suivante dit peut-être pourquoi tant de ces velléitaires tiennent plus à leurs chimères qu'à la réalisation de leurs désirs. Ces créateurs touche-à-tout semblent tâtonner dans le noir avec l'espoir de repérer une lumière.

Pour ma part, j'aurais aimé, à 20 ans, concilier mon travail et le goût des voyages. Je souhaitais, connaissant l'anglais, voyager en Angleterre et aux États-Unis... Puis la guerre de 1939 est arrivée. Terminé pour les voyages. Mais une découverte vint m'apporter une compensation : le théâtre, comme comédienne amateur, où je réussissais bien. J'aurais volontiers passé ma vie sur les planches, non pas, comme le disait Mme Dussane, pour les lumières, les toilettes et les applaudissements, mais pour le travail, l'ambiance des coulisses, l'effort incessant de transformation et de renouvellement de soi-même.

Influence des parents qui n'auraient pas vu d'un bon œil ma carrière artistique? Insouciance qui m'a fait manquer ma chance le jour où elle est passée à ma portée? Toujours est-il que le rêve est resté rêve, mais je garde au fond de moi un regret douloureux. Ma vie aurait peut-être été fort différente si j'avais trouvé la filière. Peut-être aussi aurais-je couru à un échec et il vaut peut-être mieux que ce rêve soit relégué au magasin des illusions, et fasse partie de ma vraie vie ainsi idéalisée, même au prix d'une certaine nostalgie *(Jeanne D., mariée depuis trente ans, trois fois grand-mère, Roanne).*

Bien planifiée, douée d'un tempérament actif et imaginatif, l'auteur de la lettre suivante témoigne d'un grand appétit de création :

Je me suis mise à écrire. J'ai commencé il y a un an à peu près. Je viens de finir des histoires pour enfants. J'espère qu'elles seront éditées un jour. J'écris aussi des nouvelles (sur le thème : l'amour, la solitude, les rencontres) et j'ai commencé un roman... Pour tout ça, je me donne deux ans au moins, car ma vie est tout de même assez occupée... Ce que j'aimerais beaucoup, par exemple, c'est jouer dans un film (non pas pour être vedette, encore que... pourquoi pas?) mais pour participer à la création d'un film, ne pas être seulement spectatrice. L'idée ne m'en était jamais venue avant votre questionnaire, et puis, en lisant votre question ça a fait « tilt » *(Chantal C., 40 ans, professeur, divorcée, quatre enfants).*

Le cinéma, encore, mais cette fois du côté des auteurs, des réalisateurs, c'est la chimère de l'adolescence, que l'on évoque avec nostalgie, passé la quarantaine :

J'étais passionnée, je suis toujours, comme dans ma jeunesse, de cinéma. A tel point que j'avais pensé étudier à l'IDHEC (Institut des hautes études cinématographiques). Faire du cinéma derrière une caméra, quel rêve! S'exprimer, toucher de nombreuses personnes avec ses films. J'ai d'ailleurs des idées de scénario dans un carnet. Quelle utopie! *(Mme C., 46 ans, mère de famille, diplômée de l'école nationale des Arts décoratifs, Suresnes).*

Une sagesse un peu mélancolique, une résignation de pauvre, baignent la lettre d'une jeune femme de 25 ans, célibataire, assistante-comptable, qui a étouffé son rêve :

J'aurais aimé faire de la danse dès le très jeune âge. Mais à la maison nous sommes dix enfants, heureux de vivre, et nos parents ont eu de tout temps le souci d'être justes vis-à-vis de chacun d'entre nous. Chacun a eu droit à une éducation adaptée à ses possibilités. Maintenant, je suis titulaire d'un DUT (diplôme universitaire de technologie) et rêve toujours de faire de la Danse Classique. Donc nous avons été limités par les soucis de justice et l'argent aussi.

Il y a des justices qui sonnent comme le glas... et quand on parle de la danse classique avec des majuscules, comme cette aide-comptable bretonne, on devrait avoir le droit sinon de devenir danseuse-étoile de l'Opéra, du moins de pratiquer en amateur un art que l'on aime avec tant de ferveur. En France, Dieu sait pourquoi, l'amateurisme est déprécié, voire méprisé. La peur du ridicule tue la créativité; l'impérialisme culturel d'une capitale qui donne le ton et décrète la mode, là comme ailleurs, et consacre ou anéantit toute œuvre artistique, ont peu à peu découragé les talents amateurs.

La télévision, en imposant à la France entière ses feuilletons stéréotypés et ses six ou sept films par semaine, a fait le reste. La concentration de l'édition entre quelques grandes maisons, parisiennes elles aussi, et dont les livres-vedettes se lancent à Paris à coup de publicité, comme des savonnettes, ne facilite pas non plus l'accès d'auteurs inconnus, hommes d'un seul livre peut-être, qui pourraient trouver un public dans leur province, dans leur milieu...

L'expérience du « Jour J de la Musique » tentée par France-Musique a montré qu'il existait des centaines de groupes ou d'instrumentistes, de chorales ou d'orchestres, qui jouaient pour leur plaisir et celui des autres, en dehors de toute préoccupation mercantile et sans rêver d'une gloire nationale. Les Maisons de la Culture, les Maisons de Jeunes ne devraient-elles pas être les foyers naturels où ces groupes pourraient se former, se rencontrer et s'exhiber au besoin, sans idée de concurrence avec les professionnels mais non sans contact avec eux?

Une politique culturelle digne de ce nom ne peut se contenter d'organiser la consommation des œuvres d'art; elle doit favoriser la créativité de tous ceux qui aspirent à s'exprimer.

C'est pour se libérer des contraintes ennuyeuses, qui l'empêchaient de se livrer à son activité favorite, qu'un employé de la Caisse d'épargne (celle de l'écureuil, précise-t-il), déçu par sa vie terre à terre, a décidé de vivre son rêve : la musique.

> Comme des millions d'autres, je pourrais continuer à partager mon temps entre le bureau, la télé ou la balade en voiture. Jusqu'à la retraite. Seulement voilà, je pense qu'on ne peut se contenter de rêver à une vie meilleure pour se réveiller ensuite, et retourner à un travail qui ne plaît pas.
>
> J'ai décidé de quitter mon emploi de bureaucrate pour tenter de vivre avec ce qui me plaît : la musique.
>
> Depuis plusieurs années, je joue de la guitare, mais après mon travail, et je connais des difficultés à vivre décemment en faisant de la musique. Alors, depuis deux ans, j'ai économisé assez d'argent pour pouvoir m'offrir une année de formation musicale sans connaître de problèmes d'argent. Ce qui est un très gros avantage. Mais aussi un passage très important de mon existence, car je suis en train de prendre de gros risques matériels pour connaître une vie meilleure. Car chacun, à mon avis, doit essayer de mener une existence qui permette de s'exprimer, de s'affirmer, d'élever la vie au-dessus des contraintes et des soucis.
>
> Je fais tout ce que je peux pour arriver à vivre ce qui me plaît. Mais si je devais reprendre mon emploi, ce serait jusqu'à ce que j'aie entassé assez d'argent pour recommencer mon expérience. Je connais les efforts et les sacrifices que cela entraîne, mais ma « vraie vie » est à ce prix *(Guy F., 29 ans, employé, marié, un enfant, Blois).*

Enfin, voici la plus surprenante peut-être, la plus touchante aussi, des lettres que nous ayons reçues. Ce rêve de création, ce besoin de faire de la beauté, nous l'aurons découvert dans tous les milieux, à tous les âges, dans toutes les situations sociales.

J'ai envie de répondre à vos questions. Pourtant, je n'ai guère le temps de le faire, avec du travail à ne savoir où donner de la tête. Mais des questions pareilles... Elles vous demandent implicitement de raconter votre vie. Et vous les avez si gentiment posées : on se croirait chez le psychanalyste : « N'ayez pas peur d'être sincère, prenez le temps de vous raconter, ne craignez pas d'être long et précis... Nous avons tout le temps... » Bien! Allons-y! Mais « ramassons » notre réponse. Pas le temps de faire long.

1. *Que faites-vous quand vous ne travaillez pas?*

Je travaille toujours. Les quarante heures par semaine, je ne connais pas ça. Le temps passé à mon travail ferait pâlir un syndicaliste. Lorsque je rentre chez moi, c'est à peine si je lis les journaux, pas autre chose. Avant de m'endormir, je relis, non pas trois ou quatre fois, mais vingt fois, je n'aime pas dire mes « auteurs préférés », cela paraît bête, car ils sont pour moi tellement plus que ce que cette expression pourrait évoquer! C'est au lit, avant le sommeil. Mais avouons avec courage ce qui m'humilie un peu à mes propres yeux : quand je peux, le film américain de FR3. Et j'y prends un plaisir extrême.
Pas de promenades, pas de sport. Pas de dimanche (lisez plus avant, vous saurez pourquoi).

2. *Quelle part de votre vie vous passionne davantage : la part réservée au travail ou celle qui reste?*

Je suis ficelé, coincé, prisonnier. Mon travail me met en prison. Est-ce une prison dorée? Il n'y a pas de prison dorée, disait je ne sais plus qui, les deux termes se contredisant. Toutefois, j'aurais tort, je serais de mauvaise foi si je disais que mon travail me fait le même effet qu'une camisole de force. D'abord, je l'ai choisi librement. Donc, il me plaît, me convient, me contente, allant jusqu'à me passionner parfois.
Mais, comme toute chose humaine, il n'assouvit pas toutes mes possibilités. On eût dit, il y a vingt ans : « Il ne me réalise pas », c'était un mot à la mode. Il laisse inemployés des goûts, des aspirations, des « potentialités ». Alors, parfois je rêve. Et votre deuxième question va me donner l'occasion de donner forme à l'un de ces rêves. J'avais 20 ans. J'habitais chez mes parents avec mon frère, de dix-huit mois mon aîné. Il venait, par goût, de se mettre à l'étude du piano, étude qui se surajoutait à ce qu'il avait à faire. Goût violent, passionné. Son argent de poche,

il le consacrait à cela : leçons de piano, d'harmonie (contrepoint, fugue, composition...). Entre treize heures et quatorze heures, il faisait des gammes. Le soir, entre 20 heures et 23 heures, il déchiffrait, étudiait. Tout son temps libre y passait. Pour mieux connaître les compositeurs, il abordait aussi les œuvres lyriques : opéras, oratorios, cantates, lieder, mélodies françaises... Entraîné dans cette « furia », je me mis à les déchiffrer moi aussi, pour en tenir la partie vocale. J'avais un filet de voix, je chantais juste, c'est tout. Je me pris au jeu et, moi aussi, je pris des leçons... de chant. Je me rappelle les premiers professeurs, les premiers morceaux. Ça devait être épouvantable. Je fatiguais mes cordes vocales, je les massacrais, je devenais enroué, aphone. C'était rugueux, mal posé, sans aucune technique du souffle... Un jour, je dénichai un livre, *la Voix et le Chant,* de J. Faure, un grand compositeur contemporain de Malibran, Viardot, Garcia, Patti...

Ce fut une révélation. Je le lus, je le relus. Je montai au grenier de la maison tous les jours, avec un diapason. Et je me mis à « poser » ma voix, doucement, lentement. Je l'assouplis, la fis plus légère, plus agile, plus « appuyée ». Peu à peu, le timbre devint plus riche, plus « doré », avec plus de volume, avec une respiration économisée sans gaspillage. De ce grenier, je descendais comme Moïse de la montagne. Ne souriez pas. Je retrouvais mon frère, et on ouvrait Schubert, Schumann, les opéras de Mozart... Je me rappelle un été où nous découvrions, fascinés, les quatre volumes de mélodies de Gabriel Fauré. Tout y passa, de *Lydia* au *Parfum impérissable.* Cela dura deux ou trois ans. Pour quel résultat? Un jour, je rencontrai Pierre Petit (aujourd'hui critique musical au *Figaro,* et directeur de l'École normale de musique, je crois). Il venait d'obtenir le prix de Rome de composition. Je lui chantai *Soir* de Fauré sur le poème d'Albert Samain. Il m'accompagnait au piano. Quand j'ai eu fini, il est resté silencieux. Puis il m'a regardé gravement, comme étonné et un léger sourire flottait sur ses lèvres : « Je vous en prie, pour moi, pour mon plaisir, recommencez... C'était très bien! »

Voilà ce qui me fait rêver après tant d'années.

Mais qu'en avez-vous fait pour n'en pouvoir que rêver? allez-vous me dire.

La guerre est venue, mon frère et moi avons été séparés. Quand je suis revenu, mon frère s'est marié.

Quant à moi... j'ai fait autre chose que je n'eus jamais auparavant prévue. Je suis rentré au Grand Séminaire, me suis mis au latin, à la théologie, à la philosophie... Et je suis prêtre. Alors, vous savez, le chant, la musique... cela me vient par la voix des autres, au transistor. J'ai choisi, sans rien regretter, le ministère de la Parole à celui de la parole chantée (mauvais jeu de mots, excusez-moi!). Il n'y avait pas de place pour les deux.

C'était l'un ou l'autre. J'ai répondu, ainsi, à votre troisième question. J'ai fait à 26 ans ce que je pouvais faire de mieux. Je ne l'avais pas prévu? Mais sans doute le portais-je en moi sans le savoir, ce goût de l'Église, et ma vocation essentielle. Mais je garde, comme un souvenir précieux, les modulations fauréennes, les héros mozartiens (Leporello, le Comte, Don Giovanni), les lieder... Ils sont en moi, comme une lettre déjà jaunie, parfumée. Je puis la relire, pas la récrire. On ne se baigne jamais deux fois dans le même fleuve.

Mon rêve ne se borne pas à respirer le souvenir. Il échafaude. C'est bien permis quand on rêve. Oui... Qu'aurais-je fait de ce talent si cette vocation ne l'avait laissé inexploité? Peut-être pas grand-chose. Un talent de salon, ce n'est pas très important. Peut-être beaucoup plus, qui sait? Avec du temps, des loisirs, de l'argent, des leçons à Vienne, à Milan, chez les « grands »... qui sait!

Alors, je rêve... A moi les concerts à Carnegie Hall, à Covent-Garden. Je renouvelle l'interprétation des lieder, des mélodies. Je consacre toute ma vie à mon art...

Tout est permis quand on rêve. Une star de mon temps chantait cela dans une comédie un peu bête. Mon rêve est aussi un peu bête. Je reviens à mon travail. Avec vous, j'ai relu une vieille lettre jaunie. Merci! *(Raymond L., Tarbes).*

Être propriétaire

S'ils étaient soudain riches de 20 millions d'anciens francs, s'ils gagnaient à la Loterie nationale ou au Loto, ces deux machines officielles à fabriquer des rêves, que croyez-vous que feraient d'abord les Français? 46 % achèteraient ou feraient bâtir une maison, surtout s'ils sont ouvriers (56 %) ou cadres moyens (55 %).

Être propriétaire est donc le rêve avoué de presque un Français sur deux. Proportion effarante... surtout si l'on sait par ailleurs [1] que 47 % des Français possèdent déjà leur pavillon de banlieue, leur appartement en copropriété, ou la maison de campagne dans laquelle ils aiment à s'imaginer, un jour, paisibles retraités... Tout compte fait, quand un Français n'est pas propriétaire, il rêve de le devenir. L'état de propriétaire serait-il pour nos contemporains la première étape de toute réussite sociale, voire la condition du bonheur?...

Il y a plus d'une raison à cette passion de la pierre qui s'est emparée d'un peuple tout entier. La première est certainement la longue pénurie de logements qui a sévi en France après la Seconde Guerre mondiale.

On n'avait guère construit entre les deux guerres, on avait détruit des villes et des villages entiers pendant celle de 1939-1945; enfin la population française, longtemps stationnaire, fit un bond remarquable après la Libération.

Pendant plus de vingt ans, découvrir un appartement ou une maison à louer releva de la chasse au trésor. On payait, sous le manteau, des millions de reprises aussi arbitraires qu'illicites pour obtenir le droit de succéder à un autre locataire. Les jeunes couples habitaient chez leurs parents, rêvant parfois en secret de les déloger. Les familles en quête d'un toit persécutaient sournoisement les vieilles dames qui occupaient seules de grands appartements. Des sans-logis occupaient sans autorisation les demeures inhabitées...

La crise touchait plus durement les pauvres, les maladroits, les sans-relations... En janvier 1954, l'abbé Pierre alerta l'opinion, émut la France

1. INSEE, 1973.

84

entière en racontant ce qu'il voyait tous les jours dans la banlieue parisienne : un enfant mort de froid dans le vieil autobus qui servait de logis à ses parents, une vieille femme expulsée de sa chambre et morte de froid dans la rue...

L'abbé Pierre fit apparaître au grand jour ce que certains savaient déjà fort bien et gardaient prudemment pour eux : sans le petit capital baptisé « apport personnel » (quelques millions de francs anciens au moins), impossible de se loger. Les paroissiens de l'abbé Pierre n'étaient pas des va-nu-pieds. Beaucoup avaient un métier qui suffisait à les faire vivre, mais pas à constituer le moindre « apport personnel »...

Pour construire, il faut de l'argent. L'idée de le demander à ceux qui avaient besoin d'un logis était dans le droit fil de la logique capitaliste. Les pouvoirs publics prêtèrent main-forte aux promoteurs en pratiquant une politique qui incitait les Français mal ou pas logés du tout à vider leurs tirelires, à s'endetter pour de longues années, à vivre sur la corde raide... En échange de cet effort, considérable pour certains budgets très serrés, ils « accédaient à la propriété », expression consacrée et non dépourvue d'emphase, qui allait devenir l'obsession d'un Français sur deux.

Obsession plus répandue parmi les moins favorisés : si les ouvriers sont 56 %, les cadres moyens 55 % à rêver d'acheter ou de faire bâtir une maison, les cadres supérieurs, les membres des professions libérales ne sont que 40 %... Parce qu'ils sont déjà propriétaires? Parce qu'ils éprouvent moins que d'autres le besoin de se sentir en sécurité, d'avoir au moins un toit pour les mauvais jours? L'un et l'autre sans doute.

Il est évident que les catégories sociales aux revenus modestes, aux situations parfois précaires, « accèdent » difficilement à la propriété. C'est le cas des ouvriers et des cadres moyens. Et comme tout autour d'eux n'est qu'invitation à faire bâtir, à devenir l'un des heureux copropriétaires d'un immeuble de charme ou d'une résidence de « haut standing », comment n'en auraient-ils pas envie?

Ils en rêvent d'autant plus intensément qu'ils redoutent d'être un jour ou l'autre dans l'incapacité de payer leur loyer, oubliant, dans leur fierté de propriétaires, que les mensualités et les intérêts des prêts qu'ils ont contractés sont aussi contraignants qu'un loyer... Le spectre des familles en pleurs jetées sur le trottoir par l'huissier, sous l'œil satisfait d'un propriétaire, image familière à tout le XIXᵉ siècle, hante encore la mémoire des pauvres. Les expulsions de locataires insolvables sont devenues plus rares, plus difficiles à pratiquer, tant l'opinion publique est prête à considérer que le droit au logement est fondamental dans une société civilisée. Mais on expulse encore, sous d'autres prétextes, les locataires mauvais payeurs ou mal informés de leurs droits, les immigrés, les vieux... On les expulse pour « rénover » un quartier, c'est-à-dire pour remplacer des logements vétustes et mal entretenus, parce qu'ils rapportent peu, par des appartements plus luxueux et plus rentables...

Tout cela fait peur : or, on n'expulse pas un propriétaire, en tout cas pas sans un solide dédommagement...

L'autre bonne raison de devenir propriétaire s'appelle : « plus-value ». L'immobilier est le seul investissement qui, depuis plus de cent ans, n'ait pas déçu les épargnants.

C'est un fait, les Français ne croient plus aux placements-miracles. S'ils touchaient ces 20 millions inespérés, ils ne seraient que 16 % à choisir un placement dans l'espoir de recevoir des intérêts avantageux. Bizarrement, ce sont les plus de 65 ans qui croient encore le plus à cette forme d'épargne : 31 % mettraient leur pactole dans une de ces opérations qui promettent la fortune... Sans doute plus par souci d'économiser que dans l'espoir sérieux d'un bénéfice. L'argent mis de côté renforce chez eux un sentiment de sécurité. Mais la majorité de nos contemporains se méfie des spéculations financières, dont les naïfs font toujours les frais. Ils doutent même de l'épargne classique, surtout s'ils sont jeunes.

Il n'est d'ailleurs pas nécessaire d'être grand financier pour comparer le taux annuel de l'inflation et celui des intérêts versés... D'où l'idée et le succès « des plans épargne-logement » proposés par les banques et les Caisses d'épargne. Ils rapprochent les Français de leur rêve : devenir propriétaires.

En préférant la pierre à tout autre investissement, nos contemporains savent qu'ils « sauvent » leur argent, comme disent les Américains; mais ils aspirent aussi à vivre mieux en faisant construire l'habitation qui leur convient le mieux. Ce n'est pas toujours la plus esthétique, ni même la plus pratique. Mais c'est toujours une « maison », c'est-à-dire quatre murs et un toit entourés d'un jardin privatif, même minuscule. L'attachement obstiné des Français au pavillon, surtout dans les classes moyennes, est un des traits du caractère national les plus constants. En lançant des programmes de maisons individuelles (Plan courant, maisons Chalandon, etc.), le gouvernement sut toucher les Français en un point sensible. Cette maison est l'image même du bonheur familial, celle que dessine le petit enfant quand il commence à gribouiller, ou peut-être que lui fait dessiner sa mère, inconsciemment.

Des millions de Français ont dans la tête et dans le cœur le même espoir que cet employé qui nous écrit :

> Mon rêve : gagner à la Loterie (je ne gagne jamais!), mais imaginer que je pourrais peut-être un jour m'offrir une petite maison

de campagne!... *(Jacques Le G., 56 ans, employé d'administra-tion, Choisy-le-Roy).*

Quand nos contemporains disent « maison de campagne », Emmanuel Leroy-Ladurie traduit : « *Mode de vie semi-agreste dans un décor de verdure proche de celui des banlieues américaines. Mais en France,* ajoute-t-il, *ce désir est utopique pour la fatale raison que le prix du terrain est plus élevé qu'aux États-Unis et l'espace plus mesuré* [1]. »

En tout cas, quand les Français d'aujourd'hui pensent « maison », c'est surtout par réaction contre un habitat contemporain qu'ils n'ont pas choisi et pour lequel ils n'ont pas de mots assez durs :

Follement envie de faire, écrit une mère de famille, des folies, justement... celles que l'on n'ose pas avouer, ou celles de tout le monde. D'une belle maison, d'un beau jardin, dessinés pour soi, comme on l'entend, pleins d'amis qui y passent, qui y séjournent, qui s'y plaisent. Au lieu de cela, j'habite une HLM, des pièces étriquées, je reçois rarement, on ne peut pas s'épanouir ainsi *(Claudine C. O., 46 ans, diplômée des Arts déco, Suresnes).*

Les appartements destinés aux occupants modestes ne semblent pas être prévus pour une quelconque vie sociale. Les pièces sont conçues pour que les cinq ou six habitants permanents puissent se coucher, se laver, s'asseoir autour de la table, mais pas question d'introduire dans le même espace des amis, des parents... Comment organiser une réunion de famille dans ces conditions? Si l'on sait qu'une famille de cinq personnes peut compter sans difficulté une vingtaine de proches, qui peut se vanter de les accueillir agréablement dans un F4, ou même un F5? Où fêter un baptême, un anniversaire, l'heureux résultat d'un examen? Au restaurant? A l'hôtel? Comme au Japon, où de grands complexes hôteliers se spécialisent dans la célébration des mariages ou des fiançailles? Dans des salles anonymes où les enfants s'ennuient pendant que les parents mangent et boivent? Peu à peu, réduite par la force des choses et par un habitat mesquin à se replier sur elle-même, la famille n'est plus que cette petite cellule où le père, la mère et les enfants s'étouffent parfois mutuellement sous la pression d'une affection confinée.

Pour posséder enfin la maison de leurs rêves, les Français consentent de grands sacrifices : les femmes travaillent, même quand leurs goûts

1. Interview déjà citée.

personnels les porteraient plutôt à rester chez elles, les familles se privent de vacances. On rogne sur tous les chapitres du budget... Mais ceux qui ont conquis l'objet convoité n'ont pas assez de toute leur vie pour en savourer les charmes.

> Institutrice (j'exerce mon métier dans une classe de déficients visuels), je dispose donc de longues vacances. Lorsque j'étais célibataire (et par conséquent, budget plus souple), je participais à de nombreux stages, sessions en tous genres, quelques voyages touristiques. Mariée, l'orientation de notre budget s'est modifiée, équipement électro-ménager, ameublement, mais surtout économies en vue de notre maison (nous l'occupons depuis fin octobre 1976). Une maison délicieuse d'ailleurs; un long préau à la provençale, cinq chambres et une grande salle d'accueil, tout ça au milieu d'un sous-bois où les chênes ont trente ou quarante ans d'existence. Donc changement d'orientation dans notre budget, car pour payer notre maison nous avons supprimé tout superflu, et par là même changement dans nos loisirs, car les stages, si passionnants soient-ils, sont quand même coûteux...
> *(Suzanne C., institutrice, deux enfants, Sevigny-Argentan).*

Une maison, c'est beaucoup plus qu'une maison. Ceux qui ont lu Bachelard le savent : vivre dans une maison, c'est vivre entre ciel et terre, entre un grenier plein de merveilles et une cave enracinée dans le mystère. Pour conclure sur ce rêve si cher au cœur de nos contemporains, voici une lettre dans laquelle le lyrisme laisse voir en filigrane les frustrations, les déceptions nées de la vie quotidienne... La maison, substitut d'un paradis terrestre interdit, miroite dans l'esprit d'un homme comme un mirage toujours inaccessible :

> Ce dont j'ai le plus envie actuellement, car cela peut évoluer, c'est d'être propriétaire d'une de ces habitations andalouses du sud de l'Espagne, cachées à l'ombre des citronniers et des orangers. Elles ont une petite cour dallée de marbre frais et sont garnies d'une multitude de fleurs aux parfums suaves. A son centre, s'élève un petit bassin intérieur d'où l'on entend le bruissement très doux d'une eau fraîche et transparente. Le calme profond, la sérénité, la douceur et la fraîcheur des ombres intérieures de ces maisons sont propices à toutes les poésies, à toutes les méditations et à tous les raffinements d'une sensualité quasi métaphysique.

Hélas! une telle demeure « seigneuriale » doit être très chère, et son prix hors de proportion avec un salaire d'employé à la RATP! Voilà, je crois que j'ai été très franc avec vous, au risque d'être pris pour un déprimé, mais, véritablement, quand je m'approche de ma fenêtre, que j'observe le béton planté en face, le ciel gris et triste, la foule du petit matin qui se rend à son travail et que je transporte dans mon autobus. C'est vrai, c'est exactement à tout cela que j'aspire, et tant pis pour moi si ce que j'ai écrit peut prêter à sourire *(Pierre A., Bagneux)*.

2

De quoi manquons-nous?

« *Je n'ai pas le temps... Je n'ai pas les moyens...* » Refrains désabusés, excuses toutes faites, litanie lancinante de notre monde. Formules machinales? Des mots que l'on dit sans y penser vraiment, pour se tirer d'un mauvais pas ou ne pas tenir ses engagements? Des manières de parler, des tics de langage, si souvent répétés, si souvent entendus ou écrits qu'on n'y prête plus attention? Dans le courrier que nous avons reçu, ces mots reviennent avec une telle régularité que nous avons renoncé à les isoler de leur contexte. Ils accompagnent, obsédant leitmotiv, les rêves inassouvis de nos contemporains : « *Faute d'argent... faute de temps... je n'ai pas vécu.* »

L'argent, le temps mais aussi la chance. Étrange tiercé, surgi lui aussi du sondage. La culture et les loisirs viennent, ex-aequo, juste après. L'argent, le temps, la chance : les trois clés du bonheur selon nos contemporains.

Faute d'argent

Parler d'argent est malséant dans notre vieux pays pétri de traditions bourgeoises. Il est de bon ton, aussi, de nos jours, de mépriser ce moteur puissant de la société.

17 % seulement des personnes interrogées ont reconnu que l'argent leur manquait en priorité. On trouvera peut-être ce nombre peu élevé en valeur absolue. Pas si l'on pense à ces tabous qui pèsent encore sur l'argent... Il faut savoir enfin que notre question : *parmi les choses suivantes, quelles sont les trois dont vous avez le sentiment de manquer le plus?* offrait le choix entre quatorze possibilités.

Il est normal, dans ces conditions, que les réponses s'éparpillent; et ces 17 % méritent d'autant plus attention qu'ils dépassent largement les autres chiffres. L'argent demeure le souci numéro un de nos contemporains. Non sans raison...

La Confédération syndicale du cadre de vie [1] a établi le budget-type 1976 d'une famille de quatre personnes. Il s'élève à 5 043,48 F par mois! C'est la somme considérée comme nécessaire pour vivre décemment aujourd'hui, sans excès de luxe, mais aussi sans se priver de vrais loisirs... Une enquête de *l'Expansion* sur les cadres et l'argent en 1976 révèle de son côté qu'en dessous de 5 000 F par mois, les Français se sentent financièrement gênés. C'est aussi l'avis de nos correspondants :

> Pour pouvoir vivre correctement, il faudrait au moins un revenu mensuel de 5 à 6 000 F. Or, comme la grosse majorité des salariés, nous en sommes très loin. Les plaisirs appartiennent aux gens qui ont de l'argent, les autres doivent se contenter de leurs faibles moyens. Je ne fais pas partie des plus défavorisés, mais mes ambitions restent quand même très limitées *(C.L., mariée, deux enfants, Carrières-sous-Poissy)*.

Plus de 60 % des ménages français vivent avec moins de 5 000 F par mois. On essaie néanmoins de ne pas trop manquer sa vie...

1. D'après un article du *Quotidien de Paris,* 23 février 1977.

Le vrai plaisir, la vraie vie, elle est pour moi hors du travail. C'est une recherche personnelle, pas toujours facile, car les soucis financiers et professionnels sont bien envahissants. S'il ne fallait pas encore demander des délais de paiement et parfois même se battre pour obtenir le dégrèvement d'impôts auquel on a droit! Qui ne connaît pas cela, qui ne sait pas ce que c'est d'attendre déjà son salaire vers le quinze du mois, ne connaît pas son bonheur *(E.T., secrétaire, mariée, La Rochelle).*

Le superflu inaccessible

Une deuxième question nous permettait de préciser les rapports des interviewés avec l'argent : *avez-vous le sentiment de vous priver souvent, de temps en temps, rarement ou jamais, de quelque chose qui n'est pas de première nécessité?*

Ils sont 22 %, presque un quart, à se priver souvent de quelque chose qui n'est pas de première nécessité. Et, parmi eux, surtout les gens de 35 à 49 ans (29 %) : l'âge de la maturité; on a son bâton de maréchal; alors, ce dont on s'est privé, il y a de fortes chances qu'on ne l'obtienne plus jamais.

Chez les ouvriers et les femmes, et indépendamment de l'âge cette fois, plus d'un quart également (respectivement 27 et 25 %) ont le sentiment de se priver souvent.

Si, à ce groupe des 22 %, l'on ajoute les 37 % qui, plus modestes, ont seulement avoué qu'ils avaient le sentiment de se priver *de temps en temps,* on obtient un total de 59 %; six personnes sur dix hésitent à s'offrir le superflu, cette « chose si nécessaire ». Ceux-là convoitent vainement quelques-uns de ces biens secondaires, de ces plaisirs accessoires qui rendent cependant la vie plus légère, plus savoureuse, plus « élégante », disait Balzac. Plaisirs et biens qui s'étalent à profusion dans les vitrines, dans les rues.

A l'opposé, quatre Français sur dix ont, de leur propre aveu, le senti-ment de ne se priver que rarement (14 %) ou jamais (26 %) de ce super-flu... Ont-ils tout ce qu'ils peuvent souhaiter, à satiété? Ou font-ils partie de ces sages qui mesurent très exactement leurs désirs à leurs possibilités? On est tenté de le penser quand on s'aperçoit que 45 % des plus de 65 ans répondent qu'ils ne se privent *jamais* de quelque chose qui n'est pas de première nécessité! Comment croire que ces 45 % de vieillards sont comblés de biens matériels et d'argent!... Nous sommes tentés de penser que, parmi ces Français qui disent ne se priver jamais, les uns ont répondu à la question avec résignation, les autres en réagissant *moralement* contre leur siècle, en refusant son esprit revendicatif et son goût immodéré pour les choses.

La fête de l'achat

Les Français, toutefois, n'ont pas une attitude univoque à l'égard de l'argent et de la consommation. Si beaucoup se voient plus volontiers en fourmis (63 %) qu'en cigales (25 %)... les deux tiers avouent, plus ou moins franchement, que « dépenser, cela leur fait plaisir »! Drôles de fourmis!... Toujours est-il que c'est ainsi que les Français se voient : en fourmis.

Par un curieux retour des choses, cette bonne vieille morale des familles bourgeoises, selon laquelle « un sou est un sou », rejoint celle des hippies, des jeunes marginaux ou des écologistes modernes qui dénoncent le gaspillage de la société de consommation et prônent la récupération systématique des choses usées, la remise en état plutôt que la mise au rebut. Les vieux et les jeunes sont d'accord pour condamner l'appétit de consommation de nos contemporains :

> Plus ça va, plus on accumule des choses dans son petit salon aussi bien que dans sa tête. On consomme de l'électro-ménager comme on consomme du culturel. Il nous en faut de plus en plus, vu que l'on s'éloigne de plus en plus de nos besoins réels, de notre « vraie vie » *(Dominique V., 27 ans, éducateur, deux enfants, Rouen).*

Un employé de 35 ans, qui regrette d'avoir dû quitter son village pour travailler en ville, résume ainsi le sentiment commun à de nombreux correspondants : *« On est parfois découragé du spectacle d'une société dont le seul moteur est le fric. »*

Chômeuse en dépit de ses diplômes, Lisiane s'écrie :

> Halte à la mystification, à la mythification quotidiennes qui asservissent les gens, qu'ils aient envie d'être autre chose que des consommateurs bernés *(Lisiane D., 25 ans, maîtrise de lettres, en chômage, Marcheprime).*

Bernés ou pas, les Français sont néanmoins nombreux à aimer dépenser. Les supermarchés n'ont jamais été si vastes, ni si prospères.

Six sur dix des mères de famille préfèrent acheter chaque semaine leurs provisions familiales dans un supermarché plutôt qu'au jour le jour chez les petits commerçants du quartier. Parce que c'est plus commode? Oui, sans doute. Mais une mère de famille sur deux estime aussi que cette expédition hebdomadaire au supermarché est plutôt une *« sortie agréable »*.

« On a pu dire, écrit Pierre Belleville [1], *que les centres commerciaux modernes, les hypermarchés étaient le lieu d'une véritable fête de l'achat. On peut effectivement se demander si, actuellement, les véritables fêtes se déroulent les jours fériés et si ce sont comme on le croit des fêtes de consommation. Ne se déroulent-elles pas, au contraire, la veille des jours fériés? Ne sont-ce pas des fêtes de l'achat? Le lieu de rencontre sociale, de consommation, ces jours-là spécialement, c'est le supermarché. C'est le lieu véritable de la fête; la rencontre sociale privilégiée se déroule autour de l'achat. C'est une rencontre étrange, sans communication, non pas une rencontre pour faire ensemble ou être ensemble, mais pour faire chacun la même chose, rencontre-type pour foule solitaire. »*

Une ménagère sur deux n'a sans doute pas d'autre fête à s'offrir que celle-là. Elle en rêve pendant toute la semaine, seule avec ses enfants dans son HLM...

Se distraire sans argent?

Les Français ont le sentiment de manquer à la fois d'argent et de loisirs. L'un n'allant pas sans l'autre, en effet, dans leur esprit : 57 % pensent qu'il est difficile de se distraire sans dépenser d'argent, surtout s'ils sont jeunes (67 %) et ouvriers (61 %). Les 42 % qui sont d'avis contraire sont surtout les cadres supérieurs (47 %) et les personnes âgées (48 %). Pour se distraire sans argent, il faut avoir les moyens culturels de s'offrir d'autres fêtes que celles de l'achat. Un vrai luxe aujourd'hui :

Ma situation d'intellectuelle me met à l'abri des désirs et des besoins artificiellement créés par la société de consommation. Je

1. « Étude sur les attitudes et les comportements des travailleurs manuels vis-à-vis des divers modes de diffusion de la culture », réalisée pour le ministère des Affaires culturelles en 1974.

n'ai pas besoin de beaucoup d'argent pour vivre et être heureuse. Le bonheur, de toute façon, ne consiste pas en des choses qui s'achètent; un après-midi ensoleillé au jardin du Luxembourg, avec un bon livre, une conversation avec un ami, une tasse de bon café (cela devient de plus en plus rare), une fleur, un bon film, un repas préparé en commun et partagé, une plage déserte, un cadeau inattendu... *(Brigitte de G., agrégée d'anglais, maître-assistant à la faculté, Paris).*

Certaines des choses qui font le bonheur de cette agrégée s'achètent, hélas!, et parfois fort cher : la plage déserte, par exemple, n'est pas au bout du boulevard Saint-Michel... le bon film vaut 15 F... Et puis, pour goûter ces plaisirs « gratuits », il faut être riche de certaines aptitudes; il faut être initié... Il n'est pas sans signification que ce soient les plus démunis d'argent, les jeunes, les ouvriers, les agriculteurs, qui trouvent difficile de se distraire sans argent. Les pauvres, les sans-pouvoir, ont besoin de dépenser pour compenser l'inconsistance de leur vie quotidienne. Les riches savent qu'ils ont le savoir et le pouvoir, la sécurité et les moyens d'acheter tous les plaisirs qu'ils convoitent : ils n'ont pas besoin de dépenser pour se sentir exister.

Le luxe, qu'est-ce que c'est?

Entrons maintenant dans le détail des privations qui découlent du manque d'argent, si souvent ressenti par nos contemporains comme une espèce de tare originelle. Qu'est-ce que le luxe pour les Français d'aujourd'hui? En tête de liste, et cela ne nous surprend pas, voici les voyages dont nous savons déjà que 47 % de nos concitoyens s'estiment privés.

J'ai 53 ans, veuve depuis cinq ans. Je travaille dans une conserverie de poissons depuis l'âge de 45 ans, ce qui ne me donnera pas une grosse retraite; c'est un travail très fatigant, je dirais même épuisant. Depuis un mois, nous sommes au chômage, faute de poissons. J'ignore quand le travail reprendra. Pour le porte-monnaie, il faudrait que ce soit très vite. Nous avons touché à Noël ce qu'on appelle ailleurs le treizième mois, mais pour nous ce serait plutôt le dixième, compte tenu de tous les arrêts en cours d'année. J'aimerais voyager, découvrir les merveilles de notre planète, les chefs-d'œuvre de Dieu et des hommes, et rencontrer d'autres gens. Avec un salaire mensuel moyen de 1 214 F, il n'en est pas question *(Mme J.M., les Sables-d'Olonne).*

Faute d'argent, nos contemporains sont aussi privés de spectacles (39 %). Ceux-ci viennent en deuxième place dans la liste des privations. Il pourrait paraître surprenant, à première vue, que les habitants des grandes villes soient plus que les autres (46 %) privés de spectacles! On s'attendrait plutôt à une revendication des habitants des campagnes ou des petites localités. Preuve qu'il s'agit là non pas de rêves un peu flous, mais de vraies frustrations ressenties par des citadins devant les plaisirs offerts à leur convoitise et qu'ils ne peuvent s'offrir... faute d'argent.

> Nous avons eu souvent « follement envie », pour reprendre votre expression, d'aller à l'Opéra ou d'aller voir tel ballet qui se produit en province ou à Paris. Faute d'organisation (il faut retenir les places, faire garder les enfants, préparer cette soirée quelques jours à l'avance...) et faute d'argent, nous n'avons pas encore pu faire ce genre de sortie *(Mme L., chimiste, Antony).*

Mêmes mots, mêmes entraves à d'autres envies, à d'autres besoins :

> Chaque jour de sortie grève le budget. Malraux avait parlé de culture gratuite. Une place de cinéma coûte 15 F. Un luxe... *(Bernard K., 33 ans, marié, Clermont-Ferrand).*

Après les spectacles, c'est de restaurant que les Français ont le sentiment de se priver (31 %). Là aussi, les habitants des grandes villes (40 %), plus sollicités, se sentent plus insatisfaits que les autres et 57 % des mères de famille ne vont que rarement ou jamais au restaurant. Pourtant le restaurant, pour une femme, c'est quelques heures de vacances : pas de cuisine ni de vaisselle, ne pas se déranger à table, etc. Cela n'arrive qu'au restaurant!

Les privations dans le domaine de la mode et dans celui des vacances se suivent de près, mais c'est la mode, étrangement, qui vient avant. Ainsi les Français sont 28 % à regretter de ne pouvoir s'habiller au goût du jour, et 25 % à se sentir privés de vacances.

Dans la liste des privations, après les voyages, les spectacles, le restaurant et la mode, vient l'équipement de la maison. Les habitants des communes rurales se sentent davantage dépourvus que la moyenne des Français : ils sont encore 24 % à se priver du confort domestique, les citadins seulement 17 %.

Enfin, les Français ne sont que 10 à 11 % à se priver de livres, de week-end et de voiture.

Ne pas se sentir privé de livres peut signifier deux choses très différentes : que l'on n'a pas envie d'acheter des livres ou que l'on se procure tous ceux dont on a envie...

> Ma bibliothèque commence à être intéressante, je peux y consacrer un peu plus d'argent maintenant que j'ai moins de monde à entretenir,

écrit une mère de famille qui a dû attendre la cinquantaine pour goûter son plaisir préféré.

Le week-end est un besoin ressenti surtout par les habitants des grandes villes et les gens appartenant aux catégories sociales déjà favorisées : cadres moyens et supérieurs.

Quant à la voiture, si seulement 10 % de Français s'estiment privés en ce domaine (15 % des plus de 65 ans), c'est sans doute que les autres, la grande majorité, en ont une. L'enquête de Pierre Belleville [1] nous apprend que *« le nombre de ménages équipés d'une automobile est passé de 21 % en mai 1953 à 55,4 % en décembre 1969. Durant cette période, les progressions les plus spectaculaires concernent apparemment les agriculteurs (de 29 à 73,5 %), les salariés agricoles (de 3 à 42 %) et les ouvriers (de 8 à 61 %).*

10 % seulement : l'augmentation du prix de l'essence n'a pas découragé les usagers. D'ailleurs, interrogés sur le point de savoir s'ils hésitent à prendre leur voiture pour sortir, 62 % répondent non (81 % des agriculteurs et 72 % des gens de 25 à 34 ans).

En avoir ou pas...

L'argent, ce n'est pas nécessairement terre à terre. Il peut être aussi le moyen de s'offrir le luxe du cœur :

> Avoir follement envie de faire quelque chose et ne pouvoir y parvenir? Mais c'est certain. Faute de temps? Certes pas. D'argent? C'est incontestable. Très simple à expliquer. Ma nature est géné-

---

1. « Étude sur les attitudes et les comportements des travailleurs manuels », *op. cit*

reuse. Alors, j'aime offrir. Oui, le plaisir d'offrir. Hélas! mon traitement augmenté de celui de ma femme ne peuvent à eux deux me permettre un vaste champ de libéralités! J'aimerais, pour ma femme et mes enfants, pouvoir leur faire connaître quelques instants de « splendide étonnement ». Une bague « magnifique » pour mon épouse, un voyage d'un mois à Cuba à l'intention de ma plus jeune et charmante fille Liliane, une bibliothèque de cinq cents livres à mon autre adorable fille Frédérique, à mon fils Patrick, une discothèque de cinq cents disques, à cet autre fils, Jean-Paul, une « Formule III », car c'est un as du volant. Ah oui! je pleurerais de joie à la seule idée de déclencher une réelle minute d'émerveillement au moment le plus inattendu pour que la fête soit complète. Folie! Folie! L'illuminé que je dois être se contente d'offrir un disque par-ci par-là, un livre, de bonnes bouteilles de Saint-Émilion ou de Médoc..., des fleurs, et ma femme a quand même une « mignonne » petite bague... Je distribue la gentillesse au compte-gouttes... Ce n'est pas suffisant. Je voudrais éblouir, une fois dans ma vie, ceux que j'aime. Un grand coup pour chacun. Mon amour orgueilleux, ma sincérité de poète, ma loyauté d'homme, tout cet ensemble humain aurait ainsi pu connaître le spectacle merveilleux d'un visage stupéfait de bonheur, des yeux fous de reconnaissance, des lèvres folles d'émotion... Ma petite confession est terminée. Je n'ai pas triché *(Henri B., 54 ans, fonctionnaire, Le Bouscat).*

Quelques philosophes dont la sagesse ne tient pas toujours à l'expérience tentent de prendre leurs distances avec ce dieu de notre temps, l'argent. L'auteur de la lettre suivante a 29 ans, elle enseigne dans un lycée et refuse d'entrer dans la frénésie contemporaine.

Follement envie? Désolée... j'ai beau chercher, je ne trouve que des souhaits modérés, qui ne me font pas trop languir : avoir une maison en province, à la campagne, cultiver mes légumes et planter mes arbres. Pas très original, ces temps-ci. Pas envie de voyager très loin. Ou alors si, en France, me balader à pied d'une province à l'autre, de village en village. Pas le temps? Il faut bien travailler... Plus d'argent? On en veut toujours plus, on en a toujours juste pas assez, alors... Voilà ce qu'on peut dire en tout cas quand on n'est pas pauvre *(Claude X., 29 ans, professeur, mariée, un enfant, Vincennes).*

L'idée qu'exprime la lettre suivante est neuve dans notre civilisation :

Ce que j'ai envie de faire, c'est de vivre en vagabonde. Je ne sais si c'est possible, mais j'essaierai. Je n'aime ni l'argent, ni la propriété. J'ai dû me plier, le temps de me consacrer à mes enfants. Mais j'aimerais, comme j'ai entendu dire que cela se faisait dans les pays d'Orient, qu'à 55-60 ans, on me donne « quitus » et que je puisse ne plus avoir d'obligation d'argent (*M*^me *J. G., Pantin*).

La femme qui écrit cette lettre est secrétaire intérimaire. Elle fait allusion à une coutume indienne selon laquelle les parents qui ont achevé l'éducation et l'établissement de leurs enfants reprennent en quelque sorte leur liberté, et partent, ensemble ou séparément, sur les routes des grands pèlerinages, allant d'*ashrams* en *ashrams,* vivant de charité et consacrant ce qui leur reste de vie à la prière, à la méditation, sans se soucier d'argent. Attitude exceptionnelle, certes, dans nos pays où plus on avance en âge, semble-t-il, plus on s'attache à l'argent (les plus âgés évitent de dépenser, nous l'avons vu; ils sont les plus nombreux à rêver d'un placement sûr). Même si elle est peu banale, cette lettre est significative. Elle exprime un certain « ras-le-bol » à l'égard de l'argent, le rêve d'une véritable libération : ne plus se soucier des fins de mois, des augmentations de salaires qui tardent à venir ou sont décevantes, ne plus calculer, supputer, envier... Vivre comme ces adolescents qui font de l'auto-stop sur le bord des routes. Il est étrange que le souhait d'une femme proche de la retraite nous fasse rencontrer, à nouveau, le rêve des marginaux, minoritaires, certes, même parmi les jeunes (67 % ont besoin d'argent pour se distraire; 49 % sont plutôt fourmis; 38 % éprouvent du plaisir à dépenser...). Mais quand, aux deux bouts de la chaîne des âges, il se trouve des gens pour mettre radicalement en question l'importance, la prééminence de l'argent, le plaisir pris à le gagner et à l'amasser, c'est peut-être que s'amorce un tournant dans notre civilisation; que pointe une lueur dans un monde crispé, où le sentiment de frustration à l'égard de l'argent demeure aussi vif en dépit d'une constante progression du confort matériel.

Faute de temps...

Après l'argent, l'autre souci de nos contemporains, l'adversaire à faire ployer, semble être le temps. Le temps qui ne se laisse ni saisir, ni savourer, qui a toutes les caractéristiques d'un mirage : 13 % de nos contemporains estiment que c'est de temps qu'ils manquent le plus. Et ce chiffre vient en deuxième place, ex-aequo avec la chance, dont nous parlerons ensuite.

Les cadres supérieurs (22 %) et les jeunes (19 %) sont les catégories les plus sensibles au manque de temps. Les premiers peut-être parce qu'ils sont très sollicités, que le choix des possibles leur est largement ouvert; les seconds parce qu'ils éprouvent le sentiment de mal employer leur temps, parce qu'ils ne supportent pas les contraintes de la vie.

Malaise qu'exprime la litanie que voici, d'une jeune chômeuse. En fait, plus que le temps, c'est la liberté et l'autonomie qui lui font défaut. Le manque de temps est alors l'alibi qui sert à masquer une difficulté d'être beaucoup plus fondamentale :

> Pas le temps de lire,
> le temps de passer voir un copain ou une copine, comme ça, spontanément,
> le temps de perdre le temps,
> le temps de bricoler, de décorer, de faire des robes ou des coussins,
> le temps d'écouter de la bonne musique,
> le temps de militer,
> le temps de faire les voyages dont je rêve,
> le temps de regarder une émission de télé, en plein après-midi (pourquoi pas?),
> le temps d'étancher sa soif d'apprendre (*G. E., 29 ans, chômeuse*).

Il est vrai que le rythme de certaines existences contemporaines, pleines à craquer d'obligations, de travaux, de transports a quelque chose d'inhumain.

> Je suis cadre-comptable, mariée et mère d'un grand fils. Ma vie, c'est surtout « métro-boulot-dodo ». Avec seulement une demi-heure pour déjeuner (ce n'est pas suffisant pour permettre une détente de la fatigue nerveuse due au travail) et le trajet, je suis absente de chez moi dix heures et demie tous les jours *(Jeanne T., Montreuil).*

Que les mères de famille manquent de temps, ce n'est guère surprenant, surtout quand elle cumulent travail ménager et travail professionnel... Mais le temps, dans les consciences de nos contemporains, ne se mesure pas en heures d'égale durée. Le courrier exprime avec âpreté le désir d'une vie qui laisserait une plus grande marge de choix, d'imprévu; même une célibataire ne trouvera pas le temps ou plutôt le courage (c'est ici la même chose) de défendre sa vie personnelle contre l'horloge pointeuse de la société moderne.

> Le plus terrible est de ne pas trouver de temps ou pas assez pour faire ce qui me plaît : aller au cinéma, me promener à la campagne, lire, monter des films, voir des amis, des voisins... Tout cela, je ne peux en faire que des bribes; le soir, je suis crevée et le week-end aussi *(Mlle P. G., 35 ans, célibataire, Nantes).*

Quand la vie professionnelle épuise les forces du travailleur plus encore que son temps, il ne lui reste d'autre espoir que la retraite. Les projets les plus généreux, comme les plus anodins, sont alors reportés à cette période mirifique...

> L'arrivée à l'âge de la retraite est vraiment quelque chose que je ne redoute pas, bien au contraire. Je souhaite simplement qu'elle ne soit pas trop tardive pour pouvoir, enfin, essayer de vivre autrement *(André A., 53 ans, cadre-comptable, Limay).*

Cependant, 57 % des retraités reconnaissent qu'ils n'ont rien entrepris de nouveau depuis qu'ils ont cessé de travailler!... Tout ce temps que le travail ne requiert plus, qu'en font-ils désormais?

Tout en attendant la retraite, elle aussi, cette employée des P et T découvre d'une manière insolite que l'on peut faire beaucoup de choses dans une journée de liberté... Ce qui fait le prix de ce temps soudain retrouvé, c'est qu'aucune obligation, aucun horaire ne l'encombrent. Elle est toute spontanéité, nouveauté, cette journée buissonnière...

Je voudrais me rendre utile, assurer une permanence au Secours catholique, par exemple, ou à SOS-Amitié, si j'en étais capable, aider à l'alphabétisation des immigrés, mais il ne peut en être question tant que je travaille. Je n'aurai jamais assez de toute ma vie pour faire tout ce que je voudrais. Je compte un peu sur la retraite pour réaliser une partie de mes projets, car il me semble que si je pouvais me lever, me coucher, prendre mes repas aux heures qui me conviennent, en un mot organiser ma vie comme cela convient à mon tempérament de lève-tard, je ferais beaucoup plus de choses et je serais beaucoup moins fatiguée. Je m'en rends compte en fin de vacances, lorsque je commence à récupérer après les fatigues de l'année; malheureusement, il n'y a que quatre semaines de vacances, et je n'ai qu'un samedi sur deux. Il est tout de même anormal de ne vivre vraiment que quatre semaines par an et à la retraite. Ceux qui se sentent vraiment vivre en faisant un travail ont bien de la chance, mais il y en a peu et il existe toujours des travaux inintéressants qu'il faudra faire. L'idéal serait de gagner correctement sa vie en faisant trente heures par semaine aux heures qui conviennent à chacun et ensuite faire toutes les choses auxquelles on aspire, ce qui n'exclut pas le travail bénévole naturellement. Dans ces conditions, on pourrait vraiment parler de « qualité de la vie », et cela aiderait peut-être à résoudre le problème du chômage.
Je vous écris tout cela d'un seul jet... un jour de grève, après avoir fait quelques travaux ménagers, participé à la manif, déjeuné avec des amis, assisté à la projection d'un film et visité une petite exposition de peinture.
C'est pourquoi, bien que persuadée de l'inefficacité des grèves de vingt-quatre heures, je les fais quand même pour prendre le temps de vivre *(Madeleine V., contrôleur aux P et T, Nantes).*

Le temps de vivre!

Inefficaces, les grèves de vingt-quatre heures? Ne serviraient-elles qu'à desserrer l'étau de l'horaire... ce serait déjà beaucoup. Une fois qu'on y a goûté, la liberté ne s'oublie pas facilement. Demain, ces grévistes peu convaincus pèseront peut-être sur leur patron pour obtenir des rythmes de travail qui leur réservent un peu de ce « temps de vivre », soudain découvert à la faveur d'une grève... Et peut-être aussi, après une expérience comme celle-là, seront-ils prêts à reconsidérer le vieil adage qui sert de devise aux hommes d'affaires pressés, aux managers et à tous les marchands du monde : « Le temps, c'est de l'argent... » Et si cette formule perdait un peu de son pouvoir sur les esprits? Si le temps devenait plus précieux que l'argent, sans prix même...? Si l'on refusait désormais d'aliéner sa liberté dans le fallacieux espoir qu'un peu plus d'argent nous la rendrait?

Utopie? Pas tellement, puisque 46 % des interviewés se disent prêts, pour avoir un peu plus de temps libre, *à gagner moins d'argent!* C'est un chiffre énorme. Surtout si l'on rapproche cette réponse du prestige dont jouit la fortune dans notre société. Et de ce qui apparaît comme la préoccupation principale des Français : l'argent.

Certains prennent conscience qu'ils perdent leur temps à courir après un leurre, que l'argent se paie trop cher, bref que la qualité de la vie ne dépend pas toujours de la quantité d'argent dont on dispose.

> Le véritable privilège, ce n'est pas d'avoir de l'argent, mais du temps. Le temps d'être, de communiquer, de parler avec les autres *(M. J. F., trois enfants, Paris).*

C'est ce qu'ont découvert en particulier les nombreux jeunes qui, habitués à ne plus souffrir de la faim ni du froid, ayant possédé de bonne heure une mobylette ou une voiture, ne sont plus tellement disposés à se battre pour acheter les gadgets de luxe, les plus beaux logements ou les plus grosses voitures...

> Mes goûts sont variés et il n'est pas besoin d'avoir beaucoup d'argent pour les satisfaire : la lecture est un loisir peu cher, soit par l'intermédiaire d'une bibliothèque municipale, soit par le livre de poche. En fait, c'est le temps qui me manque pour faire tout ce qui m'intéresse en dehors du travail. J'aimerais gagner le même salaire et avoir une réduction de temps de travail, plutôt qu'avoir une augmentation de salaire *(Mlle M. C., 42 ans, chimiste, Villeurbanne).*

Il est évident que le choix ne s'offre réellement qu'à ceux dont le salaire dépasse un certain seuil... Il n'est donc pas surprenant que les cadres supérieurs soient les plus nombreux (63 %) à rêver de gagner moins pour avoir plus de temps libre... En revanche, que cette proposition séduise également 50 % des cadres moyens, voilà qui est plus inattendu et prouve que la revendication pour la qualité de la vie surgit aujourd'hui des couches les plus variées de la population.

Quant aux 38 % d'ouvriers et aux 30 % d'agriculteurs, également séduits par cette hypothèse (gagner moins mais avoir plus de temps), ils révèlent une véritable révolution des mentalités. Tout en signifiant que, pour ceux-là du moins, le niveau de vie est satisfaisant, ces pourcentages témoignent aussi d'une aspiration nouvelle et puissante à une existence de meilleure qualité. Il y a vraiment là un « signe des temps » qu'on ne saurait négliger, une revendication lourde de signification pour ceux dont le rôle est de chercher des conditions de travail et de vie plus humaines.

Aménager le temps?

Certains s'y sont attelés. Si, en Allemagne, les expériences d'horaires de travail mobiles sont nombreuses, la France n'est pas restée à l'écart du mouvement puisque quelque six cents entreprises ont déjà remplacé l'horloge pointeuse par l'horloge compteuse : l'important n'est plus de travailler de telle heure à telle heure, mais de fournir le nombre d'heures requis.

Le grand théoricien de l'aménagement du temps dans une France que d'aucuns veulent plus douce est Jacques de Chalendar, haut fonctionnaire et auteur de deux livres sur le travail, les vacances et la retraite à la carte : *l'Aménagement du temps* [1] et *Prendre le temps de vivre* [2]. Une question fondamentale est posée dans ces ouvrages : pourquoi imposer à tous le même horaire de travail, rigide et souvent inadapté à la vie pratique et familiale?

Une autre organisation du temps est possible si on permet aux travailleurs de personnaliser leurs horaires, c'est-à-dire de répartir eux-mêmes leurs temps de loisir et de travail. Pour cela, il faut non seulement adapter les horaires mais aussi briser certaines habitudes qui tiennent nos contemporains ligotés à des conceptions figées du week-end et des vacances. Dans une société où le temps serait mieux aménagé, les besoins d'évasion et de congé ne seraient-ils pas moins lancinants?

1. Desclée de Brouwer, 1971.
2. Éditions du Seuil, 1974.

Jacques de Chalendar se demande pourquoi les deux jours de repos hebdomadaire resteraient forcément, pour chacun, le samedi et le dimanche, pourquoi ce rythme des deux jours de congé se répéterait invariablement toutes les semaines? On pourrait concevoir de prendre un seul jour la première semaine, et un long week-end de trois jours la semaine suivante... « L'horaire souple » (c'est ainsi que ce projet s'intitule) provoquerait des réactions en chaîne : par exemple, il faudrait déplacer les vacances scolaires en fonction de cette nouvelle organisation du travail.

Dans un rapport proposé en août 1977 au président de la République, Jacques Blanc, alors ministre de l'Agriculture, préconisait d'adapter les rythmes scolaires à de nouveaux rythmes de travail. Il suggérait, pour fragmenter les vacances, l'attribution par la SNCF d'un second billet annuel de congés payés.

Toutes ces recherches apportent-elles la solution aux problèmes du manque de temps? Toujours d'après Jacques de Chalendar, ce système se traduit en Allemagne par une réduction du nombre d'heures dues par le travailleur, car tout en augmentant le rendement il permet de réduire, par exemple, de 38 à 32 heures la semaine de travail.

« L'horaire souple », s'il aboutissait surtout à augmenter le rendement et la charge de travail imposés à chacun, ne serait qu'une illusion de plus, semblable à celle de l'automatisation... Mais l'intérêt de ces tentatives est aussi de briser l'étau des habitudes et des règlements. Ce système ne peut fonctionner que si les groupes et les ateliers ont la responsabilité d'organiser eux-mêmes leur travail. C'est à ce niveau que devrait se décider la libre répartition du temps de travail. Peut-être serait-ce un premier pas vers la mise en question du centralisme dans l'entreprise, un pas dans une direction qui peut mener à l'autogestion...

Une année de vacances

Une autre idée commence à circuler dans l'air de notre temps : l'instauration de longs congés sans solde ou encore d'une année sabbatique, c'est-à-dire une année pour s'offrir le luxe de faire peau et cerveau neufs. Une année que l'on peut utiliser à sa guise : recyclage, voyages, apprentissage, douce contemplation... Ce système est pratiqué aux États-Unis et au Canada, dans l'enseignement supérieur où, tous les dix ans, les professeurs ont droit à cette année de vacances... En tout cas, le principe et même les mots « année sabbatique » ont séduit une de nos correspondantes :

> Ce que j'aurais follement envie de faire? M'arrêter un an ou deux de travailler en étant sûre ensuite de retrouver un poste! (pourquoi ne pas introduire une année sabbatique dans l'enseignement?). Je mettrais cette année à profit pour voyager en Afrique noire, au Canada, pour apprendre l'espagnol, pour retrouver les amis d'autrefois qu'on a perdu de vue et parler longuement de la vie avec eux, pour vivre avec mon mari et mes enfants une année « éclatée », d'où l'on reviendrait la tête foisonnante d'images. C'est le temps et l'argent qui me manquent le plus pour mener pareille équipée, mais peut-être, aussi, le courage de larguer les amarres pour partir à six à l'aventure *(Mme J. M. C., professeur, mariée, quatre enfants, Baden-Baden).*

Les professeurs ne sont pas seuls à rêver d'année sabbatique. Pourquoi ne pas introduire cette pratique dans d'autres secteurs de la vie professionnelle?

> Je suis parti une fois trois mois en Amérique du Sud. J'aimerais recommencer à voyager n'importe où et sans limite dans le temps. Ce qui m'en empêche est le fait que rien n'est prévu pour donner des « congés sans solde » dans notre société; il n'est pas prévu de pouvoir s'arrêter sans menace de licenciement *(M. J. S. 29 ans, employé de commerce, célibataire, 07110-Largentière).*

Le système américain, obsédé d'efficacité, a instauré l'année sabbatique parce qu'elle est bénéfique non seulement sur le plan personnel, mais aussi sur celui de la profession où les idées et les forces fraîches sont vivement appréciées... Sans la garantie de retrouver son travail après cette année de vagabondage, aucun salarié ne peut prendre le risque de dételer pour quelques mois; la vie est tracée d'un seul trait continu qui conduit à la retraite.

Quand nous avons demandé aux interviewés ce qu'ils feraient de leurs 20 millions inespérés, 4 % seulement ont choisi d'arrêter de travailler pendant un an. Les Parisiens, plus avides de vacances et à la croisée des idées nouvelles, sont un peu plus nombreux à se laisser tenter par cette perspective de long congé : 10 % y souscrivent.

Le temps qui passe

Le temps est un bien ambigu : gonflé de promesses quand il est encore à venir, il se rétrécit comme une peau de chagrin quand nous mesurons ce que nous avons fait des mois, des années écoulées :

> Et hop, d'un seul coup, la rencontre fatale à 20 ans et, tout de suite après, le premier enfant, plus ou moins voulu. Et puis le boulot à trouver. Et le logement. Et l'apprentissage forcé pour se dépatouiller tout seul au milieu du marécage social. Et voilà, d'un seul coup, sept ans d'envolés, avec l'impression frustrante de ne pas les avoir vu passer, de ne pas les avoir vécus *(J.V.R., éducateur, Rouen).*

Même quand on est plutôt content de son sort, le temps demeure ce mirage après lequel on s'épuise à courir.

> Je suis déléguée médicale. J'ai la chance de vivre dans une très belle maison avec mon ami et sa fille, aidée par une jeune fille qui fait pratiquement tout, ce qui me permet lorsque je rentre de n'avoir aucun travail ménager à faire, hormis le repas du soir. Je sais que c'est une très grande chance par rapport à la majorité des femmes. Alors, allez-vous dire, vous devez avoir du temps pour faire des tas de choses; c'est l'impression que j'avais avant de réfléchir à ce que j'allais répondre, puis il est ressorti de mes cogitations que je ne faisais pratiquement rien, pas de week-end, pas de vacances depuis dix ans, pas de cinéma, pas de théâtre, pas de voyages, rien...
>
> Le facteur fatigue joue beaucoup. Mon ami est directeur régional dans un laboratoire et travaille sur 21 départements, et lorsqu'il rentre le vendredi soir, il est claqué et ses velléités de sortie sombrent devant *Apostrophes.* D'autre part, étant en contact permanent avec des gens, et parlant toute la journée, nous aspirons au silence et à la solitude. Je crois que c'est ça, et puis l'obligation le samedi de faire les courses pour la semaine, de faire un peu de cuisine pour changer des « menus-restaurant »; enfin, et je ne sais pas comment ça se fait, mais le temps passe, le

lundi revient et on repart. J'ai un peu l'impression d'être passée dans un engrenage, de voir le temps passer, sans espoir de retour et de perdre mon temps, au sens propre du terme *(Mlle A.M.F., 32 ans, La Réole).*

A travers ces lettres, comme dans les conversations les plus quotidiennes, on voit se dessiner le mythe contemporain, le fantasme collectif du temps introuvable qui donne un goût amer aux vies apparemment les plus confortables. Véritable inquiétude métaphysique sur le sens de la vie, ou tic psychologique encouragé par les médias...? Un nouvel hebdomadaire ne vient-il pas de faire sa campagne publicitaire avec ce slogan : en semaine, on n'a le temps, ni d'aimer, ni de penser, ni de vivre? C'est une définition terrible de notre civilisation.

Dans les relations familiales, on est souvent mangé par les occupations, les urgences, tout ce qu'il faut faire, et qui nous empêche de profiter les uns des autres, de profiter de la vie ensemble. Rares sont les moments où on est vraiment près les uns des autres, où on a le temps. Il faut vraiment avoir le temps, se donner le temps, pour tout, pour que chaque chose devienne intéressante.
J'aime faire la cuisine, mais si j'ai le temps. Si c'est une obligation à bâcler car on est coincé dans un emploi du temps surchargé, ça devient presque une corvée même si c'est pour quelqu'un de gourmand comme moi *(psychologue).*

Faute de chance...

Troisième volet du triptyque, après l'argent et le temps, voici la chance, difficile à saisir, et rebelle à toute rationalité. A la question : *pensez-vous que vos enfants (ont eu) plus de chance que vous?* les 35-49 ans sont 50 % et les plus de 65 ans 47 % à répondre « oui ». Un adulte sur deux estime donc que ses enfants ont plus de chance que lui.

Mais qu'est-ce que la chance?

> J'ai la chance d'être une privilégiée puisque j'ai pu m'ouvrir à la « vraie vie », en ne commençant pas à travailler à 14 ou 15 ans, par exemple.
> Par ce fait, je n'ai pas eu à souffrir de frustrations majeures. Je suis déjà partie en vacances, j'ai les moyens matériels et intellectuels de m'instruire et de comprendre le monde qui m'entoure, je n'ai pas été aliénée à un âge trop précoce par un travail ingrat et monotone, je n'ai pas eu à souffrir de mauvaises conditions de logement ou d'alimentation. Bref, je n'ai pas le sort qui est celui d'un grand nombre d'individus aujourd'hui encore et qui devrait être la grande honte des hommes qui nous gouvernent (*L. J., chômeuse*).

Ne pas souffrir, ne pas être privée, ne pas subir : la chance, ici, se définit par la négative. Mais à l'inverse, quand on fait la liste des éléments positifs de l'existence, que trouve-t-on aux places de choix? L'argent, la santé, les bonnes relations avec les proches, la qualité et la longueur des études.

Pourtant, la somme de ces éléments ne suffit pas à définir la chance. Elle est beaucoup plus que l'accumulation de circonstances favorables. Elle est un sceau qui marque les êtres et qui les prédestine au bonheur ou au malheur. La baguette magique, brandie avec bienveillance ou hostilité au-dessus du berceau des nouveau-nés, n'a pas été cassée dans l'inconscient de nombreux adultes. A lire le récit de certaines longues vies, on voit comme le souvenir dans son alchimie élabore cette notion de chance ou de malchance, et comme la mémoire est partisane.

112

Marquer sa vie du signe de la malchance, c'est peut-être une manière de lui donner la dimension d'un destin. On peut, comme l'auteur de la lettre suivante, se réciter la litanie des visitations du malheur, et la ponctuer d'un seul rire.

Je suis née à Oyonnax, le 16 janvier 1905. A cette époque, c'était la capitale du celluloïd, aujourd'hui, c'est celle du plastique. Mes parents étaient Bressans. Avant de venir à Oyonnax, ils avaient une boucherie à Bourg-en-Bresse. Dans leur nouvelle cité, ils créèrent un hôtel-restaurant. Ils avaient été élevés à la campagne, c'était des familles d'honnêtes gens, la branche maternelle avait été plus bourgeoise. J'ai un meilleur souvenir de ma mère. Nous étions sept enfants. Elle nous a tout donné. Sa vie a été une lutte perpétuelle, beaucoup de chagrins, de désillusions, deux enfants morts en bas-âge, deux autres à la guerre de 1914. Enfant, je n'ai guère connu les joies familiales, car elle était dépassée par le travail incessant qu'elle devait fournir. Levée à 3 heures le matin, couchée tard, elle n'a pas résisté. Elle est morte à 53 ans. Lorsque le docteur la vit, il dit qu'il n'avait jamais vu un corps si usé et en était vraiment surpris.

Je me suis mariée en 1922, j'avais 17 ans et demi, ma mère est morte trois mois après notre mariage. Mon mari est artiste, violoncelliste, excellent musicien. Lui aussi avait dès l'enfance connu les vicissitudes de la vie. A 4 ans, il vit l'appartement de ses parents complètement détruit par la folie des masses lancées en furie contre tout ce qui était italien à cause de l'assassinat de Sadi Carnot par Caserio. Mon mari, engagé volontaire en 1914, fut versé à la Légion étrangère; ce régiment dit d'élite est un vrai régiment de hors-la-loi. Il avait été marié une première fois, sa femme est morte en 1917 de la grippe espagnole. Rentré à Lyon, il a fallu reprendre goût à la vie et la musique seule lui a apporté cette espérance.

Notre mariage ne fut pas tellement une réussite avec deux caractères opposés. Treize ans et demi de différence d'âge, lui connaissait la vie mieux que moi, j'étais la petite oie blanche et je croyais tout savoir. Personne pour me guider et je dois dire que ma mère m'a toujours manqué. Nous avons eu un petit garçon en 1925. Mon mari avait du travail.

Moi-même, je travaillais lorsque vint la récession en 1929. Suppression des orchestres dans les cinémas, les brasseries... à cause des films parlants. Nombre de musiciens connurent le chômage, la misère. Nous étions de ceux-là. Nous avions de la famille à Paris, il nous fut conseillé de prendre un commerce, et nous voilà partis à l'aventure.

Nous avons pris à crédit un restaurant ouvrier à Puteaux. Mais avec la crise qui sévissait, les usines ne travaillaient plus qu'un jour par semaine. Ce fut, bien entendu, la catastrophe. Nous n'avions pas encore touché le fond du désespoir. Notre fils meurt, victime d'un accident, le 13 août 1932, en même temps que la sœur de mon mari. Mon beau-père meurt subitement du choc de cette tragédie. Inutile de vous dire ce que nous avons souffert; cette souffrance est toujours aussi vive malgré les apparences trompeuses.

Cahin-caha nous continuons à vivre de cette affaire jusqu'en 1934. Nous avons enfin vendu et il ne nous restait que les yeux pour pleurer. Nous avions un ami violoncelliste chez lequel nous avons pu mettre nos meubles. Nous avons loué un meublé et sommes partis à la recherche d'un emploi. Tous les hommes et toutes les femmes qui ont vécu ces années de chômage, de misère de 1930 à 1935, ne peuvent les oublier. Un film fait par le parti communiste, *le Temps des cerises,* reflétait bien la situation. Nous attendions avec impatience la sortie des journaux du soir pour connaître les offres d'emploi, mais quand nous nous présentions, les places étaient déjà prises...

Enfin, j'ai pu trouver une place. Mon mari allait tous les jours se renseigner au fameux café de Montmartre où les artistes se réunissaient pour essayer d'avoir du travail. Comme il n'était pas parisien, pas connu, les jours s'écoulaient bien tristement pour lui. Nous tenions quand même le coup malgré un salaire peu élevé. A cette époque, il y avait des côtelettes à partir de 0,90 F pièce. On voyait le jour à travers.

Mon mari, n'ayant rien trouvé à Paris comme travail, décide d'aller à Lyon où il était connu. En effet, il y trouve dans un orchestre un emploi de violoncelliste. Tout heureux, il m'écrit de venir le rejoindre. Il avait trouvé deux pièces minables. Je donne ma démission et j'arrive à Lyon. Hélas! ce havre de paix ne devait pas durer. Deux jours après mon arrivée, mon mari tombe gravement malade. Il est hospitalisé et y reste deux mois pour une pleurésie gangreneuse due à un froid et à la sous-alimentation. La solidarité a joué, les musiciens de l'orchestre dont il faisait partie se cotisaient pour me donner une partie de ses semaines, une quête fut même faite à l'Opéra.

Je n'avais pas de travail, j'étais en subsistance chez l'un, chez l'autre.

Un ami de mon mari, connu à la Légion étrangère, qui habitait Mougins dans les Alpes-Maritimes, le fit venir pour sa convalescence. Là fut prise la décision de quitter Lyon et d'habiter chez lui en attendant que mon mari se remette de sa grave maladie. Nous y sommes restés un an; mon mari retrouva la santé grâce à l'air pur et surtout à la générosité de cet ami qui était Juif et d'une très grande bonté.

Mais nous ne pouvions vivre ainsi plus longtemps, et je tente un essai de travail de comptable à Fréjus-Plage, dans une fabrique de pâtes. Comme cet essai est concluant, nous nous installons à Saint-Raphaël. C'était en 1936. Pour mon mari, à la recherche d'un travail, c'était à nouveau la course à l'échalotte. Nous avons fait la connaissance d'une famille lyonnaise qui nous apportait beaucoup de réconfort. Nos pérégrinations prenaient même un aspect humoristique. Mais à Noël 1936, je mangeai des coquillages qui me furent néfastes. J'eus la typhoïde et je passai deux mois et demi à l'hôpital. Mon mari était épouvanté lorsque mon patron eut l'idée de le prendre à ma place. Il s'adapte parfaitement et je pouvais lui donner certains conseils lorsqu'il venait me voir. C'était tout de même un rayon de soleil. Je suis sortie de l'hôpital avec un certain contentement. Je pensais me reposer une huitaine de jours avant de travailler. Lorsque j'entendis tout à coup une sirène, j'eus comme un pressentiment : la fabrique de pâtes brûlait. Nous nous rendîmes à Fréjus-Plage où nous ne pûmes que constater le désastre. Une partie de la comptabilité avait été détruite.

Rentrant chez nous, nous fûmes pris d'un rire démentiel.

Mes patrons n'étaient pas hommes à se laisser abattre. Mon mari et moi rangeâmes des papiers pendant une vingtaine de jours et étions nourris. Ensuite, je fis le travail seule, à mi-temps, ce qui m'était payé 550 F par mois. Mon mari avait l'espoir de faire partie de l'orchestre municipal de Saint-Raphaël pendant la saison d'été. Au bout de quatre mois, la fabrique redémarrait.

J'ai pu, grâce à la générosité de ma sœur, aller à l'Exposition internationale de 1937. Le coût du chemin de fer aller et retour était de 225 F. Mon mari commença à s'occuper de la chorale mixte de Saint-Raphaël, avec un très grand succès. Il n'était pas payé pour ce travail, mais voyant les résultats, il le faisait volontiers. Nous respirions, sans avoir de l'argent à gogo. Nous mangions. Pour ma part, j'ai collecté pour l'Espagne républicaine; il fallait du lait pour les enfants. Le drame qui se passait si près ne pouvait nous laisser insensibles. Les années passent vite lorsqu'un peu de tranquillité vous est échue.

Arrive 1940, la guerre et toutes ses horreurs. Mon mari est mobilisé trois mois. Nous avons vécu comme tous les Français dans l'angoisse. Nous avons été résistants, des résistants anonymes. A quoi servent les honneurs?

Février 1941, je quitte la fabrique de pâtes de Fréjus-Plage et rentre chez un notaire de Saint-Raphaël. J'y suis restée cinq ans. Mon mari, malgré l'Occupation, fait un peu de musique. Il travaille à la mairie de Saint-Raphaël. Ensuite, pendant treize ans, j'ai fait la navette entre Saint-Raphaël et Cannes où j'avais trouvé du travail dans une autre étude. Nous nous sommes installés à Cannes en 1958, et y sommes toujours.

En 1962, mon mari fit un infarctus. Il avait 72 ans, et s'est arrêté de travailler. De mon côté, j'ai pris ma retraite en 1964; j'avais 60 ans.

Les ennuis, même pendant la retraite, n'ont pas manqué. En décembre 1969, j'ai été assez malade. En novembre 1970, je suis renversée par une moto Honda 250, sur un passage protégé. Je me retrouve à nouveau à l'hôpital car une cheville est cassée. Par une chance inespérée, je marche sans boiter, mais souffre tout de même des séquelles de cet accident. En 1974, mon mari est opéré de la cataracte avec complications, embolie, orchite, et tout et tout. Compte tenu de son âge (il aura bientôt 87 ans), cela prend de l'importance. Je vis souvent dans l'inquiétude, j'ai tout de même 73 ans, nous sommes seuls, la famille est éloignée. Nous avons tout de même un bon moral, et nous aimons la vie. Si nous avons connu le pire, nous avons découvert que la vie est la vie et qu'il fallait toujours voir le beau et le bien. Chacun a sa chance et elle vient à tout âge *(Mme I. B., Cannes)*.

A quoi tient la chance?

On repère, au départ de cette vie semée de drames, le malheur originel, celui de la mère morte prématurément. Marquée dès l'enfance par cette vie familiale sans joie, l'auteur de la lettre ressent ce mauvais départ

comme la première malchance qui entraîne l'échec de sa vie sentimentale :
il y a dans son esprit une sorte d'héritage néfaste qui se transmet de mère
en fille. Une famille heureuse, unie, affectueuse, est certainement considérée par nos contemporains comme une première chance inesti-
mable.

> Je reconnais avoir eu beaucoup de chance dans ma vie, ce qui
> explique ma joie de vivre actuelle. D'une famille unie avec de
> nombreux frères et sœurs, nous avons su nous occuper et nous
> divertir. Le plus important n'est-il pas d'avoir des idées pour
> pouvoir les réaliser? Ensuite j'ai fait ce que je désirais, mes études,
> des voyages à l'étranger *(Mlle B., 25 ans, infirmière)*.

La mort, la maladie, l'accident sont d'authentiques malheurs. Qu'ils
surviennent aux autres et nous disons : « C'est la vie... » Mais quand ils
nous frappent, ce sont d'insupportables coups du sort.
 Une vieille croyance populaire dit qu'il vaut mieux éviter de montrer
sa chance au grand jour. Enviée, elle risque de s'échapper ou de se retourner contre celui qu'elle protégeait : la chance est une dame susceptible.
Alors, pour l'amadouer, on lui en demande le moins possible.

> Je pense être favorisé par la chance. Nous ne sommes pas
> malades, je gagne honnêtement ma vie, nous venons d'emmé-
> nager dans un pavillon, nous avons une voiture, la télé. Parfois
> je me dis que c'est trop beau pour durer. Enfin, tant qu'on a tout
> ça, on essaye d'en profiter *(J. B. C., 29 ans, un enfant, Louvres)*.

Pour apprivoiser la chance, on va parfois jusqu'à l'effacement.

> J'ai 66 ans et je suis contente de pouvoir encore travailler, non
> pour le gain, mais pour le plaisir de me sentir utile et d'être dans
> le coup. Je rentre assez tard le soir et je regarde la télévision. Je
> trouve que j'ai beaucoup de chance d'avoir pu me l'offrir en
> couleur. Par mon métier, j'ai la chance de traverser la contrée
> qui est merveilleuse; chaque année au printemps et en automne,
> je suis béate d'admiration devant les paysages qui me sont offerts.
> J'ai la chance d'être très bien avec ma fille, mon gendre et mes
> petits-enfants. Ces derniers viennent me voir chaque samedi après-
> midi. Ils communiquent avec moi, et j'en suis fière. Il est vrai

que je m'intéresse à tout, y compris, pour leur faire plaisir, aux matches de football.

J'ai également un fils marié et quatre petits-enfants à Paris. Je suis très bien avec eux aussi, que je reçois le plus souvent possible. J'accepte toujours leurs invitations, ne reste pas trop longtemps chez eux pour ne pas les gêner, et suis toujours de leur avis, même si cela ne me plaît pas. Je pense souvent que les jeunes n'ont pas la chance de ceux de ma génération.

Je me souviens du premier bouton électrique qui a fait jaillir la lumière, de la première T.S.F. Étant femme, j'apprécie tous les articles ménagers que je n'ai pas eus au début de ma vie. Les jeunes qui ont eu tout, tout de suite, ne peuvent pas comprendre. Jusqu'à présent, je crois avoir réussi ma vie. Je ne demande pas plus que ce qu'elle peut donner (*M*ᵐᵉ *S. A., représentante, Saint-Étienne*).

Parmi les facteurs de chance, l'instruction venait autrefois en bonne place. Aujourd'hui, tous les jeunes vont à l'école plus longtemps. Mais au terme de la scolarité, trouvent-ils plus facilement leur place?

Je me sens un très grand privilégié. Mes parents étaient aisés et ils ont eu de l'ambition pour moi, sentiment qu'ils ont réussi à m'inculquer de façon maintenant irréversible. J'ai fait mes études en un temps où, moins nombreux, nous nous faisions moins de compétition pour entrer dans les professions « agréables ». Je mesure ma chance quand je vois tous les efforts que nous devons déployer pour voir entrer un collègue plus jeune dans ce métier (*J. A., 36 ans, chercheur au CNRS, deux enfants, Meudon*).

« L'égalité des chances » est au programme de tous les hommes politiques. Et pourtant, faire des études demeure trop souvent un privilège. Privilèges de la naissance, de la fortune, du sexe... d'autant plus insupportables qu'ils sont théoriquement abolis. La lettre suivante a le ton de la revendication, le ton d'aujourd'hui. Elle dénonce... l'inégalité des chances. La fatalité est refusée.

Depuis dix mois, arrêt forcé, en chômage. Je pensais réaliser un de mes grands rêves, étudier. Partout on me répond : pour pouvoir faire des études supérieures, il faut le bac, le bac, le bac... Alors, il faut abandonner des études jamais commencées, parce que je n'ai pas eu la chance de faire des études, parce que je suis née de parents pauvres, qui ont eu cinq enfants. Les études, c'était pour le garçon; les filles, elles, se marient... Elles n'ont pas à faire vivre une famille. Pourtant pendant dix ans, j'ai fait vivre un artiste-peintre, et aujourd'hui je suis seule et dois élever ma petite fille. Alors, tournons le dos à tous ces faux principes et créons d'autres formes de vie (*Mme J. S., 36 ans, Paris*).

Si les Français estiment que leurs enfants ont aujourd'hui plus de chance qu'eux, n'est-ce pas finalement parce que ces enfants n'acceptent plus de se résigner devant un certain nombre de fatalités : celles de l'argent, des relations artificielles, voire celles de la maladie et du chômage?

Faute de culture...

La culture est-elle un bien équitablement réparti entre tous les Français? Ou les a-t-on persuadés que c'était chose faite? Ils ne sont que 12 % à se dire privés de culture. Toutefois, rappelons-nous que notre question offrait aux interviewés le choix entre quatorze propositions. 12 %, c'est le pourcentage qui vient en quatrième position sur la liste des « manques », derrière l'argent, le temps et la chance. 12 %, c'est aussi le score obtenu par les loisirs.

Le rapprochement que font d'eux-mêmes les chiffres entre la culture et les loisirs nous rappelle que, pour beaucoup de nos contemporains, la culture est un luxe, un superflu, un « truc » que l'on essaierait bien d'acquérir si on en avait le... loisir, précisément. D'ailleurs, culture et loisirs entretiennent des relations équivoques qui aboutissent à une ségrégation entre deux sortes de loisirs : ceux qui seraient « culturels », et les autres, les impurs, qui ne le seraient pas.

Et pourtant, nous avons exclu les loisirs de ce chapitre, choisissant de les traiter comme une réalité et non comme une insatisfaction [1]. Les loisirs, aujourd'hui, sont offerts à profusion. Quand ils viennent à manquer, c'est souvent faute d'argent, faute de temps. La culture, au contraire, ne s'achète pas. On ne sait pas très bien ce qu'elle est. Mais savoir qu'elle vous manque est un espèce de souffrance.

Quand on veut néanmoins la définir, la culture, c'est d'abord celle que l'on acquiert à l'école, en faisant des études, supérieures de préférence.

Quant à ce que j'aurais aimé faire... des études supérieures d'abord. Lettres modernes ou philosophie. J'aurais aimé, après le bac, connaître la vie étudiante, son style, la faculté. Tout cela me paraissait nimbé d'une auréole magique... mais la situation financière et la santé étaient trop précaires chez moi pour que cela soit réalisable.

1. Voir le chapitre 4, p. 208.

120

J'aurais aimé aussi (et j'aimerais toujours!) rencontrer des personnes cultivées, les écouter... Issue d'un milieu ouvrier aux horizons très limités, j'aurais voulu d'autres relations, rencontrer le savoir... Je ne sais trop s'il faut incriminer les questions d'argent ou le rigide cloisonnement des classes sociales qui les rend si hermétiques les unes par rapport aux autres... *(Mme S.C., institutrice de déficients, Savigny-Argentan).*

Les études reviennent comme une rengaine dans les odes à la culture. Le culte du diplôme est rendu avec ferveur par ceux qui restent en arrière, faute des fameux parchemins. Le diplôme, c'est la porte ouverte sur la promotion sociale, la guérison de tous les maux, y compris d'une certaine difficulté d'être.

Ce que j'ai envie de faire pour l'instant, c'est d'essayer de sortir du rang. Je n'ai pas de désir précis. Mais s'en sortir est extrêmement important pour mon équilibre.

Certains savent jouer d'un instrument, chanter, être brillants en société, peindre, faire un sport quelconque, faire du tissage... J'ai vraiment l'impression d'être en dehors du circuit. Je suis d'une intelligence moyenne et essaie difficilement de pallier mes complexes. Pour moi, la culture me sortirait de ma coquille : il ne s'agit pas d'une question d'argent mais plutôt de courage; lire un bouquin ardu n'est pas toujours agréable, la facilité c'est toujours plus agréable à suivre. Il faut dire également que le temps ne joue pas en notre faveur : difficile de concilier une vie active, une vie d'épouse et une vie culturelle. Non? *(Mme M. D., secrétaire, Nantes).*

A l'inverse, dans la lettre suivante, une employée des P et T, qui a suivi un circuit compliqué pour obtenir de l'avancement, ne s'y trompe pas : ce n'est pas là, pour elle, qu'est la vraie culture.

Je n'ai qu'une instruction primaire et justement une des choses que j'aurais aimé faire, c'est aller à l'école, apprendre davantage, mais à 13 ans, il m'a fallu travailler, l'argent manquant à la maison.

Quand je ne travaille pas, il y a tellement de choses que j'aime faire : la lecture, les mots croisés, les broderies, la tapisserie, le jardinage, le tricot... Vous voyez, ce ne sont pas des occupations de très haut niveau.

J'aimerais aussi étudier de nombreuses matières : psychologie, géologie, histoire... J'ai dû quitter l'école à 14 ans car j'étais l'aînée de six enfants et, sans être dans la misère, nos parents disposaient de peu d'argent.

Par mon travail personnel, en plus de mes heures de services, j'ai réussi à passer des concours afin d'avoir une situation correcte, mais maintenant j'aimerais étudier *(Mme M. V., contrôleur des P et T, Nantes).*

« Étudier » pour cette femme — elle emploie le verbe dans son sens absolu — ne devrait pas être un moyen mais une fin en soi. Elle se fait une autre idée de la culture. Une idée désintéressée.

pas être un moyen mais une fin en soi. Elle se fait une autre idée de la culture. Une idée gratuite et noble.

Mais les études, est-ce que les jeunes y croient encore? S'ils ne sont que 6 % à s'estimer privés de culture, c'est peut-être qu'ils refusent, et les normes classiques de la culture — donc les études —, et le mot même de culture. Les diplômes ne les impressionnent plus : on peut être diplômé et chômeur. Dans une société qui désigne par les termes de « sauvage » ou de « pirate » tout ce qui échappe à son contrôle culturel, ce sont les langages foisonnants de la sensibilité qu'ils recherchent : la communion dans la musique, par exemple.

Une vieille femme qui n'a rien étudié et qui parle avec son cœur fait peut-être le pont entre une conception traditionnelle mais noble de la culture et l'aspiration des générations nouvelles. A sa façon, simple et spontanée, elle bouscule les vieux modèles tout en continuant à s'y référer. Le livre, pour elle, ne reste-t-il pas l'objet culturel par excellence? Mais en même temps, elle fait preuve, à l'égard de son temps, d'un esprit de tolérance et d'ouverture.

Toute gamine, je rêvais déjà lorsque je gardais les vaches chez mes parents et au long des beaux étés qu'il y avait, il y a soixante ans, de ne plus voir toujours, toujours le ciel bleu et les arbres verts. Cela me lassait, m'irritait jusqu'au chagrin, je rêvais violemment d'arbres jaunes, de ciel vert ou rouge, ou de partir, loin, et de pays étrangers. Je n'ai rien fait de ma vie, qui n'a été que déceptions et chagrins, mais j'ai toujours gardé cette faculté de voyager en rêves et de m'évader. J'ai adoré lire un peu de tout car je n'ai jamais pu lire ce que j'aurais voulu lire, c'est-à-dire ce qui est bien. Lorsque je ne travaillais pas, je lisais. J'aimais le travail, quoique je n'aie guère travaillé au dehors ayant toujours habité la campagne. Mariée à un petit artisan, mère de trois enfants, dont un infirme, toute ma vie privée d'argent, sans aucun confort, sans meubles, sans rien, j'ai passé ma vie à laver, coudre, jardiner, élever une basse-cour, pour nourrir mes enfants. Et que croyez-vous que je désirais violemment? Une machine à laver? Un vélomoteur? Des draps à mon lit? Non. Une encyclopédie complète, tous les dictionnaires, plein la maison de livres dont je rêvais ou bien voyager, ou les deux, et non pas aller au chef-lieu, mais aller en Norvège, en Russie, au Japon, en Australie, à l'île de Pâques, ou voir Tahiti... mais l'île dont rêvait Gauguin avant de partir bien sûr...

Et à 67 ans, seule dans une maison où il pleut, abandonnée par mon mari (mes enfants mariés sont bien gentils, mais ils ont leur vie), n'ayant pour vivre que 23 F par jour et toujours ni meubles ni confort, je trouve la vie pas si moche après tout, mais je rêve encore de voyages et de livres.

J'aime la télé, mais pas tout à la télé. C'est quelquefois si bête. J'aime entendre chanter Jean-Roger Caussimon, Jean Ferrat plutôt que Michel Sardou ou Tino Rossi. Je n'aime ni Georges Brassens ni Jacques Brel. Je vous dis que je suis bizarre.

J'aime la contestation des jeunes, je les admire quelquefois quoique c'est bien stérile, mais ils ne le savent pas et c'est bien pour eux. Vous voyez que ce n'est pas intéressant mon histoire. Si j'ai souvent marché à côté de mes souliers, j'avais une vie si morne que c'est assez naturel, mais rêver d'une vie meilleure quand on ne fait pas l'effort nécessaire pour cela est bien vain. Il aurait fallu vouloir. Mais aujourd'hui quoi faire? Rien... Attendre la mort en rêvant encore à tous ces livres que j'ai tant désirés et à une paire de lunettes convenables pour les lire... *(Mme R.L., 67 ans, Villeneuve-sur-Yonne)*.

Quel talent ont nos contemporains quand ils parlent d'eux-mêmes!

3

De quoi avons-nous peur?

... De l'avenir

Près de huit sur dix (76 %) de nos contemporains estiment que leur vie est plutôt meilleure que celle de leurs parents.

Chez les agriculteurs, particulièrement conscients de jouir aujourd'hui d'un confort que leurs ascendants ont souvent attendu en vain, cette proportion s'élève à 85 %.

En revanche, quatre Français seulement sur dix ont le sentiment que leurs enfants auront une meilleure vie que la leur. On met là le doigt sur un point névralgique : une certaine peur de ce qui nous attend.

Les plus inquiets sont les cadres supérieurs et les cadres moyens. Ils ne sont que 30 % à se montrer rassurés... Comme ces catégories comprennent notamment ceux qui sont censés être les plus avertis sur le plan des contingences économiques et humaines à venir, ce sentiment de suspicion ne laisse pas d'être alarmant.

> On ignore ce que vivront ces petits hommes, consommateurs de dizaines de milliers d'heures de télévision, pendant que l'école, à des réformettes près, reconduit les schémas de l'école de Jules Ferry *(D. C. 37 ans, professeur).*

Nos contemporains se voient sur une sorte de palier ou de sommet dont ils ne peuvent que redescendre vers des zones obscures. Étrange génération que la nôtre, entre deux mondes, l'un qui disparaît sans laisser de regrets, l'autre que l'on redoute.

Nos contemporains savent reconnaître les améliorations réalisées dans certains domaines : le confort, les conditions matérielles, mais craignent, si le progrès poursuit sa marche, qu'il ne ruine d'autres biens, inestimables ceux-ci; et cette appréhension se conjugue souvent avec une condamnation morale du monde moderne.

> Cela fait des siècles que les hommes poursuivent le même rêve en vain : améliorer notre monde afin de laisser un héritage meilleur que celui qu'on nous a laissé. L'idée est noble et géné-

reuse, mais, en réalité, ce ne sont que des mots, car l'homme, pour parvenir à réaliser ce rêve, n'a jamais voulu faire de sacrifices ni d'efforts. Il veut améliorer le monde, mais n'œuvre que pour le profit, la gloire ou le pouvoir. Un monde basé sur le profit et la puissance de l'argent est voué à l'échec. Aussi, aujourd'hui, nous pouvons constater qu'il n'y a aucune progression vers le bonheur. Matériellement, on vit mieux, mais on est moins heureux qu'avant, et le cancer et l'infarctus nous éteignent plus tôt. Alors sommes-nous prêts à rétrograder? Oui! Mais qu'on nous en donne les moyens! On nous a créé des besoins, eh bien! qu'on nous les retire! Notre mode de vie est par trop artificiel, tout comme le sont nos besoins qui nous aident à tenir le coup. Que l'on « redescende » notre mode de vie et les besoins disparaîtront.

Par moments, j'ai un tel sentiment d'impuissance face à tous ces problèmes que j'ai réellement du mal à vivre. J'en arrive même à me demander si je ne suis pas un « inadapté » à la société... J'ai déjà pensé (à 27 ans) à me retirer et à vivre simplement au rythme des saisons, mais il n'est pas possible de vivre en marge. Ne serait-ce que pour pouvoir se marier, envoyer les enfants à l'école, aller peut-être à l'hôpital... Partout l'argent a fait son nid et je me demande bien quel braconnier le dénichera (*J. S., employé, célibataire, Bègles*).

... Du progrès

Il semble que beaucoup de nos contemporains en soient arrivés à considérer le progrès comme un mal absolu.

A la question : *pensez-vous que le progrès crée un cadre de vie tellement artificiel qui met en danger la vie de la prochaine génération ?* 78 % ont répondu oui!

Parmi les ouvriers, les réponses affirmatives s'élèvent à 83 %. Après avoir été pour les générations antérieures une fabuleuse source d'espoir, le progrès est devenu la cause de tous nos déboires. C'est le passé qui, par réaction, est glorifié, même si le « bon vieux temps » était loin d'être idyllique :

> Si nous sommes heureux à présent, nous avons eu tous les deux une enfance pauvre et pénible. A 12 ans, je suis allée garder les vaches. J'ai souvent eu froid et un peu faim aussi. Les fermiers étaient assez durs et près de leurs sous. A 13 ans, je suis venue à la ville, chez les autres comme on dit, petite bonne en maison bourgeoise. C'était assez triste. Mon mari, d'origine espagnole, a travaillé à partir de 9 ans. Il portait sur la tête des couffins d'oranges jusqu'au camion qui attendait la livraison au bord du chemin, et ceci pour quelques sous. La famille chargée de six enfants n'était pas riche et les plus grands devaient aider. Il a appris à lire et à écrire péniblement, le soir, avec un vieil homme qui venait apprendre aux enfants du village. Les familles se cotisaient pour le dédommager un peu. Ils étaient tous si démunis *(M. et Mme V. T., 75 et 74 ans, Paris)*.

A l'usine, pendant ce temps...

> Étant né le 18 septembre 1900, en ce temps-là, la vie n'était pas comme aujourd'hui. A la maison, nous étions sept à table. Mon père, ma mère, mes trois sœurs et mon frère. Mon père travaillait dans les fours d'Usinor comme maçon. Il partait le

matin à 5 heures pour commencer son travail à 6 heures; il devait, évidemment à pied, faire 5 kilomètres le matin et le soir, après dix heures de travail pénible pour gagner cent sous!

Je vous parle de 1909. Le jeudi, je lui portais sa gamelle et, souvent, j'ai pu le voir à son travail. Je le voyais descendre le torse nu dans ces fours encore très chauds, placer quelques briques et sortir rouge de sueur, et chacun de tous ces hommes pendant ces longues journées de dix heures, sans arrêt, refaire les mêmes gestes.

Quelques années plus tard, à 11 ans et cinq mois, je quittais l'école pour aller travailler dans une charcuterie. Il fallait se lever très tôt pour faire également dix heures chaque jour et le dimanche de sept à douze heures. Mais chaque mois, je rapportais à ma mère cinq grosses pièces de cinq francs, très heureux de me rendre utile *(J. R., 77 ans, forgeron retraité, Valenciennes).*

Si le passé se pare cependant de couleurs agréables, c'est au souvenir, peut-être, des fêtes d'antan, chaleureuses et bon enfant. Mais ne retenir que ces moments de bombance, c'est tomber dans le panneau des images d'Épinal. C'est oublier les contraintes des convenances familiales, religieuses et sociales... Il reste que les liens entre individus et communautés étaient plus vifs qu'aujourd'hui. Ce sont eux que l'on regrette avec un mélange de vague à l'âme et de discernement...

Une récente pérégrination, trop courte à mon gré, que je viens d'effectuer en Ariège, n'a fait qu'accentuer ma nostalgie de ce pays si joyeux, au moins dans mes souvenirs d'enfance. Un ancien me disait un jour : nous étions pauvres, nous travaillions dur, tous ensemble le soir dans les villages, c'était la joie alors. Maintenant, ils ont tout et ils sont tristes... tout ça, parce qu'on ne s'aime plus, qu'on n'a que l'argent. Tous les vieux disent la même chose. Sans doute que la qualité d'âme suppléait. Je pense également que le foyer de l'âtre portait en lui une magie, une telle chaleur dans la plénitude du terme, que les générations anciennes en furent façonnées. Tout n'était pas bon jadis, surtout la pauvreté endémique entretenue par les privilégiés; il faut être lucide, il y a de bonnes choses dans notre civilisation, mais que cessent ces « Mégapolis » sinistres qui ceinturent les villes. Puissions-nous avoir en France des élus municipaux intelligents, humains, honnêtes (pas politicards) pour enfin enrayer l'exode et inventer un nouveau mode de vie dans les villages.

Si chaque village de France retrouvait la douceur de vivre en harmonie avec la nature et ses voisins, alors oui, on serait heureux sur la « Belle terre des hommes », la « doulce France des troubadours ». Après tout, rêver d'un monde meilleur aide à supporter la réalité (*Mme C., la soixantaine, Brive*).

Ces visions passéistes peuvent sembler ingénues. En fait, elles témoignent d'un profond désarroi, d'un fort pessimisme : 66 % de nos contemporains se sentent résolument inquiets quant au sort de l'humanité pour les vingt ou trente années à venir. En ce qui concerne leur propre sort et celui de leurs proches, les Français ne sont guère plus rassurés : 62 % éprouvent de l'inquiétude quand ils pensent à leur avenir. La situation désastreuse de l'emploi n'est pas étrangère à cet état d'esprit : le pourcentage particulièrement élevé d'inquiets parmi les ouvriers (70 %), les plus touchés par les crises économiques, en est un indice révélateur.

Mais encore :

43 % de nos contemporains sont persuadés que nous serons de moins en moins libres. Le quota s'élève à 58 % chez les agriculteurs, traditionnellement maîtres chez eux.

76 % croient que nous deviendrons de plus en plus indifférents les uns à l'égard des autres. 46 % des Français, dont 60 % des Parisiens et 60 % des cadres supérieurs, sont convaincus que les modes de vie et les façons de penser s'uniformiseront davantage encore d'une région à l'autre, d'un pays à l'autre.

Voici venir, à croire ces prédictions, le temps de l'indifférence, de la monotonie, de la réglementation tracassière, et peut-être pire encore...

Mais, c'est aujourd'hui que le futur commence. C'est dans le présent que les Français discernent les signes précurseurs d'un avenir qui les effraie.

Si 58 % des agriculteurs ont peur de manquer de liberté dans vingt ans, c'est qu'aujourd'hui ils souffrent des exigences du Marché commun, des nécessités de l'agriculture moderne; et, plus encore, d'être télécommandés par une administration insaisissable. Si 60 % des cadres supérieurs et des Parisiens imaginent le monde à venir comme un vaste supermarché, c'est qu'ils retrouvent dans leur salle de bains, dans leur bureau, en passant par le drugstore et jusque dans leur hôtel à l'étranger, les mêmes néons, les mêmes plastiques, les mêmes slogans publicitaires.

Si, enfin, les Français ont si peur du progrès, c'est qu'ils l'ont déjà expérimenté à leurs dépens.

J'ai commencé à travailler en 1937, comme ajusteur, titulaire du C.A.P., pour devenir contremaître de forge en 1951, dans l'usine de mes débuts. J'ai un patron fervent catholique, d'une grande notoriété dans ma région, qui ne jurait (excusez l'expression) que par moi jusqu'en 1968, puis ça a été la dégringolade, je devenais de plus en plus sourd. Les méthodes de travail, la modernisation, la productivité, etc. ont contribué pour une grande part à ma dévaluation professionnelle.

Je constate simplement que la machine, l'électronisme, l'auto n'ont pas déshumanisé l'homme, mais que c'est l'homme qui se déshumanise au contact de la machine. Maintenant rien ne va assez vite, je me demande pour arriver où? *(P. M., Saint-Bonnet-les-Oules).*

Si 83 % des ouvriers — nombre vraiment effarant — en arrivent à penser que *« le progrès met en danger la vie de la prochaine génération »*, c'est qu'ils ont déjà éprouvé dans leur chair la réalité de ce risque. Chaque mot, dans cette phrase, mérite d'être pesé. *« Danger » :* de quoi s'agit-il? Des risques propres à la mécanisation? Des accidents du travail? Ou de cette machine, le progrès, qui menace de s'emballer et d'avaler les individus?... *« La vie de la prochaine génération » :* autrement dit, c'est un arrêt de mort qui plane sur l'humanité. La mécanisation n'est plus seule en cause. La grande peur du siècle, celle du nucléaire, hante l'imagination de nos contemporains. On ne la nomme pas, mais elle fait partie du paysage.

Peur de l'avenir, crainte devant le progrès, nos contemporains tirent la sonnette d'alarme. Mais veulent-ils vraiment tout arrêter?

A l'heure où d'autres nous promettent le bonheur, quelle est donc cette angoisse qui saisit les jeunes pères de famille?

Je crois que j'ai très peur du monde que l'on nous prépare ou que l'on se prépare. J'ai peur du point de non-retour. Il faut être de plus en plus raisonnable, de plus en plus rentrer dans une norme. Il faut que les gosses s'habituent à rentrer dès trois ou cinq ans dans les horaires de leurs parents. Beaucoup tombent malades quand ils s'arrêtent et se regardent. A quelle vie serions-nous en train de nous adapter? *(André-Luc G., 26 ans, un enfant, 2 ans et demi, Les Sables-d'Olonne).*

... De l'environnement

L'air empesté par les voitures, les mers et les cours d'eau souillés par les détritus, les aliments dévitalisés par la chimie, les jeux d'enfants refoulés à l'ombre des tours de béton, sont pour de nombreux Français les premiers signes de la catastrophe écologique qui nous attend.

Nos contemporains se meuvent dans un monde qu'ils sentent devenir inhabitable. Les descriptions faites par Aldous Huxley dans *le Meilleur des mondes* et par George Orwell dans *1984* n'ont pas eu le pouvoir de mettre les hommes en garde. Comme les fantômes de Murnau [1], la pollution des corps et des esprits vient à notre rencontre...

Parmi les inconvénients de la vie en ville, le bruit (60 %), l'air vicié et la pollution (40 %) viennent largement en tête.

Mais, sur le sort qui attend les villes dans les trente années à venir, les Français, perplexes, se divisent en deux groupes égaux : 45 % sont convaincus qu'elles sont vouées à se vider et 44 % sont, au contraire, persuadés qu'elles vont se multiplier, devenir de plus en plus peuplées et étendues. En réalité, les deux hypothèses participent d'un même pessimisme : ou bien les villes deviendront des déserts de pierre, ou leur prolifération occupera peu à peu tout l'espace vital.

Pessimisme tempéré dans le premier groupe par l'espoir d'un retour à la campagne...

Les jeunes (52 %), dont beaucoup ne connaissent en fait d'horizon que les sites urbains, et les Parisiens (53 %), intoxiqués par la vie citadine, sont les plus nombreux à prédire la multiplication anarchique des villes. Réaction défaitiste qui caractérise assez bien l'attitude de ces deux catégories sociales qui, tout au long de cette enquête, se sont montrées les plus désabusées devant notre civilisation.

Une de ces Parisiennes qui font déjà l'expérience d'une vie urbaine dépourvue de chaleur écrit :

---

1. Dans son film *Nosferatu le vampire :* « Quand il traversa le pont les fantômes vinrent à sa rencontre. »

Quels contacts avoir dans ces immeubles à portes, ascenseurs et escaliers multiples, anonymes? Nos voisins de palier avaient refusé notre invitation. Après six ans, je ne les connais toujours pas.

Nous avons demandé à l'architecte Georges Candilis son opinion sur les villes d'aujourd'hui.

Sa réponse est un réquisitoire :

Des groupements d'habitation envahissent les villes et les banlieues sans aucun lien avec ce qui existe, sans aucune relation avec l'avenir.

Les villes nouvelles ou ces grands ensembles restent des cas isolés dans l'environnement physique et social, de véritables « ghettos » pour les pauvres et les riches. Cette architecture de consommation revêt un aspect ridicule et bariolé, soit dans la fiction, soit dans le futurisme gratuit, soit dans la nostalgie des formes du passé. Elle abuse la naïveté et l'ignorance de l'homme par l'intoxication d'un lyrisme et d'une saoulerie publicitaire. La manière de penser, la technique employée ont abouti à créer des éléments répétitifs, identiques, juxtaposés, provoquant l'uniformité et le gigantisme. Autrement dit, le cauchemar et l'ennui. En règle générale, les villes sont conçues pour la circulation des véhicules. Actuellement, elles sont atomisées, écrasées par la voiture et l'homme est oublié.

Quand on présentait un schéma nouveau, la première question que l'on nous posait était : comment la voiture va-t-elle traverser la ville? On ne nous a jamais demandé : où est la place de l'homme? Il est devenu un prisonnier dans la ville, un étranger, un gêneur. Et puis surtout, le promoteur a trahi la vocation sociale de l'habitat. Il l'a transformée en une opération purement rentable, et a traité la maison comme n'importe quel produit. Pour gagner de l'argent, il s'est fait l'épicier de l'architecture [1].

La peur de la ville s'est emparée de nos contemporains. Elle a même tendance à se transformer en phobie pour certains d'entre eux. Il y a pourtant un bon usage des villes que notre époque n'a pas su préserver.

La ville reste malgré tout un foyer de civilisation : elle met les hommes

1. Interview recueillie par Michel Lefebvre.

en contact, elle les rassemble, les aide à communiquer, à créer, à vivre en commun et mieux.

Écoutons le cinéaste Jacques Tati qui dans *Playtime* et *Traffic* a pourfendu les excès des cités modernes.

> Nous vivons dans un monde qui a grandi trop vite, c'est-à-dire où l'invention est allée plus vite que l'organisation. Alors, pour l'instant, nous sommes les esclaves du progrès, écrasés par le conformisme que nous imposent les premiers de la classe.
>
> Pourtant ne croyez pas que je sois un adversaire absolu du progrès. L'architecture moderne permet au soleil d'entrer dans les écoles et les hôpitaux. Et c'est bien. Ce que je critique, c'est l'utilisation. Pourquoi les gens doivent-ils sortir de leur voiture pour retrouver leur gentillesse? Parce qu'ils deviennent les esclaves de leurs mécaniques. Pourquoi les gens se font-ils la gueule dès qu'ils se retrouvent à Roissy? Parce que Messieurs les architectes n'ont pas pensé à prévoir un endroit où l'on pourrait s'embrasser avant de partir. On nous souffle dans un tuyau de verre et adieu! On dépense des sommes folles pour le confort, mais pas un centime pour la dépense de la gentillesse. Aujourd'hui quelqu'un de gentil passe pour un idiot. Mais si on a une panne dans la nuit et qu'un garagiste se lève, met ses bottes et vient vous dépanner, on est content de tomber sur un con. Moi, je m'entends mieux avec les cons [1].

Lueur d'espoir? Ou les Français prennent-ils leurs rêves pour des réalités? 57 % de nos contemporains croient que l'on parviendra à « préserver la nature sauvage ». 31 % seulement imaginent le contraire. Les plus pessimistes sont encore les jeunes (42 %) et les Parisiens (41 %).

Les habitants des communes rurales, notamment, ont confiance : ils sont 65 % à se montrer convaincus du caractère inviolable des pays qui ont nourri leurs aïeux. Si on rapproche ce pourcentage de l'épisode du Larzac, on peut même présager que la population des campagnes ne verrait pas sans réagir la spoliation de son patrimoine.

Quant aux 31 % de Français qui doutent que l'on préservera la nature, rien ne dit qu'ils ne font que se lamenter. On peut aussi penser que parmi eux, sous l'influence des campagnes écologiques, certains ont pris conscience de leurs responsabilités.

---

1. Interview recueillie par Claude-Marie Trémois.

> J'ai honte, honte d'avoir pu m'endormir après avoir été éveillée, honte d'appartenir au monde et de n'avoir rien tenté pour améliorer son sort, honte de l'inertie des gens devant la destruction par la pollution du monde où nous vivons. Aujourd'hui, je m'insurge contre la doctrine d'après nous le déluge *(Mlle M. T., Roquemaure).*

Pour Brice Lalonde, porte-parole des écologistes, le combat dépasse la seule préservation de la nature. C'est un projet de société qui est en cause.

> C'est moins la liberté qui compte pour nous que l'autonomie de chacun. Délier l'homme des contraintes, des limites qu'il s'est créées; par exemple, reposer le problème de la consommation en termes clairs et exigeants, c'est important.
> L'action, le militantisme ne s'incarnent pas uniquement dans une pratique collective, mais aussi dans une décision quotidienne. On peut réfléchir, là aussi, à la consommation telle que nous la vivons personnellement dans notre vie. Nous voulons montrer ce qui est déjà possible...
> Arrêter l'énergie nucléaire, consommer moins pour consommer mieux (en donnant priorité aux services collectifs, en instaurant un contrôle rigoureux et intransigeant des produits dangereux ou de qualité douteuse...), travailler moins pour travailler mieux (en créant des coopératives, en contrôlant la production, en réduisant la durée du travail, en favorisant les activités de recyclage...). La liste est longue!

Certains ne voient d'issue qu'en pliant bagage, en cherchant un refuge précaire dans les pâturages encore verts.

> Devant ce très bel avenir qui nous attend, il m'arrive souvent de penser que je serais mieux dans les herbages, à avoir pour compagnie un troupeau de moutons et un bon toutou *(J. L. G., célibataire, Montluçon).*

D'autres, poussés par la crainte du désastre, témoignent d'une conviction qui n'est pas sans rappeler celle de ces militants qui manifestent autour des centrales nucléaires.

> Je m'intéresse à la « nature » et à son équilibre, il ne s'agit pas là d'altruisme, mais d'un sujet d'inquiétude pour le sort de l'homme,

du mien et surtout celui de mes enfants, d'autant que je considère l'homme comme l'unique parasite au sens écologique du terme (il prend tout et ne donne rien). Il y a donc lieu de s'effrayer de l'avenir *(G. D., père de famille, Bombon-Mormant).*

L'homme, unique parasite?

On peut trouver troublant que confrontés au dépérissement de la ville et de la nature nos contemporains en viennent à s'interroger sur l'homme lui-même...

Il est vrai que nous n'avons pas réussi à bâtir des villes habitables, ni à laisser vivre la nature. Ce double échec, à qui faut-il l'imputer? Aux hommes qui nous ont gouvernés, bien sûr. Ils ont voulu des villes rentables, facilement contrôlables. Des campagnes divisées en usines à blé d'un côté, en « réserves » naturelles de l'autre. Mais le pouvoir, si souvent mis en cause, n'est pas le seul responsable. Chacun à sa manière a contribué à enlaidir les villes, à souiller la nature. Qui renoncerait à sa voiture pour que « les villes sentent bon »? Combien de Français seraient prêts à sacrifier une part de leur confort pour diminuer le risque nucléaire? Et pourtant, d'après notre enquête, ils sont nombreux à souhaiter des villes qui respirent et des campagnes qui vivent. Nous nous heurtons là, comme ailleurs dans ce livre, aux contradictions de notre époque. Chaque homme aujourd'hui est *obligé* de remettre en question les principes qui ont corseté les générations précédentes.

Tenu de se questionner et de prendre ses responsabilités, voici l'homme de la rue quotidiennement irrité.

4

Les « solides » réalités

Les Français rêvent volontiers : de nature, de voyage, de création ou de propriété. Pour réaliser leurs rêves, il leur manque à la fois l'argent, le temps, la chance... Ils ont peur de l'avenir, du progrès, de la pollution... Rêves, frustrations et peurs sont de même nature. Ils relèvent de l'imaginaire. Ce sont les fantasmes collectifs de notre société, les symptômes de ce nouveau mal du siècle que l'on baptise crise de civilisation et qui sème dans les cœurs deux désirs fous : vivre ailleurs et vivre autrement.

En attendant, qu'est-ce qui fait tenir debout ces Français inquiets, mal dans leurs villes et dans leur peau? A quoi s'accrochent-ils pour ne pas tomber? Quand leurs rêves sont déçus, quand leurs frustrations les paralysent, quand leurs peurs les découragent, vers quelles « solides » réalités vont-ils chercher refuge?

Si nous ne craignions de réveiller de mauvais souvenirs, nous dirions que la devise des Français pourrait être aujourd'hui : *Travail, Famille... Loisirs*, tant ces trois entités brillent comme des phares dans leurs vies quotidiennes plutôt ternes. « *... Mécanisation, solitude, inquiétude, souffrance, non-créativité, non-paix, non-joie »*, ainsi se définit la vie pour un directeur d'école à la retraite, qui ajoute :

> [...] lutter, subir, souffrir, outre la maladie, la décrépitude et la décomposition, est-ce vivre? Heureusement il y a le travail pour s'oublier, le sommeil pour oublier les mille et une psycho-drogues inventées par la personnalité ou le collectif pour nous fuir, et nous maintenir dans l'exister, jamais dans le vivre. Et quand ces « refuges » sont perturbés ou manquent (je pense notamment aux chômeurs de dignité, aux insomniaques, etc.), l'existence devient alors plus dramatique, les loisirs même se transforment en ennemis *(Elie S., directeur d'école en retraite, Gap)*.

Quelle angoisse existentielle dissimule l'aveu suivant :

> Le travail, s'il me prend tout mon temps, c'est de ma faute. Je ne sais pas m'arrêter. Il me valorise à mes yeux. Et je me repose d'un travail par un autre *(Denise M., 50 ans, cinq enfants)*.

Le travail

Je saisis l'occasion qui m'est donnée pour dire combien la vie de travail me détruit, combien le monde du travail me désillusionne et combien me révolte qu'on nous inflige ainsi huit heures de travail par jour, huit précieuses heures qu'on nous arrache pour nous propulser dans un monde de contraintes, sans illusions, où chacun fait son petit cinéma, et qu'au nom de la gloire du travail et de la prétendue réalisation de la personnalité, on nous extirpe toute substance, jusqu'à la limite, pour le rendement. Puis nous voilà enfin le soir, vidés, devant notre temps de loisir. C'est ce petit temps qui reste après huit heures de travail, plus deux ou trois heures de transport, qu'on appelle, sans doute, « civilisation des loisirs », à laquelle on veut nous faire croire! Je n'aurai jamais assez de mots pour exprimer ce que je ressens sur « cette part d'existence réservée au travail » que j'ai vécue depuis dix ans (secrétaire successivement dans des organismes de formation et dans le secteur médico-social) : cette vie de perpétuelle fatigue, sans goût, sans enthousiasme, sans joie, et qui mine lentement. Où est l'épanouissement dans le travail dont on a parlé? Je le dis avec d'autant plus de recul que, depuis quelques mois, je suis au chômage. Les soucis et les difficultés d'argent mis à part (je vis seule avec un enfant de 10 ans), j'ai retrouvé petit à petit le goût de la vie. L'attente du lendemain ne me paraît plus aussi pénible. Il apparaît au contraire comme une ouverture de mille choses à faire, au choix. Tout d'abord, ne plus être accablée de fatigue et avoir envie de faire quelque chose et laisser les choses prendre leur place. Car il est impensable qu'après dix heures d'obligations extérieures, vaincu par l'épuisement, on ait encore le cœur à faire ce qu'on aime *(Élyane T., 37 ans, secrétaire en chômage, célibataire, un enfant, Gif-sur-Yvette).*

En ouvrant par une aussi violente mise en accusation du travail le chapitre qui lui est consacré, nous ne croyons pas faire de provocation.

142

Dans sa forme excessive, la lettre de cette chômeuse qui vomit le travail n'a rien d'exceptionnel : la moitié exactement de celles que nous avons reçues sont inspirées du même « ras-le-bol », venu tout droit de Mai 68. Tout le monde sait qu'il existe dans notre société un courant de contestation du travail. On le croit généralement négligeable parce que marginal, circonscrit à un petit ghetto social. Une enquête menée du 15 au 25 juin 1976 par *le Quotidien de Paris* quelques mois avant la nôtre s'étonnait de ne compter qu'une « minorité minuscule d'allergiques au travail » : *« Le travail fait florès en 1976 : les travailleurs s'affirment, dans leur grande majorité, contents de leur sort. »*

L'analyse de notre sondage et la lecture de notre courrier révèlent au contraire que cette minorité est singulièrement étoffée et qu'elle regroupe des gens de tous âges et de tous milieux.

Les Français sont désormais partagés en deux groupes sensiblement égaux : ceux qui sont heureux de travailler et ceux qui ne le sont pas. Mais les seconds n'avouent pas aisément leur sentiment. Parce que dans une société qui crée toujours plus de besoins, dans un monde dont l'avenir est incertain, le travail reste un refuge, une rassurante réponse aux questions embarrassantes, une bouée de sauvetage. Aussi avancerons-nous dans ce chapitre au milieu des contradictions, et verrons-nous souvent les réponses moyennes dissimuler les opinions extrêmes.

Dans la lettre paradoxale de cette femme libérée du travail par... le chômage, éclate la fureur de l'iconoclaste. Le travail ferait-il l'objet d'un culte chez nos contemporains? Certaines réponses, véritables plébiscites en faveur du travail, le laisseraient croire : 90 % des Français ne considèrent pas le travail comme une malédiction; 79 % estiment qu'il n'est même pas une contrainte ennuyeuse; 60 % qu'il est le moyen de réaliser leur ambition...

Mais, en même temps, 49 % seulement le considèrent comme la meilleure manière d'occuper leur temps; 45 % l'oublient dès que la journée est finie; 46 % — nous l'avons vu — seraient prêts à gagner moins pour avoir plus de temps libre; 40 % sont plus intéressés par la partie de leur vie qui se déroule en dehors du travail...

Pourquoi ces contradictions? Pourquoi ce malaise inavouable? Pourquoi aussi ce nombre élevé de silencieux, de ceux qui n'ont pas d'opinion sur ce sujet pourtant simple, ou qui n'osent la formuler?

Tout se passe comme si les Français avaient deux attitudes tout à fait différentes : l'une à l'égard du travail en général, assez respectueuse des traditions, et l'autre à l'égard de *leur* travail, beaucoup plus nuancée et qui plonge dans une réalité concrète.

Sur le Travail avec un grand T, les Français conservent certaines attitudes respectueuses inspirées à la fois pas des siècles d'enseignement moral chrétien (d'ailleurs sérieusement détourné de sa fin...), relayé depuis un siècle par le marxisme. Enfin, dans une période de chômage endémique, il est malséant de dénigrer le travail.

La peur du chômage?

Rien de tel en effet que le chômage pour mesurer la place du travail dans une vie humaine. Parce qu'il libère brusquement des heures dont le chômeur doit trouver seul le meilleur emploi.

Certains, loin d'y trouver le plaisir amer de notre première correspondante, en sont tout désorientés, comme privés de colonne vertébrale.

> Lorsque je me trouve sans travail, je me sens si vide que le reste ne me passionne plus *(Suzanne B., 29 ans, psychologue-clinicienne, mariée, deux enfants).*

C'est le sens du beau film de Charles Belmont, *Pour Clémence*, véritable cri d'alarme aux hommes de notre temps : un ingénieur, proche de la quarantaine, cadre supérieur dans un service de recherche de l'industrie aéronautique, est licencié pour raison économique. Son premier mouvement est un soupir de libération : il se promet un an de délicieuses vacances puisque son salaire lui sera versé pendant ce temps-là. Euphorie de courte durée. Il découvre au fil des jours qu'il n'a goût à rien, que le temps dont il est soudain si riche pèse sur son corps et sur son esprit... On ne se débarrasse pas facilement de quinze années de travail...

Le film de Charles Belmont pose une question fondamentale : quel rôle joue le travail dans notre existence? Et, sans le travail, que faire? Comment, surtout, employer son temps? Comment remplir sa vie?

Il y a aussi des chômeurs qui ne s'abandonnent ni à la joie vengeresse du *farniente,* ni à la délectation morose. Des chômeurs plus occupés que s'ils exerçaient normalement un métier; parce qu'ils doivent chercher un gagne-pain :

> J'ai 25 ans, licence et maîtrise de lettres. Je voudrais travailler et je ne trouve pas de travail qui corresponde d'une part à ma formation, d'autre part à mes goûts et aspirations. Est-ce que cela veut dire que je ne travaille pas? Évidemment non. Mon travail

consiste à « potasser » des journées entières pour passer divers concours qui me permettraient en cas de succès de mettre fin à une situation qui devient chaque jour plus pénible et angoissante. Et je ne parle pas uniquement pour moi, car vous savez très bien que des milliers de jeunes étudiants sont dans une situation analogue à la mienne. Alors il faut se recycler avant d'avoir travaillé. Il faut se mettre à étudier le droit, les finances publiques, pour essayer d'accéder aux carrières de l'administration. Quelle désillusion lorsque précisément on a choisi un type d'études par motivation et que, quatre ans plus tard, il faut se tourner vers ce qu'on n'aime pas.

Mais comme vous disent les bonne gens : « En période de crise, il ne faut pas faire la fine bouche. » Eh oui! il faudra prendre ce qu'on voudra bien nous donner *(Lisiane D., 25 ans, chômeuse, Marcheprime).*

Quelle que soit la manière dont il est vécu (comme une libération, comme une mutilation, ou comme un obstacle à contourner), le chômage est une menace si précise qu'elle plane comme un fantôme derrière l'idée que chacun se fait du travail.

Une malédiction?

N'ont-ils pas le chômage en tête, ces 90 % de Français qui refusent de *« considérer le travail comme une malédiction »*? On ne tente pas le sort! Cadres supérieurs et ouvriers, pour une fois d'accord, sont même 92 % à refuser cette suggestion. Quant aux plus de 65 ans qui pour la plupart ne travaillent plus, c'est à 100 % qu'ils répondent : non! le travail n'est pas une malédiction! On croit entendre le ton scandalisé avec lequel ils repoussent cette idée. Les jeunes, à plus de 80 %, réagissent de la même façon!

Que peut signifier une telle unanimité? Que le terme employé dans le sondage, *« malédiction »*, a effarouché tout le monde? Et ceux qui considèrent que le travail est sacré, ou tout au moins profondément respectable, et ceux qui ont refusé la connotation religieuse du mot, la référence biblique implicite qu'il supposait : *« Tu travailleras à la sueur de ton front »*?

Les Français ont peut-être aussi réagi à cette suggestion avec une sorte de réalisme; ils ont fait contre mauvaise fortune bon cœur : puisque le travail est un mal nécessaire, à quoi bon l'accabler?

Le travail est une punition céleste, nous dit l'Église, mais c'est aussi une loi de la Nature, à laquelle nul ne peut se soustraire (animaux ou plantes). C'est la lutte pour la vie. L'homme moderne est le seul de la création à travailler même quand il n'en a pas besoin; pour se procurer des tas de futilités inutiles qui ne font que lui compliquer la vie *(A.P., Jarny)*.

Une contrainte ennuyeuse?

Le travail, une malédiction? N'exagérez pas, disent les Français... Pas même une contrainte ennuyeuse, reconnaissent 79 % d'entre eux. Il y a bien quelques Parisiens non conformistes (28 % tout de même) et 22 % de jeunes qui expriment un avis opposé... Mais ils sont balayés par la vague puissante des 79 %!

Mais, ennuyeuse ou non, la contrainte demeure. Elle serait même, selon certains, l'aboutissement d'un véritable dressage commencé sur les bancs de l'école. Un professeur de mathématiques, inventeur d'une méthode d'enseignement des maths modernes et d'une mini-théorie des ensembles, nous dit pourquoi, selon lui, tant d'entre nous se cramponnent au travail pour ne pas tomber. Et, curieusement, sa diatribe au lyrisme vengeur dit les mêmes choses, en d'autres termes, que le film de Charles Belmont...

Je pense en effet qu'à votre question : que faites-vous quand vous ne travaillez pas? 60 à 70 % répondraient loyalement : rien.
Parce qu'on ne leur a rien appris d'autre
Que le travail uniquement.
Et, pire encore, au temps de leur initiation
On a usé leur temps, leur patience
Leur tonus, leur potentiel intellectuel
A leur apprendre à travailler
Seulement à travailler
Et à travailler seul.
On les a rassemblés côte à côte (En rang par deux)
On les a fait taire (Et en silence)

On leur a interdit de communiquer (On ne copie pas)
De profiter du temps présent (Pense à ton avenir)
De rêver, d'imaginer (Ta situation d'abord)
De jouer, d'être libre (... Le plaisir ensuite... s'il en reste)
On leur a mis des œillères
Et ils ont fini par oublier qu'il y avait autre chose que le labeur
et le salaire.
Bien sûr, il y avait des associations où pratiquer d'autres activités,
chichement mesurées, dotées de maigres subventions. Ou des
volontaires à qui il restait encore un peu de courage. Après le
travail, en plus du travail, comme un surcroît de fatigue
Pour rencontrer des bénévoles
De plus en plus rares
Et de plus en plus motivés par d'autres occupations
Que celle d'enrichir leur vie de possibilités nouvelles *(Maurice E.,
Villeurbanne)*.

Jean-Pierre Barou, auteur de *Gilda, je t'aime, à bas le travail* [1], conclut
lui aussi, dans une interview, à la fonction disciplinaire du travail :

Les parents demandent habituellement à leurs enfants : « Qu'ai-
merais-tu faire plus tard? » Question terrible à laquelle l'enfant
répond d'une manière presque romantique. Il sent que la question
présage une histoire, sa propre histoire, son insertion dans la
société. Question belle et valorisante aussi. Pour l'enfant, elle
n'est pas tributaire de schémas productifs ou de l'idée d'occuper
un haut rang dans la hiérarchie sociale. Elle semble avoir trait au
plaisir de vivre, de s'élancer dans l'existence. Nous savons de
bonne heure que les notions de vie et de travail sont étroitement
accolées. D'ailleurs, les maîtres d'école présentent le travail
comme un idéal. C'est-à-dire comme le moyen d'accéder à une
société du bonheur, une société dans laquelle les hommes
repoussent la mort le plus loin possible.
Les capitaines d'industrie, qu'ils soient capitalistes ou marxistes
ont sur ce point un discours identique : chacun a droit à son
insertion dans le processus social, politique et historique. Ceux
qui s'écartent de ce chemin s'y trouvent même ramenés de force.
Voici quelques exemples de cette mise au pas :

1. Gallimard, coll. « La France sauvage », 1975.

Les prisons : on sait qu'elles abritent des ateliers, où les gens qui ont « fauté », les délinquants, c'est-à-dire des individus qui ont refusé le travail comme un moyen d'accession au bien-être, sont contraints de travailler. Pour leur inculquer le goût de l'effort et de l'épargne.

L'asile : au XIXe siècle, les « fous » accomplissaient un certain travail dans des ateliers spécialement aménagés. Ils ont été les premiers confrontés à la division du travail : il fallait leur faciliter la tâche. Ce travail parcellaire devait avoir la propriété de les remettre dans l'axe.

Enfin, et pour en revenir à l'enfant, ne peut-on dire que l'éducation lui fait partager le sort du fou et du délinquant? Sur les bancs de l'école, tandis que son esprit vagabonde, on le ramène sur terre, vers le travail. De la confrontation de ces exemples surgit une question : le travail n'aurait-il pas aussi une fonction de dressage?

La meilleure façon d'occuper son temps?

La moyenne des Français entre au travail à 17 ans (14 ans pour les agriculteurs, 16 ans s'il s'agit d'ouvriers, 19 ans pour les cadres). Dès l'école chacun de nous est programmé pour faire un travailleur. Comment le travail ne deviendrait-il pas la grande affaire de notre vie?

On dirait que chaque homme porte en lui une énorme responsabilité quand il est en période de travail, il se prend trop au sérieux. Dans ces moments, on dirait que chacun a sur lui le bouton sur lequel on ne doit pas appuyer si on ne veut pas faire sauter le monde *(B. L., 27 ans, employé, Villiers-les-Hardy).*

Presque un Français sur deux (48 %) ne peut se détacher de ses préoccupations professionnelles une fois que la journée est finie. C'est particulièrement vrai pour les agriculteurs (65 %) et les cadres supérieurs (64 %). Faut-il les plaindre ou les féliciter?... Si le souci de leur travail les poursuit au-delà des heures ouvrables, cela peut signifier qu'ils ont d'importantes responsabilités, que leur métier les passionne... ou bien, au contraire, qu'ils n'ont jamais fini et que l'inquiétude de leur travail est devenue une obsession.

Le médecin, le haut fonctionnaire, l'avocat, le chef d'entreprise n'oublient pas facilement leurs affaires en fermant la porte de leur bureau. Mais ils peuvent au moins se persuader qu'ils œuvrent pour une noble cause...

Le cadre supérieur de l'industrie est, lui aussi, accaparé par son travail, mais il n'en tire pas les mêmes satisfactions.

> Jusqu'à présent mon travail m'a empêché, par la fatigue qu'il m'imposait, de profiter de mon temps de loisirs, non seulement parce que je continuais à travailler (même pendant les vacances), mais surtout parce qu'il occupait mon esprit *(J. R., 27 ans, cadre dans une usine sidérurgique, Douai).*

Le scrupule professionnel n'est d'ailleurs pas réservé aux cadres supérieurs. Une secrétaire de 60 ans en témoigne :

> Quand je ne travaille pas? Eh bien! J'ai mauvaise conscience, car je ne suis jamais « à jour ». Il y a quarante et un ans que dure ma vie professionnelle et je n'ai jamais été aussi occupée. Il me faudrait trente heures par jour pour faire face à tout. A moins, bien sûr, de me faire aider ou d'avoir tous ces appareils modernes qui simplifient sans doute la vie. Et je me suis parfois un peu découragée de ne pouvoir m'accorder, de temps à autre, la détente de faire ce qui me plairait sans que cela nuise à mes autres occupations.
>
> La part réservée à mon travail est très, très importante. De plus en plus, dirais-je. Au point qu'il me poursuit dans mes rêves! Je ne saurais cependant m'en plaindre, car je ne sais rien de plus triste que d'être un robot, qui n'attend de sa journée de travail qu'un moment heureux : celui de la sortie! Dieu m'a préservée de cet état d'esprit et si je ne fais pas ce que j'aurais aimé faire, je m'y suis tellement attachée que c'est vraiment la partie importante de ma vie. Cependant le fardeau est parfois lourd à porter. Et si, un jour, j'arrive à le déposer, j'aimerais enfin réaliser les souhaits que je forme : me livrer aux occupations inutiles dont je rêve (dessin, peinture, tapisserie, conférences, visites amicales et détendues) *(Lucienne B., 60 ans, secrétaire, célibataire, Bordeaux).*

Sont-ils vraiment des robots ceux qui n'attendent de leur journée qu'un moment : celui de la sortie?

45 % de Français oublient leur travail dès que la journée est finie.

Parmi eux, surtout des jeunes et des ouvriers (56 %). On ne peut s'empê-cher de penser que, s'ils l'oublient si facilement, c'est que leur travail n'est pas de ceux qui peuvent les préoccuper au-delà du temps requis.

Voici le point de vue d'un ouvrier sur son travail, sur le climat de l'usine :

> Je me lève à 5 h 55. Il me faut une heure pour me rendre à l'usine à Vitry. Un car passe me chercher à 500 mètres d'ici et m'y ramène à 17 h 30. A l'usine, on ne parle jamais de problèmes personnels. Les discussions tournent autour du football, du tiercé et de la télé. Il y a toujours quelqu'un qui trouve à placer une histoire de « bonne femme ». Ceux qui s'intéressent à la politique se retrouvent entre eux et cela forme un ghetto. C'est usant.

Comment devrait se passer le travail en usine?

> Tout d'abord, il est scandaleux de demander à des gens de pro-duire quelque chose sans qu'ils sachent à quoi ça sert. Il faudrait mettre les ouvriers au courant de la situation économique; ensuite, des conseils d'ouvriers, formés de délégués, décideraient du niveau et de la qualité de la production. Cela éviterait le pou-voir des technocrates et remettrait la hiérarchie en cause. Mais il est difficile de parler de ça avec les copains; la plupart du temps ils disent : « Ça y est, t'a encore enfourché ton manche à balai, te voilà barré là-haut. »

Y a-t-il moyen de sortir de la condition d'ouvrier?

> Le fils du prolo, dans le meilleur des cas, s'oriente vers une car-rière technique. Moyennant une somme de sacrifices importants, il arrivera à être ingénieur. Mais comme il ne pourra jouir d'aucun appui, il n'en trouvera qu'en se conformant le plus possible au règlement. Ce qui explique que l'ingénieur d'origine prolétaire est avant tout un flic. Seul l'ingénieur d'origine bourgeoise peut se permettre d'être libéral. De toute façon, dans l'entreprise, il n'y a aucun véritable point de rencontre entre individus de classes dif-férentes.

Que faites-vous quand vous rentrez chez vous?

> Selon la saison, je travaille au jardin ou je lis les journaux. On est abonné à *Que choisir?* qui est un outil nécessaire. Je lis aussi la presse syndicale et parfois *le Monde*. Bien sûr, je n'ai pas la

vitesse de lecture d'un intellectuel. Il y a un tas de mots que je ne comprends pas ou que je ne saisis que par déduction.

Le potager nous procure des satisfactions culinaires car on n'a pas recours aux engrais chimiques. J'utilise des connaissances anciennes des gens de la terre. J'attache beaucoup d'importance aux lunaisons. Maintenant, les intellectuels commencent à s'emparer de toutes ces connaissances. On n'a jamais su comment faire pour ne pas se faire déposséder.

Avez-vous des projets?

Ma femme et moi avons tous deux la cinquantaine. Ce que nous voulons maintenant, c'est terminer notre vie à la campagne, en faisant ensemble un travail qui nous plaise et qui rende service à la collectivité. J'exclus les travaux agricoles car je ne possède pas les capitaux nécessaires et je trouve qu'il faut prendre garde à ne pas peupler la France de ménages de chevriers... Ce que je veux faire à la campagne et que je fais actuellement le dimanche, c'est fabriquer des objets en ferraille et en bois qui soient beaux mais aussi utiles. Je ne supporte pas qu'un objet ne soit qu'un bibelot, qu'un jardin ne soit qu'une pelouse, peut-être parce que je ne supporte pas que la vie ne soit que le travail mais pas non plus qu'on puisse vivre sans travailler *(Marcel D., 50 ans, ouvrier électricien, La Varenne).*

On peut être un fonctionnaire du Trésor, cadre responsable, et maintenir soigneusement les cloisons étanches entre son travail et sa vie privée :

Trouver de la « passion » dans mon travail?... Ah! certes non. Je suis un cadre honnête. Je remplis ma tâche avec droiture. C'est tout. Le rôle à jouer entre les chefs qui se griffent gracieusement et les agents qui se jettent mutuellement la pierre avec une aisance satanique ne me convient pas. Mes « clients » sont des pensionnés. Je leur rends bien des services malgré l'ingratitude de la majorité d'entre eux, la méfiance d'une minorité et l'indifférence maussade de presque tous.

Je suis devenu un « fonctionnaire » par la force des choses au lendemain de la Libération. Je n'avais pas le choix. Aussi cette part réservée au travail est-elle strictement sérieuse et consciencieuse. Lorsque je quitte mes collègues de bureau, je respire déjà mieux *(Henri B., 54 ans, fonctionnaire, marié, Le Bouscat).*

Ni malédiction ni même contrainte ennuyeuse, le travail serait-il donc, pour nos contemporains, « la meilleure façon d'occuper leur temps »? Cette fois, il ne s'agissait plus d'accabler le travail d'épithètes désagréables et excessives, mais de choisir entre une occupation concrète et une autre. Cette proposition renvoyait les interviewés à ce qu'ils connaissent : leur travail. Aussitôt, les réponses donnent à voir ces deux groupes auxquels nous avons déjà fait référence : 49 % considèrent le travail comme la meilleure façon d'occuper leur temps, 42 % non.

Mais, à l'intérieur de ces deux groupes, des nuances valent d'être remarquées.

Si 49 % des Français considèrent le travail comme la meilleure façon d'occuper leur temps, c'est que les plus de 65 ans (92 %) ont pesé lourd dans cette moyenne : ceux qui ne travaillent plus confondent dans un même regret leur jeunesse et l'activité qu'ils ont perdues...

En revanche, les jeunes (58 %), les Parisiens (58 % également) et les cadres moyens (53 %) ne sont pas d'accord : les uns et les autres pensent en majorité que le travail n'est pas la meilleure façon d'occuper leur temps.

> J'ai 26 ans, je suis marié, nous avons un petit garçon de 2 ans et demi. J'ai la chance de travailler peu depuis un an et demi, mais de toute manière, par choix, je ne veux pas travailler à plein temps. Mon boulot est peu rémunéré. Ma femme a du travail à domicile. Nous travaillons pour vivre et pas le contraire. Cela est en général très mal vu par l'entourage immédiat (voisins, quartier, etc.); et le fait, surtout, qu'en cas de coup dur financier l'un ou l'autre se force à bosser davantage, selon l'humeur du moment. Le fait aussi qu'on me voie avec notre petit garçon faire les courses ou tout simplement prendre l'air, prendre le temps de vivre. Nous sommes obligés très souvent d'inventer les histoires les plus dingues pour éviter de trop éveiller la curiosité malsaine du quartier.
>
> Nous évitons le crédit, nous évitons de nous créer des besoins vraiment superflus. Cela ne veut pas dire du tout que nous refusons le confort, mais on se le fabrique avec des récupérations à droite et à gauche.
>
> J'ai donc beaucoup de temps libre, on me traite souvent de fainéant, de maquereau et j'en passe. Je trouve sincèrement qu'à l'époque de dingues à laquelle on vit, c'est un compliment. Il y a des jours où je m'ennuie, c'est pas toujours désagréable... Le plus souvent, quand même, avec le fiston, on se paie du bon temps : c'est formidable de prendre un petit goûter avec son

gosse, c'est merveilleux de prendre du temps pour être heureux ensemble. Il va à l'école le matin. Généralement, à midi, j'ai quatre personnes à faire manger. Mes horaires de travail changent chaque jour; quelquefois je l'emmène avec moi. En ce moment, sa mère bosse à plein temps et c'est moins drôle; le soir, on essaie de lui faire oublier le bureau.

Je n'ai pas de grandes passions, mais ce qui me plaît c'est d'avoir du temps pour rencontrer les autres, pour bavarder : ne pas avoir, surtout, une vie rythmée par le travail, une vie offerte au travail, en fonction du travail. Nous recherchons un peu quelque chose de fantaisiste qui bouscule les horaires quotidiens, une vie de village, où le travail ait sa place, mais pas toute la place.

Aujourd'hui, je crois que l'on fabrique des adultes, des grandes personnes, sérieuses, trop sérieuses. Quand j'étais tout gosse, il y avait dans ma rue un forgeron, un boulanger, un docteur, etc., et tout ce petit monde avait encore le temps de parler, de s'arrêter. Je ne veux pas tomber dans une analyse marginale et trop simple du travail dans notre société; je sais bien que rien n'est simple à ce sujet... Nous n'ignorons pas les problèmes de ce monde. Nous nous occupons de ceux qui nous semblent les plus touchés avec « Terre des hommes » et « Amnesty International ». Sans oublier, loin de là, que cela est le résultat d'une politique de sombres guignols et de salopards...

Je ne peux pas dire que j'ai eu follement envie de faire quelque chose (j'ai souvent très envie de ne rien faire...) que je n'ai jamais fait. Nous voudrions vivre vraiment avec les autres. Mais avons-nous le temps de parler de tout ça? De la vie?... de nos joies, de nos angoisses?

Nous sommes tenus à tant d'obligations matérielles, les contacts se limitent à des échanges polis le plus souvent. Les mentalités sont-elles prêtes à accepter, par exemple, de travailler moins? Il y a tant de faux besoins de créés *(André L., 26 ans, un enfant, Les Sables-d'Olonne).*

Les cadres moyens, aussi, renâclent devant le travail.

A l'époque où tant de jeunes et vieux chômeurs cherchent du travail, j'ai un peu honte de vous dire que moi, à 56 ans, j'en ai ras-le-bol, ras-le-bol de travailler, de partir tous les matins à la même heure (et encore, je suis favorisée : dix minutes de voiture) et d'aliéner ce que moi j'appelle « liberté », de 9 heures du matin à 17 h 45. N'étant pas du tout arriviste, j'ai toujours été une exécutante : lâcheté, paresse, incapacité, je-m'en-foutisme; façon de se dire : à quoi bon, à quoi tout cela nous mène, puisqu'il faut bien un jour faire le grand voyage... *(Louise M., 56 ans, secrétaire, Paris).*

Le moyen de réaliser son ambition?

Certes, ces lettres contredisent l'opinion des 60 % de nos compatriotes qui disent considérer le travail comme un moyen de réaliser leur ambition...

Mais, sur cette moyenne aussi, le poids de certaines catégories a pesé, écrasant des réponses qui méritent d'être soulignées. Ainsi, les agriculteurs et les Parisiens ne se font pas la même idée du lien entre le travail et l'ambition : si 73 % des premiers prétendent que le travail est un moyen de réaliser leur ambition, 40 % des seconds refusent la proposition. Si les agriculteurs ont le sentiment qu'en travaillant davantage ils augmenteront leur patrimoine, les Parisiens, dans leurs bureaux, dans leurs services ou dans leurs ateliers, ne peuvent espérer qu'une augmentation de salaire. Et encore... De même, le travail et l'ambition qui vont de pair pour 63 % des hommes ne semblent aussi concomitants qu'à 55 % des femmes... Reléguées aux rôles secondaires ou même aux travaux inférieurs, l'ambition est, trop souvent, un mot qui n'a pas de sens pour elles.

Par ailleurs, quand on demande aux Français si, *dans le cadre de leur activité professionnelle,* ils ont le sentiment d'avoir la possibilité de faire une carrière intéressante, les femmes répondent non à 41 %, les ouvriers à 48 %, les Parisiens à 42 %.

Et encore : quatre sur dix de nos contemporains ont le sentiment de ne pas donner toute la mesure de leurs capacités dans *leur* travail (43 % des hommes...).

46 % des jeunes, 49 % des ouvriers ont, dans *leur* travail toujours, le sentiment de n'être qu'un numéro parmi d'autres. 24 % des ruraux et des ouvriers, 23 % de jeunes et 21 % des femmes se sentent *brimés* dans le cadre de leur activité professionnelle.

On le voit, il y a quelque distance entre les opinions générales et généralement admises (le travail est le meilleur moyen de réaliser son ambition), et la manière dont cet espoir est vécu concrètement par telle ou telle catégorie de travailleurs.

Quand l'ambition est vraiment réalisée grâce au travail, la réussite exemplaire justifie l'effort accompli. Quelques lettres nous donnent le sentiment que les amoureux du travail sont souvent ceux qui ont surmonté un quelconque handicap, au début de leur vie. La victoire est dans ce cas le meilleur avocat du travail :

> Ce que je fais quand je ne travaille pas? Je travaille. Pour moi, c'est le mot le plus beau du vocabulaire. Il sonne juste, il sonne fort et trouve des résonances jusque dans les fibres les plus profondes de moi. Sans doute, je suis née « travailleuse ». C'est congénital. Mais creusons un peu plus. Petite-fille d'immigrés italiens, j'ai senti très tôt la dure loi du racisme : j'avais le tort d'avoir un nom en « i ». Il fallait compenser et... coûte que coûte m'imposer. Je l'ai fait. J'ai été obligée de travailler pour prouver aux autres et (plus grave!) aux institutrices qu'une ritale pouvait être un crack!
>
> Plus tard, quand j'ai abordé la philosophie au lycée, j'ai opté une fois pour toutes pour l'effort. Il a été le vocable le plus doux à mon oreille, mon compagnon très cher, exigeant et reconnaissant car... par surcroît venait le succès... Mais, me direz-vous, à quoi travaillez-vous? J'ai travaillé mon métier (enseignante) à bras-le-corps; et, là, j'emploie le verbe au sens transitif.
>
> Je l'ai travaillé comme on pétrit le pain, comme on maçonne, comme on « alchimise ». J'ai transformé la matière. Les exercices proposés à mes élèves étaient examinés, pesés, soupesés, comparés, tournés et retournés et prenaient l'aspect d'une magnifique mosaïque qui, à la brillance, alliait le poids, la densité. C'était un travail lourd, pensé et oh! miracle, présenté comme un jeu fascinant qui plongeait ses racines dans la vraie culture et vous portait d'étonnement en étonnement, de découverte en découverte.
>
> Ce long cheminement est l'image même de la vie *(Jeanne T., directrice d'école, Paris)*.

La lettre suivante est aussi l'histoire d'une conquête assurée, peut-être, aux dépens d'un rêve : « J'aurais aimé être un grand cycliste!... »

> « J'ai 70 ans et ce qui est actuellement la vie d'un vieil homme n'est explicable que par son existence de l'âge adulte, elle-même

expliquée par l'enfance. Mon arrière-grand-père était enfant trouvé et né dans un pays voisin de la France, au début du XIXᵉ siècle. Ouvrier-maçon. Mon grand-père paternel, peintre en bâtiment, fut travailleur immigré avec ses deux frères. Ils firent la guerre de 70 comme volontaires, par honnêteté pour le pays d'accueil (l'un d'eux y resta). Naturalisé français vers 1880, mon père était également ouvrier, peintre en bâtiment. Je suis né en 1907. Notre vie était simple et assez joyeuse. Le principal plaisir était une promenade à la campagne le dimanche après-midi (nous habitions le Dauphiné). Pendant les vacances scolaires d'été, mon frère et moi étions au pair chez des cultivateurs de moyenne montagne. J'ai eu une bicyclette (d'occasion) en récompense de mon bachot.

En dehors des vacances à la campagne et des promenades du dimanche, deux plaisirs s'offraient à moi : jouer dans la rue avec d'autres gamins du quartier, et la lecture. Mes parents n'encourageaient pas beaucoup le premier et je contractai une passion pour le second. Si je devais résumer la formation que j'ai reçue, ce serait par « tout se paye » d'une façon ou d'une autre. Et la façon la plus propre de payer, c'est le travail. « Aide-toi, le ciel t'aidera. » C'est un résumé de la philosophie des travailleurs immigrés en ce temps, telle qu'elle m'a été transmise.

Mon goût de la lecture, la curiosité de savoir, la rareté des « divertissements » ont facilité mes études. Elles furent, somme toute, brillantes. J'étais, évidemment, boursier. Polytechnique et trois titres d'ingénieur. Toujours un travail intensif. Le dimanche, détente, en canotant sur la Seine ou sur la Marne. J'aspirais au plein air des environs de Paris à défaut de mes montagnes natales.

Ma vie a été celle d'un ingénieur de l'État devenant progressivement haut fonctionnaire. C'est une existence que l'on imagine assez difficilement car elle est de plus en plus absorbante au fur et à mesure que les responsabilités s'étendent. Je me suis astreint à n'emporter que tout à fait exceptionnellement du travail chez moi, mais je passais une moyenne de dix heures par jour à mon bureau.

En semaine, j'étais complètement pris par mon travail, sauf un peu de lecture le soir. Évidemment, j'avais du goût pour mon travail dont les techniques évoluaient très rapidement. J'avais évidemment aussi des aspirations vers d'autres joies, mais je tenais ces aspirations en réserve. Si j'avais tenté de les satisfaire largement, je n'aurais pas pu être à la hauteur de mon boulot.

En résumé, ma vie a été jusqu'à 21 ans : préparation, ce qui ne va pas si on veut la faire sérieusement, sans pas mal d'ascèse et de renoncement. Exactement comme un athlète. De 26 à 66 ans : service de l'État, du public, de mon personnel (et de ma famille). Là aussi, pas mal de renoncements. Je n'ai jamais considéré le travail comme une fin en soi, mais comme une monnaie d'échange, la seule dont je disposais.

Mes conclusions : tout se paye, tôt ou tard. La meilleure façon d'aider quelqu'un (un individu ou un peuple) est de lui montrer un procédé pour obtenir ce qu'il souhaite. A lui de voir s'il veut payer le prix que cela implique.

Vous citez comme principaux obstacles à la satisfaction, le manque de temps, le manque d'argent. On oublie, en général, le manque de persévérance, le manque de qualité physiques ou intellectuelles... Et pourtant, j'aurais aimé être un grand cycliste...

J'ai eu la sagesse de ne pas prendre ce rêve au sérieux. A propos de manque de temps, de manque d'argent, il est vrai que certains voient le bonheur, l'épanouissement dans une société de gratuité, sur une plage dorée, par un éternel mois de juin et des loisirs sans fin. J'ai beaucoup voyagé et je connais un point du monde où cela est possible : nature bienveillante et moins d'une heure de travail (un travail qui est d'ailleurs un jeu) pour satisfaire les besoins. Je ne vous dirai pas où c'est. Cela ne servirait à rien. Le prix à payer est terrible : c'est l'ennui (pour qui a un cerveau plus gros qu'une cacahuète).

Le « réalisme » lucide, mais un peu désabusé, de ce haut fonctionnaire sorti du rang reflète assez fidèlement, semble-t-il, l'opinion moyenne de nos contemporains sur le travail. Surtout s'ils sont âgés et si ce sont des hommes. Il arrive pourtant qu'un retraité trahisse l'union sacrée et laisse échapper une réflexion moins conventionnelle et moins optimiste.

Le travail étant une obligation, on ne peut guère l'aimer et les temps modernes lui enlèvent tout attrait. Le manœuvre spécialisé est un robot : l'automatisme supprime tout esprit d'initiative, le mandarinat des grandes facultés coupe les ailes aux futurs génies, les professions libérales veulent surtout gagner beaucoup d'argent,

157

les grands médecins en plus de leurs solides comptes en banque tiennent beaucoup à la publicité.

En réalité, le violon d'Ingres est le travail le plus plaisant parce que librement consenti; mais il tient de moins en moins de place dans la civilisation actuelle *(A. P., retraité, cadre moyen, Jarny).*

Comme les jeunes, les femmes semblent résister aux sirènes de l'ambition. Elles ont en tout cas moins de difficulté que les hommes à se reconnaître sans ambition; il est vrai que cette notion ne fait pas partie de l'arsenal traditionnel de l'éducation des filles. On leur apprend à se dévouer, pas à « réussir »...

62 ans, salariée, faisant partie des cadres d'une entreprise où l'on demande de plus en plus de travail dans une atmosphère de tension soutenue, je n'ai même plus la force ni l'envie de me distraire... Je n'aspire qu'à une chose : la retraite, pour pouvoir vivre; le travail c'est la prison *(Simone D., 62 ans, Paris).*

La réussite professionnelle, quand elle survient, laisse même à certaines comme un goût d'amertume :

Je suis maintenant, à force de travail et de concours, cadre dans une entreprise : j'ai trente personnes à diriger, je suis apparemment le type même de la femme qui ne vit que pour son travail. En fait, ça m'em...! *(J. L., 56 ans, deux enfants, Choisy-le-Roy).*

Travaillons-nous trop?

Ce sont des femmes qui posent cette question. Des femmes qui travaillent et sont à l'aise dans leur métier.

Je ne parle pas volontiers de ce qui n'engage pas que moi. Je dis seulement, en confidence, que je ressens comme une mutilation le surmenage professionnel de mon mari et d'autres amis, ce qui appauvrit considérablement toute vie sociale. Je mets ceci en relation avec le chômage (comme la suralimentation côtoie la malnutrition) et le succès de la télévision d'évasion. Je veux vivre vraiment le temps du travail, y donner le meilleur de moi-même, mais en limitant le temps de l'exercice par le travail à temps partiel, trop décrié par les syndicats qui sacralisent le travail, en fait *(Jeanine W., 42 ans, professeur à mi-temps volontairement, cinq enfants, Reims).*

Malheureusement, le travail à mi-temps est trop souvent proposé aux femmes comme un moyen d'arrondir le budget familial tout en les maintenant dans un statut de travailleuses au rabais, sans avenir professionnel, sans sécurité. C'est ce statut que refusent, à juste titre, les syndicats. Celles qui se font les meilleures avocates du travail à mi-temps dans notre courrier sont des enseignantes. Ce n'est pas un hasard : il ne les dévalorise pas professionnellement. Un professeur reste un professeur quel que soit le nombre d'heures de cours qu'il donne. Il faut avoir cette particularité en tête en lisant la lettre suivante, bien séduisante au demeurant :

J'ai 50 ans et je travaille moins qu'il y a, voyons, quinze ans. J'ai obtenu un demi-service d'enseignement. C'est bon. L'après-midi, je rentre à la maison, je suis seule. Quel calme! Qu'est-ce que je fais? D'abord, je vis mieux, parce que je ne suis plus pressée. Lorsqu'il y a un rayon de soleil, je vais chercher mon livre ou mon ouvrage et je viens m'installer juste devant la fenêtre, en cherchant le meilleur angle de lumière. Et je sais qu'il est merveilleux de pouvoir faire cela. Parce qu'auparavant, n'est-ce pas, avec trois enfants, les cours à préparer, les copies... Je pensais trop souvent au rocher, vous savez, ce rocher que Sisyphe remonte indéfiniment. Jamais fini, jamais...
J'aime beaucoup mon travail d'enseignement. Je l'aime mieux maintenant. Il faut trouver son rythme. Je conclus que souvent le travail est accablant dans la mesure où il prend trop de notre temps *(O. C., 50 ans, professeur, mariée, trois enfants).*

Comment trouver ce bel équilibre quand il faut gagner sa vie, dans un monde où plus de trois travailleurs sur dix (40 % des habitants de communes rurales, 37 % des 35-49 ans) sont obligés de faire des heures supplémentaires ou d'exercer un second métier pour survivre ou, peut-être, pour ne pas être en reste et atteindre le niveau de vie de leurs voisins?

Si le travail à mi-temps reste une illusion, que dire du travail à plein temps? Sinon :

Je trouve scandaleux que, quarante ans après 1936, tant de gens travaillent plus de quarante heures par semaine, sans compter les heures de transport.

Comment s'étonner que, pour eux, le temps de loisir soit trop souvent exclusivement celui du repos compensateur ou, au mieux, de la distraction? *(Colette B., éducatrice spécialisée, mariée, un enfant).*

Cet idéal des quarante heures est en effet loin d'être atteint aujourd'hui.

Si dans l'opinion des contempteurs de notre société nous travaillons tous de moins en moins pour nous amuser de plus en plus, la réalité, telle qu'elle ressort de statistiques officielles [1], est beaucoup moins gracieuse... La durée moyenne hebdomadaire du travail s'élève à quarante-sept heures pour l'ensemble de la population active. De cette moyenne émergent deux maxima : les agriculteurs-exploitants qui disent travailler près de soixante heures par semaine et les patrons de l'industrie et du commerce dont la durée hebdomadaire de travail est proche de cinquante-six heures. On remarquera que ceux qui travaillent le plus (agriculteurs-exploitants et patrons de l'industrie et du commerce) sont aussi ceux qui jouissent de la plus grande liberté de choix dans leur horaire de travail.

Ceux qui approchent le plus des quarante heures idéales sont les cadres moyens et employés (quarante heures exactement), les cadres supérieurs et professions libérales (quarante-deux heures).

Les employés et cadres moyens avec leurs quarante heures hebdomadaires prouvent que moins un travail est riche en initiatives et en responsabilités, moins les travailleurs consentent à y passer de temps... et plus il est mal rémunéré.

Qui s'en étonnera? Ce sont les ouvriers qui accumulent les inconvénients : durée de travail égale à quarante-cinq heures, horaires contraignants, travaux pénibles... et salaires inférieurs.

On notera que les cadres supérieurs et les professions libérales ne travaillent que quarante-deux heures par semaine. Ce chiffre fera sans doute sursauter ceux qui appartiennent à ces catégories socioprofessionnelles (les médecins, certains salariés, chefs d'entreprise...) et qui subissent des rythmes de travail beaucoup plus intenses... Une moyenne est toujours un peu injuste car elle est par définition un compromis qui ne rend pas compte des situations extrêmes. Ces catégories comprennent aussi un certain nombre de salariés à haut niveau de revenus et à faible activité professionnelle... Mais chacun, s'il est honnête, conviendra que dans l'ensemble ces cadres supérieurs et membres des professions libérales ont reçu la meilleure part : gagnant bien leur vie pour un temps de travail certes

1. *Pratiques culturelles des Français*, op. cit.

supérieur à celui de leurs subordonnés mais encore inférieur à celui des ouvriers, exerçant des métiers attachants et qui leur valent une certaine considération, ne sont-ils pas les privilégiés d'une société que l'on dirait faite à leurs mesures?

Certains le laissent volontiers entendre, comme le jeune cadre dynamique et content de l'être qui nous a déclaré[1] :

Je suis responsable de publicité et de promotion dans une entreprise multinationale et j'ai décidé une fois pour toutes de mélanger ma vie professionnelle et ma vie privée. Une bonne partie de mon travail est un travail de réflexion et on ne choisit pas le lieu où l'on réfléchit. Il faut dire aussi que les vacances ne sont plus un besoin, c'est devenu un phénomène social qui crée une perturbation dans le cadre du travail. Personnellement, les vacances me gênent à des degrés divers, mais disons surtout en ce qu'elles « cassent » le rythme du travail.

Ce n'est pas vexant pour votre famille ce que vous dites là?

Non. Je sais bien que travailler le samedi matin, tard le soir et tôt le matin, est quelquefois une échappatoire pour des gens qui s'ennuient chez eux. Ce n'est pas mon cas et je l'affirme très clairement, mais c'est quand même un phénomène qui existe.

Cela dit, je ne pars jamais plus de trois semaines parce que je trouve que c'est trop. Je préfère avoir la possibilité de morceler, de m'arrêter quand j'en ai envie. C'est une forme de liberté. Pendant ces périodes, je ne réfléchis pas uniquement aux problèmes de la firme, mais tout ce que je fais ou que je vois me ramène forcément, à un moment donné, à mon travail qui comporte d'ailleurs une partie intellectuelle et artistique.

Si j'étais écrivain, il serait tout à fait normal que je sois préoccupé en permanence par ce que je vais écrire. Pour moi, c'est la même chose.

Êtes-vous préoccupé par la marque que vous avez à promouvoir, par la victoire commerciale?... Est-ce un jeu? ou est-ce plus important qu'un jeu?

Si je considère que tel article mérite d'être diffusé, j'en fais « ma chose ». De toute façon, je ne suis pas intéressé aux bénéfices. Personnellement, je n'ai pas à juger le produit. Mon rôle est

1. Interview recueillie par G. Salachas.

d'essayer de faire parler le plus possible de ce produit. Oui, dans ma profession, il y a une règle du jeu. J'ai quand même une vie normale et je consacre un certain temps à mes enfants, à ma famille.

On admet parfaitement qu'à la campagne le fermier mélange sa vie professionnelle à sa vie privée. Ça fait un tout. Pour moi c'est pareil.

Il se trouve que je vis dans un cadre qui me convient, dans une entreprise qui me convient. Je souhaiterais que ce soit la même chose pour tout le monde. Je suis arrivé à cet équilibre. C'est quelquefois un peu envahissant, c'est vrai, j'ai parfois envie de décrocher. Mais c'est une tentation que tout le monde ressent. Il y a parfois des moments de découragement où l'on se demande : à quoi bon travailler pour les autres?

Est-ce que vos préoccupations professionnelles ont une influence sur votre vie familiale?

Cela, effectivement, a été un problème, notamment au début de mon mariage, mais j'ai eu une conversation avec ma femme et on a mis les choses au point.

Je ne suis pas mal rémunéré, je trouve normal de justifier mon salaire. Quand on connaît le salaire d'un mineur ou d'un éboueur, on se sent gêné. C'est peut-être la raison pour laquelle j'essaie d'en faire le plus possible.

J'ai donc eu une conversation avec ma femme et je lui ai dit qu'il n'y avait que deux solutions : ou je travaille au maximum pour obtenir un certain salaire et le confort qui en découle, ou je fais un métier tranquille, moins bien rémunéré, moyennant quoi je serai là tous les soirs à 6 heures, ainsi que le samedi et le dimanche et la vie familiale sera peut-être plus accomplie, seulement il y aura des différences à d'autres niveaux.

Donc, au départ, nous avons adopté une règle du jeu et tout le monde l'accepte.

Il arrive aussi que ces privilégiés jettent un regard derrière eux, mesurant le temps qu'ils ont donné au travail, et soient saisis de vertige :

Ingénieur d'affaires, j'ai été et je suis encore très accaparé par mes activités professionnelles. Ai-je cru (étant sorti du rang et d'un milieu social modeste) que c'était là la vraie vie? A la réflexion je ne crois pas avoir été sensible aux charmes de la réussite sociale, mais je constate avec le recul de l'âge (j'ai 52 ans) que si mon travail n'a pas dévoré totalement ma vie, il a, du moins, consommé le meilleur de mon temps.

M'interrogeant maintenant sur sa finalité (je suis dans une entreprise privée qui est une bonne entreprise), je constate avec un peu d'amertume, en dépit de certaines satisfactions, que j'ai été « floué ». Dans notre système de relations économiques, les activités professionnelles ne sont trop souvent que des supports et des prétextes pour gagner de l'argent et je suis moi-même devenu machine à en fabriquer. Bien sûr, j'en profite et j'en consomme, mais où est-il le rêve désintéressé de mes 20 ans?

La « vraie vie » peut-elle se nicher là? Je reconnais tout de même que parfois elle s'y faufile par les quelques vrais contacts humains qu'elle m'a permis de nouer, par les voyages et les découvertes qu'à cette occasion j'ai pu faire, par l'autonomie relative que mon travail m'a procurée.

J'essaie actuellement de casser le rythme de mon travail et d'en évacuer les relents une fois le bureau quitté pour trouver davantage de moments de liberté, pour trouver le temps qui me fait défaut et dont j'éprouve le manque : celui de me recueillir, de rêver, d'admirer, de partager, d'aimer quoi! C'est un peu ingénu comme programme, vous ne trouvez pas? *(A. L., 52 ans, ingénieur d'affaires, Clamart).*

Un lieu de rencontre?

« *Nouer quelques vrais contacts humains* », concède ce correspondant. Il n'est pas seul à penser que le travail est un lieu de rencontre et d'amitié. Sur ce point, les Français ne sont pas loin d'être unanimes : 76 % voient dans le travail une occasion de rencontrer des gens; 69 % vont jusqu'à penser qu'il offre la possibilité de se faire des amis; 67 % considèrent d'ailleurs qu'ils ont « des relations confiantes » avec leurs collègues...

On ne peut cependant passer sous silence la minorité non négligeable qui, mal à l'aise dans son travail, n'y trouve même pas un climat de bonne camaraderie ou, pis encore, s'estime victime des « petits chefs », des

163

tracasseries, des querelles mesquines. Il y a plus d'un Parisien sur trois, presque autant de gens de 25 à 34 ans, qui n'ont pas la satisfaction de se faire des amis grâce au travail... Un petit quart (23 %) des habitants des grandes villes n'ont pas de bonnes relations avec leurs collègues.

> 45 ans, célibataire, je vis seule et traite les dossiers d'Allocations familiales de Nantes. Travail en soi intéressant, mais conditions de travail étouffantes : ordres et contrordres, sans possibilité de discussion tellement la hiérarchie est lourde, les bureaux surpeuplés, donc bruyants; par ailleurs, j'habite en pleine ville une rue bruyante, très polluée, sans un arbre *(Paulette G., employée, Nantes).*

La lettre suivante est assez caractéristique des contradictions qui agitent nos contemporains quand ils s'interrogent sur leur travail : ils sont bien obligés de lui reconnaître quelques qualités puisqu'ils s'identifient à lui; et, en même temps, ils accumulent à son égard rancune et amertume :

> Durant mon travail, je passe de bons moments : mon activité professionnelle m'oblige à prendre des initiatives (recherches diverses), à aller vers les autres : contact direct ou téléphonique avec la clientèle de mon entreprise, une société comptable. Mon travail n'est donc pas monotone en soi. Mais je me heurte au manque d'autonomie que j'ai dans l'organisation de ce travail. A proprement parler, je n'ai pas de responsabilité : tout ce que je réalise par moi-même doit être signalé au responsable hiérarchique qui, volontairement, limite mes moyens d'action. En fait, je fais partie d'une équipe de travail et suis contrôlé de façon permanente par le « CHEF » *(sic).* Cette surveillance rend certains moments pénibles, résultant de la fatigue intellectuelle et des tensions existantes entre les collègues de travail. Malgré tout, il y a une bonne ambiance de travail au niveau des collègues, mais parfois des désaccords ont lieu avec le « chef ».

Ce sont les femmes (80 %) qui apprécient le plus les rencontres et les amitiés de travail. Il leur est moins facile qu'aux hommes de lier connaissance : leur éducation ne les prépare pas à entrer spontanément en relation avec les autres; leur vie familiale les confine souvent dans leur maison. Célibataires, la solitude leur fait peur :

J'ai 30 ans, je viens de franchir une étape, à savoir que je n'espère plus être quelqu'un d'autre qu'une femme libre, sans enfant. Mon genre de vie est maintenant choisi, et non subi, il n'engage que moi et il ne dépend que de moi (exemple : travailler ici ou là, quarante heures ou moins...). Seulement la part de ma vie qui me passionne n'est pas à proprement parler celle du travail. Mon travail m'occupe, me permet des contacts avec l'extérieur que je n'aurais pas ailleurs. Le travail est surtout pour moi le lieu où l'on se fait des amis. Je n'ai jamais réussi à me faire des amis en dehors de l'école, du lycée, de la fac et du travail, c'est-à-dire que mes amis sont des gens que je côtoie beaucoup. Quand les liens géographiques se détachent, les liens se relâchent. Je ne trouve plus rien à dire à ma meilleure amie de classe de seconde depuis qu'elle est mère de famille dans un univers un peu clos *(C. Z., 30 ans, célibataire, Paris).*

Une femme, encore, et qui a passé l'âge de la retraite, trouve dans le travail un antidote au vieillissement :

Je suis veuve depuis 1958, j'ai 68 ans et je suis contente de pouvoir travailler, non pour le gain (que j'apprécie quand même : je n'ai pas de retraite de mon mari), mais pour le plaisir de me sentir encore utile et d'être dans le coup. J'ai la chance d'avoir un métier qui me passionne à cause du contact humain. J'ai surtout des clientes femmes et qui, dans la généralité des cas, me parlent d'elles. Elles sont heureuses de trouver une oreille attentive et, surtout si elles ont des ennuis, elles m'en font part. Si je les écoute, ce n'est pas parce que c'est l'a b c du métier, mais parce que cela m'intéresse, et je me souviens très facilement de leurs confidences. C'est cela qui me fait aimer mon métier. J'ai l'impression de moins vieillir *(Mme S. A., représentante, Saint-Étienne).*

Fantasmes de femmes avides de bavardages? Elles ne sont pas seules en tout cas à rechercher grâce au travail un peu de chaleur humaine. Encore que, dans le cas suivant, il s'agisse plus du spectacle des autres (et quels autres!) que de véritables relations...

Mes fonctions de concierge de nuit dans un palace de Nice exigent ma présence pendant soixante heures durant une semaine et soixante-douze heures durant une autre; et ceci dans les quatre semaines et demie du mois. Mon travail, ou ma présence, s'échelonne de 20 heures à 8 heures; une semaine j'ai un jour de repos et une autre deux. Je dis présence car nous ne prétendons pas effectuer un travail continu pendant douze heures. Il y a des heures creuses, qu'on appelle dans l'hôtellerie heures d'équivalence, où nous sommes censés nous reposer tout en étant présents et à la merci de tout événement. Or, dans un palace il y a toujours un va-et-vient continuel, ce qui compromet le prétendu repos. A ceci, il y a certains avantages : celui qui permet de lire, d'écrire et de connaître davantage les langues étrangères, condition essentielle dans la profession hôtelière.

Nonobstant cela, j'aime mon emploi parce qu'il est vivant et qu'il permet de côtoyer toutes sortes de gens, d'une classe plutôt aisée et de nationalités différentes, ainsi que pas mal de personnalités du monde politique, artistique et littéraire *(Gaëtan T., 61 ans, concierge de nuit, Nice).*

S'il est réconfortant de savoir que 67 % des Français ont le sentiment d'avoir, dans le cadre de leur activité professionnelle, de bonnes relations avoir leurs collègues, il est plus inquiétant de voir nos contemporains compter autant sur leur travail pour se faire des amis et connaître des gens...

Le travail serait-il dans notre société le seul lien de rencontre et d'amitié? Les jeunes eux-mêmes que l'on imagine plus aptes que d'autres à lier connaissance au hasard des routes et des rues, et qui sont nombreux à contester l'intérêt de leur travail, admettent massivement qu'il est l'occasion de rencontrer des gens (77 %) et de se faire des amis (63 %).

Où et quand, hors du travail, nos contemporains peuvent-ils lier connaissance? Dans l'action politique ou syndicale? On sait que les militants sont une toute petite minorité... L'appartenance à une religion. La pratique religieuse réunit ceux qui partagent la même foi, mais elle va rarement jusqu'à en faire des amis, en dépit des tentatives de plus en plus nombreuses pour former des petits groupes, des communautés restreintes où l'on s'efforce d'ancrer la vie spirituelle dans une connaissance mutuelle et une fraternité... La vie citadine, loin de renforcer les solidarités de quartier, d'immeuble, isole les familles et les individus. Comment s'étonner dès lors que le travail apparaisse comme un « rassembleur », un lieu de communication même superficielle qui sauve de l'anonymat et de la solitude?

Un peu moins de trois Français sur dix (28 %) est membre d'une o plusieurs associations, clubs ou organisations artistiques, culturelles, sportives, religieuses, politiques, syndicales ou autres [1].

D'après un sondage de la SOFRES-*Nouvel Observateur* [2], ce sont les syndicats (24 %), les associations de parents d'élèves (17 %) et les clubs sportifs (16 %) qui rassemblent le plus d'adhérents. La défense de l'environnement et celle des consommateurs ne rassemblent, d'après ce sondage, que 4 % de membres actifs. Le bruit fait autour de ces deux thèmes ne semble donc pas avoir atteint les profondeurs de la population française... Il suffit de ces quelques chiffres pour comprendre que nos concitoyens n'ont pas la fibre associative très développée. A la différence des Américains, par exemple, ils auraient plutôt tendance à se méfier de toutes ces organisations, à les soupçonner d'inefficacité, quand ils ne les accusent pas ouvertement d'être manipulatrices, téléguidées par des puissances occultes, au service d'intérêts déguisés, etc.

Travail ou loisir?

Quelle part de votre vie vous passionne davantage : la part réservée au travail ou celle qui vous reste après le travail? avions-nous demandé aux lecteurs de *Télérama*.

Le sondage posait la même question en des termes un peu différents :

1. Le matin quand vous pensez à la journée qui vous attend, qu'est-ce qui la rend agréable : plutôt votre travail? Plutôt les moments hors du travail?

2. Après un week-end, est-ce que vous avez plutôt tendance à retrouver votre travail avec plaisir ou à penser à votre prochain week-end?

Là surtout, deux groupes sensiblement égaux s'affrontent tant dans le courrier que dans le sondage : ceux qui aiment assez leur travail pour le retrouver avec plaisir et ceux qui s'accrochent à la bouée de sauvetage des « bons moments » arrachés au travail.

Chaque matin, en pensant à leur travail, 41 % des Français imaginent des moments agréables; 40 % préfèrent, pour se donner du courage, penser à leur temps libre. La forte proportion de non-réponses à cette question du sondage est surprenante : 19 %... C'est peut-être qu'il est difficile, sinon impossible dans certains cas, de reconnaître aussi crûment que le travail auquel on consacre tant d'heures de sa vie ne vous intéresse pas...

1. *Pratiques culturelles des Français,* op. cit.
2. *Le Nouvel Observateur* du 19 septembre 1977.

Parmi ceux qui osent avouer qu'ils préfèrent les « moments hors du travail », on compte plus d'un jeune sur deux (53 %) et plus d'un ouvrier sur deux (52 %).

La deuxième question semble rompre l'équilibre entre les deux groupes : 47 % retrouvent leur travail avec plaisir après un week-end; 32 % seulement préfèrent penser au week-end suivant... Mais, là encore, si l'on examine le détail des réponses, on s'aperçoit que 83 % des plus de 65 ans affirment retrouver leur travail avec plaisir après le week-end!... De quel travail peut-il s'agir? D'un second métier entrepris après la retraite? D'une activité non salariée comme le bricolage ou les travaux domestiques? En tout cas, l'enthousiasme des retraités pour le travail est un phénomène que nous avons déjà rencontré! En revanche, un jeune sur deux (51 %), comme pour la question précédente, et 43 % d'ouvriers arrivent le lundi au travail en supputant les plaisirs des prochains jours chômés...

Quant aux cadres supérieurs, on constate qu'ils sont les plus nombreux (56 %) à retrouver leur travail avec plaisir le lundi matin. Mais ceux de leurs semblables qui n'ont pas répondu à cette question : 20 %! et le petit quart (24 %) qui avoue ne pas être joyeux de reprendre le collier après le week-end, que pensent-ils de leur travail? Qu'en attendent-ils?

Le bilan que ce jeune cadre fait de ses dix années d'activité professionnelle n'est pas entièrement négatif, mais il met en question l'organisation hiérarchique, le goût de l'autorité et du secret chez les dirigeants, l'insignifiance de certaines tâches pourtant flatteuses socialement, et le caractère envahissant du travail :

> Je suis cadre de direction. Depuis dix ans. J'ai 37 ans. Je dirige une « division » de soixante personnes dont quatre cadres. J'ai une « bonne situation », des « responsabilités »... C'est un bon travail.
>
> Mais c'est aussi le téléphone, des appels de Paris, de Lyon, de Nantes, de New York, de Milan, de Londres... à propos d'un sujet et d'un autre et encore d'un autre, alors que celui d'il y a une heure, d'il y a deux jours, d'il y a quinze jours n'est pas encore réglé.
>
> C'est aussi l'interphone souvent en même temps que le téléphone. Le chef direct, le patron ou un autre patron, qui me demande, qui voudrait savoir, qui voudrait me voir, qui s'étonne que... qui ne comprend pas que...
>
> Et puis aussi les déplacements en France, à l'étranger, partir

le soir, coucher dans une chambre d'hôtel, tard, et le lendemain discuter, puis rentrer le soir, par avion, par le train, en voiture, et arriver tard le soir, et apercevoir ou pas ses enfants, et se coucher, et le lendemain recommencer... le téléphone, l'interphone...

Mais c'est aussi les copains qui travaillent avec moi, avec qui je m'entends bien, mais avec qui, hélas!, je discute peu car nous n'avons pas le temps. Ce sont aussi les employés qui sont parfois sympas, mais avec qui notre statut de cadre ne nous permet pas de sympathiser, car la société vit de telle façon, impose une telle forme de relations, que de telles sympathies ne peuvent que rester « platoniques »; et puis d'ailleurs, eux-mêmes, « les employés » (moi aussi je suis « employé », mais on ne le dit pas, avant tout je suis « cadre »), les employés, donc, ne le souhaitent pas. Nous faisons partie pour eux d'un monstre qui a nom DIRECTION, car nous sommes ceux qui disent : « Il faut travailler plus, mieux, plus vite, non, vous ne méritez pas d'augmentation de salaire. Non, nous n'avons pas suffisamment d'argent à répartir. Nous ne pouvons vous en donner. »

Que m'a apporté mon travail? De l'argent. Je gagne bien ma vie. Beaucoup mieux que mon père. Cela me permet le confort, les vacances, ma maison que nous avons achetée l'an dernier et bien sûr qui n'est pas encore entièrement payée.

Mais aussi une certaine réussite personnelle. Je me sens, parce que je n'ai pas mal « réussi », parce que je suis « reconnu » par les autres, plus confiant en moi qu'il y a quinze ou vingt ans, quand j'étais collégien (peu brillant) et étudiant (moyen).

Que m'a enlevé, que m'enlève encore mon travail?

Le temps, ce qui me semble aujourd'hui le seul luxe de l'existence. Le temps de vivre tranquillement. J'ai un rythme de vie propre qui est celui d'un paysan et je vis comme un Parisien qui court dans les couloirs du métro.

Le calme, la paix et la possibilité de penser à autre chose que le boulot en rentrant le soir ou pendant les week-ends. En ayant toujours en tête le problème qui n'est pas réglé, la réunion à préparer, la décision à obtenir (car nous sommes, bien entendu, une société très centralisée et souvent il faut attendre que l'Olympe ait fait entendre sa voix...).

Et l'épouse qui parle et qu'on n'entend pas et qui se lasse de parler dans le vide, et les enfants qui se font « engueuler » tout étonnés quand ils font du bruit (j'ai trois garçons), qui répondent quand on leur demande ce que fait leur papa : « Il fait des réunions. »

Il faut dire que « faire des réunions », cela n'est pas toujours particulièrement « créatif ». Rares sont les moments où j'ai l'impression de « faire » quelque chose. La boîte est tellement grande, les problèmes tellement compliqués, l'Olympe si loin et si peu bavard.

Que sera mon travail dans l'avenir?

Je suis un peu fatigué de tout cela, vous l'avez noté. Aussi, cet avenir, je n'y crois plus beaucoup. Je n'ai plus envie de le construire. Dix ans, cela suffit, je suis passé à côté de beaucoup trop de choses.

Alors, que puis-je espérer?

Il est question que la direction commerciale émigre à Paris d'ici quelque temps. Tout le monde le sait. Tout le monde en parle, mais il n'y a pas de vraie discussion. L'Olympe ne parle pas. Moi, j'ai dit que je ne voulais pas y aller. Les « fastes » de la vie parisienne ne me tentent pas : les transports, la foule toujours pressée, le bruit, les odeurs. Je préfère Grenoble. Alors, en ce moment, je lève un peu le pied, je me mets un peu en réserve. Un peu seulement, car le mouvement est tel que l'on ne peut décrocher trop, sous peine d'être largué complètement. Ce qui me passionne le plus, ce n'est plus mon travail. Je me rends compte aujourd'hui que cela a été pendant dix à douze ans ce qui m'a effectivement passionné puisque c'était ce qui monopolisait l'essentiel de mon énergie vitale. Ma force de vivre, je la consacrais à peu près en totalité à mon travail *(Pierre C., 37 ans, cadre, marié, trois enfants, Grenoble).*

« N'avoir qu'une vie »

Dans notre courrier, ce sont surtout les enseignants qui fournissent le gros du bataillon des avocats du travail. Ils exercent souvent leur métier comme un apostolat.

Maître auxiliaire de l'enseignement privé, cela ne paie pas énormément, mais on a beaucoup de... loisirs. Que je précise aussi que j'aime énormément mon travail, même si cela me rend parfois moins disponible auprès des miens; il y a des soucis syndicaux, les rapports avec les familles et avec les élèves. Je rêve souvent de préparer mes cours (il s'agit d'histoire et de géo), mais c'est utopique : je réalise d'abord mes cours... et, parfois, j'arrive à les mettre au net, mais souvent avec beaucoup de retard. Ce n'est pas grave car ce qui est important, ce n'est pas d'avoir réponse à tout, mais d'avoir « question sur tout »... J'aurais beaucoup aimé être chef d'orchestre : peut-être que Berlioz ou je ne sais qui l'a été un peu à ma place. N'empêche que face à mes cinq fois trente élèves environ le Seigneur n'a trouvé que moi pour l'instant! *(Jean-Marie D., 35 ans, professeur, quatre enfants).*

Un peu plus âgé, mais aussi conscient de sa vocation, ce directeur d'école catholique écrit :

J'ai la chance d'exercer un métier qui me passionne : m'occuper d'enfants. Certes, je préférerais être professeur... mais la fonction de directeur me permet de rester assez proche des enfants. Chance aussi de travailler dans un cadre agréable (l'école est dans un grand parc) avec une équipe de professeurs sympathiques. Ce n'est pas rose tous les jours, mais je ne pars pas le lundi matin en pensant : vivement samedi! Je suis heureux de partir en vacances, sac au dos avec ma femme (nous marchons sur les sentiers de grande randonnée)... Mais je suis heureux aussi, le jour de la rentrée, de retrouver tous ces sourires d'enfants, tous ces regards de garçons et de filles à qui il faut apporter un enseignement certes, mais aussi la confiance et la joie *(Georges D., 53 ans, quatre garçons, Margency).*

La grande chance des enseignants, c'est de pouvoir comme le dit une correspondante :

n'avoir qu'une vie où travail et loisirs, travail et culture surtout se mêlent sans cesse, s'interpénètrent.

Un jeune professeur résume la situation de l'enseignant par ces mots :

Quand je ne travaille pas, je travaille quand même. Je veux dire que j'ai toujours le sentiment de travailler même quand ce que je fais est considéré par les autres comme loisir, voire futilité. Mon travail me passionne au point que la frontière entre le tra-

171

vail et ce qui reste après le travail reste assez floue. Quand je vais lire *le Non et le Oui, la Genèse de la communication humaine* de René A. Spitz, est-ce pour mon travail, ma « culture » (j'ai horreur du mot!), mon plaisir? Quand je parle d'élèves que nous avons en commun avec ma femme ou mes amis, est-ce plaisir, travail... ou « polarisation »? pour emprunter un vocable au jargon des pédagogues?

Parfois mon travail m'ennuie (correction de copies), mais certaines activités du temps libéré m'ennuient aussi (passer l'aspirateur, faire la vaisselle).

Mais je tiens à préciser que je suis un privilégié : mon pouvoir économique, bien que modeste, reste supérieur à celui de bien des Français. La part de temps libéré me permet de m'adonner à de nombreuses activités. Mon métier qui est un travail de relations sied bien à mon caractère tourné vers l'autre *(Alain S., 28 ans, marié, deux enfants, Château-Thierry).*

Les enseignants ne sont évidemment pas les seuls à aimer leur travail, à le placer au centre de leur vie. Tous ceux, intellectuels ou manuels, qui ont la chance d'exercer un métier où ils engagent le meilleur d'eux-mêmes, ont en commun ce sentiment d'unité.

Ainsi l'artisan. Lui aussi est responsable de son travail et relativement libre de l'organiser comme il lui plaît. Il peut juger du résultat de ses efforts, s'évaluer lui-même en regardant son œuvre.

Un travail de création

J'ai le privilège, qui ne devait d'ailleurs pas en être un, de travailler dans un métier artisanal, la ciselure, qui me satisfait assez bien au niveau de la création, de la réalisation et de l'indépendance.

Mais je sais, la ciselure étant un métier en voie de disparition, que je n'accepterai jamais une activité où je ne pourrais pas m'investir à un niveau élevé. Je refuse tout travail sans signification profonde, à savoir des boulots comme la publicité, le marketing qui sont les purs produits d'un système de consommation engendré par le besoin de profit et l'exploitation du désir de créer de toutes pièces des besoins artificiels *(G. D., ciseleur, Sucy-en-Brie).*

172

L'artisanat est devenu pour un certain nombre de nos contemporains, surtout pour les jeunes, la forme de travail rêvée. Ils sont séduits par la liberté, la créativité de l'artisan, sans toujours imaginer les contraintes que celui-ci s'impose pour vivre de son métier.

L'interview suivante décrit une réalité austère. Camille Le Tallec est un céramiste installé dans un vieux quartier de Paris : Belleville.

> Je n'ai jamais de loisir. Le travail de la porcelaine est si varié, si multiple, si lent, il faut tant de temps pour imaginer (je ne fais jamais de copies, uniquement des créations), et décorer, qu'il est impossible de s'occuper d'autre chose. On ne peut exercer ce métier d'art qu'avec passion, car il est très difficile.
> Nous continuons de travailler comme on le faisait en 1780, date de l'apogée de la porcelaine française, avec des crayons et des pinceaux. Non en utilisant, comme à Limoges, par exemple, un système de reproduction par décalcomanie. Ce procédé ne nécessite, pour la décoration d'une assiette, que deux à trois minutes, alors que nous passons huit à dix heures sur la même assiette! Je vis hors du temps, d'un métier qui va disparaître, parce que l'on ne trouve plus de jeunes pour s'y adonner. Il demande un trop long apprentissage, beaucoup de minutie et de conscience professionnelle.

Dix personnes qu'il a formées travaillent chez Camille Le Tallec : un homme et neuf femmes. Neuf femmes qu'il appelle avec un mélange de fierté et de tendresse : ses « filles ». Dans cet atelier qu'il a ouvert, il y a environ quarante-cinq ans, la plus ancienne compte quarante et un ans de présence, la dernière vingt-quatre...

Né à l'endroit même où il a installé son entreprise, Camille Le Tallec ne prend pratiquement pas de vacances :

> Je n'ai jamais mis les pieds hors de France. Le point le plus au sud que j'ai atteint est Limoges. Je n'aime pas les vacances parce qu'elles apportent un plaisir que l'on ne peut prolonger. Dès qu'elles commencent, je pense qu'elles auront une fin et j'en suis malheureux. Pendant la guerre, j'ai toujours refusé de venir en permission, dans la crainte du déchirement de la séparation.
> Je me défie des voyages, comme de tout ce qui est passager. Il me suffit de fermer les yeux pour être à Djeddah ou Guayaquil. Et puis, la vie serait plus supportable sans les plaisirs.

173

Pourtant, s'il l'avait voulu, Camille Le Tallec aurait pu parcourir le monde. De New York à Téhéran, en passant par Londres, Bruxelles et Rabat, ses clients — joailliers célèbres et familles princières — l'ont invité à leur rendre visite; mais à tous les horizons de la terre, il a toujours préféré son coin de Belleville. Pour combien de temps encore? Le plan de rénovation de la capitale prévoit que ce quartier aux allures de « village » doit faire place à des buildings...

> Depuis que je sais que je dois être exproprié, je me suis fixé ici et je n'en bouge pas. Je vis et dors là, au milieu des porcelaines, alors que j'ai une maison d'habitation à Saint-Mandé. Si je quitte ces lieux, ce serait pour aller m'installer en province, car où trouver dans Paris un local de 650 m² pour un loyer abordable? Ce sera aussi la fin de mon entreprise : aucune de mes « filles », toutes parisiennes, ne me suivra.

Camille Le Tallec avoue aimer lire et relire les œuvres de Georges Duhamel, Jules Renard, La Fontaine, Musset, Péguy, Saint-Exupéry. En apprendre les textes par cœur, pour mieux s'en pénétrer. Les réciter pour lui-même, au moment de s'endormir, afin d'exercer sa mémoire, de lutter contre la vieillesse... Et, de confidence en confidence, cet homme, qui assurait n'en avoir aucun, se reconnaît un second loisir : la musique.

> Quand ça va mal, je prends un « bain » de Bach. Je souhaitais être musicien. Ce sont des raisons familiales qui ont fait de moi un porcelainier... D'une manière très naturelle puisque durant toute mon enfance, ma jeunesse, j'ai vécu entre les ateliers de ce quartier. J'ai été en quelque sorte « bercé là-dedans ».

Camille Le Tallec a des idées audacieuses sur la hiérarchie des salaires :

> Il me paraît indispensable qu'il y ait, dans un proche avenir, un renversement des conceptions en matière de salaires. Les plus hauts devraient être ceux de l'éboueur, du manœuvre effectuant un travail pénible, inintéressant, n'apportant aucune joie, aucun épanouissement personnel. Par contre, les médecins, les professeurs, les artistes, tous ceux qui ont pu choisir un métier qu'ils aiment, qui les enrichit intellectuellement ou moralement, devraient admettre que ce privilège vaut plus que de l'or. La logique comme la justice voudraient qu'ils ne soient pas mieux rétribués, sinon moins bien, que l'éboueur ou le manœuvre [1].

1. Interview recueillie par Jeannick Le Tallec.

L'artisanat, s'il a reconquis son prestige aux yeux de nos contemporains, peut-il sérieusement être envisagé comme une solution d'avenir aux questions que les hommes de notre temps se posent à propos du travail?

Un ébéniste tout en sagesse ramène, lui aussi, les rêveurs à la réalité :

> Pour moi, l'équilibre tient dans cette phrase : « Le secret du bonheur n'est pas de faire ce qu'on aime, mais d'aimer ce qu'on fait. » Et une autre phrase : « Un plaisir pour chaque jour. » Ainsi nous ne dénigrons pas notre métier, car il nous fait vivre. Bien sûr, nous pourrions travailler dans de meilleures conditions. Je travaille quarante-huit heures par semaine et suis exposé au froid, au bruit, à la poussière. Je suis ébéniste : pour beaucoup, c'est un métier d'art, hélas! c'est rarement le cas, la technique moderne enlevant toute âme au meuble. Nous travaillons le stratifié et les agglomérés, lourds et salissants. Où est la noblesse du chêne et du noyer sentant si bon? Mais il faut soi-disant vivre avec son temps *(Jean S., la quarantaine, Les Lilas).*

On découvre en filigrane à travers ces témoignages un grand désir de nos contemporains : être crédité d'une œuvre quelle qu'elle soit. Si les enseignants, les intellectuels, les artisans, les agriculteurs sont plus heureux de travailler que les ouvriers, les employés, les commerçants, c'est que leur travail produit une œuvre dont ils peuvent être fiers. Leurs tâches sont créatrices. Jean Rousselet, auteur de *l'Allergie au travail* [1], interviewé pour une enquête sur les jeunes et le travail par *le Quotidien de Paris* (17 juin 1977), dit à ce sujet : *« L'homme a besoin de se retrouver dans une œuvre... S'il peut de moins en moins satisfaire ce besoin dans le travail, il en va de même dans le loisir qui est délassement, repos, récréation, mais pas création. Le remède serait de donner à chacun un moyen d'œuvrer. Certains pourraient le faire dans le travail, d'autres ailleurs. »*

Se savoir utile

A défaut de créer, être utile, rendre service est l'autre justification de la peine que l'on prend à travailler.

1. Éditions du Seuil, 1975.

J'aime la vie. Et ma vie, c'est mon travail et le reste. Je fais partie de cette race privilégiée qui fait un travail qui lui plaît. Le mot même de travail se trouve dénaturé puisque les contraintes qui lui sont inhérentes ne m'apparaissent pas telles. Je suis orthophoniste et passionnée par le langage en tant qu'instrument de communication entre les gens... Encore dans mon lit, le lendemain matin, je me dis qu'aujourd'hui est un nouveau jour *(Béatrice, 22 ans, orthophoniste, célibataire, Paris).*

J'ai choisi un métier qui allait, je le savais, m'accaparer en me passionnant. Je suis devenue infirmière. Mon travail ne m'est pas une contrainte et j'y vois souvent des motifs de perfectionnement constant. Chasser la routine et apprécier le changement sont aussi dans ma vie des leitmotive coutumiers : j'ai un grand besoin de m'extérioriser pour palper ce que m'offrent les autres (société, collègues, amis...)... Les mois et les années passent en se demandant si on n'est pas en train de passer à côté de l'essentiel. L'essentiel est pour moi très simple : aller de découverte en découverte, grâce aux autres et par les autres *(Bernadette, 25 ans, infirmière, célibataire, Paris).*

Ceux qui exercent des métiers de création, ceux qui ont le sentiment de faire œuvre utile en travaillant peuvent être, selon le mot d'une correspondante, « valorisés » par le travail. Mais tous les autres, ceux qui n'ont rien choisi et dont le labeur n'est qu'une suite de gestes sans signification, sans valeur, ou pire encore, ceux qui s'estiment complices d'un ordre social injuste?... Ceux qui écrivent :

Quand je ne travaille pas, je vis... Je me suis sentie, souvent, perdre ma vie pour la gagner. Et j'en ai été, physiquement, psychiquement malade *(Jacqueline F., 50 ans, secrétaire, divorcée, trois enfants, Paris).*

Ceux-là exhalent contre leur travail une rancœur qui surprend plus encore quand elle vient d'un homme mûr et... d'un « chef ».

Voici bien longtemps que j'ai envie de m'exprimer sur le travail parce que cela fut toujours pour moi une contrainte, et que, les années passant, je réalise l'absurdité de la chose à laquelle la plus grande partie de notre vie est consacrée (sans doute n'ai-je pas trouvé ma voie, mais combien la trouvent?).

Je suis cadre comptable, chef même, mais voici un mot qui me gêne. Et qui me fait me poser des questions : l'autorité que je suis censé exercer, je la détiens de qui ? en vertu de quoi ? Ceux qui sont sous mes ordres, ils valent la même chose que moi. S'ils sont à leur place et moi à la mienne, c'est seulement une question de chance, d'âge, de pot tout simplement !

A part ça quoi de plus stupide, de plus inutile, que cette vie qui aura été consacrée à mettre des chiffres sur du papier (ou à les faire mettre, on est chef ou on ne l'est pas !) pour rien. Le rôle que j'exerce consistant en effet à rendre pas trop mauvais les chiffres qui le sont (à cause des banques) ou pas trop bons les chiffres qui le sont (à cause du fisc). Donc un travail idiot et inintéressant. Mais au moins, apparemment, pas nuisible. C'est déjà beaucoup. Car je connais quelqu'un qui est cadre dans une usine à poulets (et oui !) et à qui il arrive de vendre, en toute connaissance de cause, des volailles... avancées. Faut bien que le personnel vive... Et voilà où nous en sommes. Cela peut-il encore durer ?

Toute l'activité humaine est dirigée vers un seul but : LE FRIC. C'est ce que j'entends dans des réunions où l'on projette l'avenir de l'entreprise (avec couplet habituel sur la grande famille, le bateau sur lequel nous sommes tous embarqués, etc.). C'est là qu'on trouve les causes des difficultés financières. Ce sont :

— les salaires (surtout ceux des ouvriers),
— les charges,
— les étrangers,
— les chômeurs (qui le sont parce qu'ils le veulent bien),
— l'État (à cause des impôts), mais par contre on voudrait bien qu'il aide un peu les entreprises (comprenne qui peut cette contradiction).

A part ça, bien sûr, on ne lésine ni sur les voitures, ni sur les notes de restaurant, ni sur les déplacements de messieurs les dirigeants. Et on écoute, et on ne dit rien : parce qu'on n'ose pas ! On se sent drôlement moche, hélas ! Voilà, j'aurais sans doute beaucoup à dire encore sur ce sujet, entre autres que le travail entretient et favorise l'instinct de lutte et de domination, augmente et institue la domination de quelques *happy few* sur la masse, que c'est le domaine du « diviser pour régner », que c'est en un mot l'image même de notre société décadente.

Il est donc facile de déduire de ce qui précède que ma vie professionnelle ne me passionne pas. Sauf, en de trop rares occasions,

les contacts humains que j'y peux trouver. Cela justifie une partie du temps très important que j'y consacre. Et il faut bien ajouter que l'argent que je gagne me permet certains moments agréables!... Bien sûr.
Ces propos sont quelque peu décousus et surtout donnent, me semble-t-il, une impression de solitude. Ce qui n'est pas réel mais prouve, si besoin est, à quel point le travail est devenu envahissant et bouffeur de vie *(Charles D., 53 ans, comptable, marié, Limay).*

Le travail « inutile », ou ressenti comme tel par celui qui l'exécute en aveugle, devient peu à peu le plus lourd des fardeaux :

Il y a longtemps que j'ai rédigé dans mon esprit, un peu pêle-mêle, cette lettre que j'écris aujourd'hui. Chaque matin quand il faut se lever et « aller travailler » (!), ce n'est pas facile. Oh! je ne suis pas en usine, je ne fais pas les 3 × 8, je ne travaille pas à la chaîne. Je suis tranquillement assise derrière mon bureau, huit heures par jour. Alors, pourquoi se plaindre? Ce n'est pas une plainte, mais une grande amertume. Pendant huit heures par jour, je rédige des lettres, encore des lettres, dans des formes un peu préétablies, des lettres adressées à de pauvres gens, à des gens jeunes et vieux, désemparés devant leurs difficultés maté-rielles et sociales. Je sais pertinemment que 95 % de ces lettres et de « mes » réponses sont sans effet et n'apportent aucun remède au désarroi de mes correspondants. Les 5 % qui restent, peut-être, parfois sont-ils véritablement utiles. Je me le demande... Quant à moi, je perçois un traitement mensuel de 1 700 F, douze mois par an, pour rédiger, rédiger, rédiger!... *(Anne-Marie R., 35 ans, mariée, Vannes).*

Sans hargne, mais aussi sans joie, le correspondant suivant, âgé de 27 ans, originaire de la campagne, est un bon exemple de l'état d'esprit d'une partie des jeunes. Il ne trouve pour qualifier son travail que des attributs négatifs. Ce n'est qu'un gagne-pain. Ainsi s'établit entre un homme et son métier une sorte d'état de non-belligérance qui n'est évidem-ment pas la paix.

La part de ma vie qui me passionne le moins est bien celle que je passe au labeur. Cela s'explique en partie par le fait que mon travail ne représente rien d'autre pour moi qu'un moyen de gagner un peu d'argent, ce qui n'est pas très heureux, j'en conviens, mais dans les conditions de vie actuelles il m'est difficile d'agir différemment. Je continue ce métier car il n'est pas trop contraignant et il ne va pas trop à l'encontre de mes opinions. Il ne m'impose pas des conditions de vie ni des horaires trop artificiels et n'altère pas trop ma santé... Il est à peu près certain que je refuserais d'exercer un métier qui, indirectement ou directement, nuirait aux hommes, aux animaux, à la nature ou à moi-même, préférant à cela ne rien faire, avec les risques que cela comporte. Par contre, quels beaux métiers que ceux qui aident les hommes, les animaux ou la nature!...

Contrairement à beaucoup de mes collègues, je ne me réalise pas dans mon travail. Je n'en tire jamais de fierté. Ce n'est pas un moyen d'expression. Je le fais du mieux que je peux, car on me paie pour cela, mais c'est sans enthousiasme. Malgré mes efforts, je suis persuadé de ne travailler qu'à 60 % de mes moyens et avec beaucoup de peine. J'ai souvent vérifié cela en « observant » ma mémoire; par exemple, j'ai des difficultés à retenir les « choses » qui me passionnent et elles ne manquent pas.

Mon rêve serait d'exercer un métier qui défendrait la vie, sous toutes ses formes. Ah! que d'ardeur alors je mettrais dans ce travail!... *(José S., 27 ans, employé de commerce, Bègles).*

Changer de métier?

Alors, changer de métier, réparer une erreur d'orientation? Pour de nombreux jeunes mal informés, mal orientés, pressés de gagner leur premier argent, le travail a été un piège auquel ils se sont fait prendre par inexpérience, par ignorance, ou timidité... Expérience qui n'engendre qu'amertume et découragement.

Quand on ne se sent pas à l'aise dans son métier, quand on ne se sent pas à sa place dans l'ambiance qui y règne, quand on s'aperçoit à 33 ans qu'on aurait aimé faire autre chose, quand on se dit que la vie commence lorsque finit la journée de travail, on ne peut que se sentir concerné par votre enquête et on s'étonne (agréablement) qu'enfin de telles questions nous soient posées... Le travail, sa routine, ses mille gestes répétés, toujours les mêmes, où il ne se passe jamais rien d'imprévu et où l'on se demande parfois si l'on sert vraiment à quelque chose.

Depuis l'âge de 15 ans, je suis postier (sans gloire) et je pense, aujourd'hui que je sais situer mes désirs, que la fonctionnarisation a peu à peu paralysé mon courage. Changer de métier, tenter une autre aventure, j'aurais, bien sûr, pu essayer avec du courage et de la volonté. Mais peut-on engager l'avenir des personnes qui dépendent de soi, des enfants par exemple? Tout cela pour « se réaliser »? A 15 ans, on entre dans la vie active et on « choisit » un métier. Tant pis si on s'est trompé, il n'y a pas de corde de rappel et l'administration avec ses avantages aux petits fonctionnaires vous ligote proprement. Dois-je traîner pour autant ma rancœur? Suis-je bien certain que dans un autre domaine j'aurais réussi? *(Francis P., 33 ans, postier, Lateste).*

Une chimiste de 42 ans, qui avait pourtant « choisi la chimie par vocation », fait écho à ce postier désemparé :

Ayant encore au moins vingt ans à travailler, l'idée de rester huit heures par jour sans motivation m'est insupportable. Depuis trois ans j'ai envisagé de me reconvertir : tous les secteurs de l'économie sont bouchés et il me restait la possibilité de m'intéresser aux conditions de travail. Je suis, depuis ce temps, les cours du soir, au Conservatoire national des arts et métiers, du cycle Ergonomie : trois soirs par semaine de novembre à mai, avec examens en fin d'année scolaire. Il m'est très difficile de dire à quelle part de ma vie appartient cette occupation. Si je savais que je dois rester encore vingt ans là où je suis, j'en aurais une grave crise de désespoir. Pour l'instant, je ne vois pas l'issue heureuse de mes cours : les conditions de travail n'en sont qu'aux balbutiements et si les Français exigent la qualité de la vie dans leur travail, il y aurait un grand bon en avant à faire, mais cela ne peut se faire dans une société où le profit régit tout *(Marie-Claude M., 42 ans, chimiste, célibataire, Villeurbanne).*

Permettre à ceux qui s'étaient trompés de changer de métier, c'était à l'origine, et dans l'esprit de ses promoteurs, une des justifications de la loi sur la formation permanente. Ce n'était pas la seule : on insistait beaucoup à la Commission interministérielle, créée par Jacques Chaban-Delmas et dirigée par Jacques Delors, sur la nécessité de distinguer dans l'application de cette loi entre la formation professionnelle et la formation permanente. Cette loi était une chance nouvelle et insolite offerte aux salariés : celle d'étudier ce qu'ils n'avaient pu apprendre à l'école ou dans leur vie d'adultes, faute de moyens, faute de soutien, faute d'incitation... Le champ des possibles était largement ouvert et non limité au travail professionnel. Toute formation était acceptable, de l'étude du chinois à celle de la danse classique ou de la comptabilité.

Mais, sous la pression discrète et efficace des employeurs, l'application de la loi en a trahi l'esprit : la formation permanente s'est limitée à la formation professionnelle. Faute de temps, faute d'information, les salariés n'ont pas saisi l'occasion qui leur était offerte.

Et les classes dirigeantes, conscientes du risque que contenait cette idée, aussi révolutionnaire en son temps que celle de l'instruction laïque, obligatoire et gratuite, n'ont rien fait pour développer et populariser une loi qu'elles n'avaient pu empêcher; elles l'ont détournée à leur profit.

Six ans après le début de cette expérience, la formation permanente bénéficie surtout aux cadres qui suivent avec scepticisme les nombreux « séminaires » organisés par leurs employeurs.

La « formation permanente » a un rôle à jouer : donner à l'homme la possibilité d'évoluer dans son métier et d'en changer si nécessaire. Mais aussi, et surtout, elle doit lui permettre de se cultiver tout au long de sa vie en supprimant la barrière entre des études (parfois réduites au minimum) et une vie professionnelle contraignante; elle doit lui ouvrir l'accès à la culture et au loisir.

Or, force est de constater que ces objectifs sont loin d'être atteints pour plusieurs causes :
— les textes des lois sont fort complexes et restrictifs,
— les structures ne sont pas toujours adaptées aux besoins,
— les possibilités sont très variables selon le secteur, l'activité, les régions, les métiers et les entreprises.

Certains établissements privilégient la formation des cadres et certaines catégories de personnel ne prennent pas toujours en considération l'effort personnel fourni par des employés qui suivent des cours sur leur temps de loisir et à leurs frais.

A l'issue d'un stage de promotion, l'entreprise ne dispose pas toujours d'un emploi correspondant à la nouvelle qualification acquise, amenant le salarié à changer d'entreprise sans garantie de ses ressources.

Mais plus regrettable encore est le manque d'information des salariés à l'intérieur des entreprises quant aux possibilités offertes; d'autant plus que cette carence est parfois imputable aux délégués syndicaux qui ne sensibilisent pas les travailleurs à ces problèmes fondamentaux ou, même, ignorent les modalités d'application *(René M., 35 ans, employé, Lyon).*

On ne saurait dire non plus que les partis de gauche se soient mobilisés pour faire appliquer avec vigueur cette loi sur la formation permanente, en faire respecter l'esprit ou même en faire éclater les limites. Il est vrai que c'était une initiative de leurs adversaires...

La lettre suivante, en revanche, se fait l'écho, plus ou moins fidèle, d'une idéologie socialiste, au sens large du terme. Est-il certain pourtant, que ce travailleur, une fois abolie la société capitaliste, trouverait son travail plus intéressant, son patron, quel qu'il soit, plus généreux et ses clients plus chaleureux?

Le travail à mes yeux constitue une obligation oppressante qui nous est imposée pour vivre, hors du travail, par l'existence possible. Cela amène à mesurer le sens de la phrase : perdre sa vie à la gagner...

J'exerce la profession de préparateur en pharmacie. Cette profession est soumise au bon vouloir d'un patron, le pharmacien, comme le sont tous les employés des petites entreprises. Elle souffre de nombreux retards dans les avantages sociaux : inexistence de deux jours consécutifs de repos hebdomadaire, donc jamais de week-end, horaires difficiles (surtout pour les femmes), absence le plus souvent de cinquième semaine de vacances, exploités, salaires médiocres, la convention collective de la corporation étant limitée à des progrès ridicules, face à l'intransigeance réactionnaire du patronat.

Ajoutons à cela la soumission à la médiocrité des gens, plus évidente hélas, au contact d'une clientèle, que l'établissement de réelles relations humaines. Profession choisie à l'adolescence et qu'on a malheureusement tout le loisir de regretter ensuite. D'aucuns auront trouvé un équilibre dans leur activité professionnelle et auront fait de leur « progression sociale » un but dans la vie. On le fait difficilement quand on conteste cette société oppressive, égoïste et soumise à l'argent où l'on ressent profondément le blocage de la communication entre êtres humains, l'agressivité endémique et le mépris des aspirations à la vraie liberté. De ces tares de la société capitaliste et industrielle qui est la nôtre, découle à mes yeux le travail qu'elle nous impose, abrutissant, monotone, souvent vide de sens, répétitif, dominé par le profit à tout prix, soumis à l'exploitation des possédants *(Jean-Paul B., préparateur en pharmacie, Rueil-Malmaison).*

Le divorce entre un nombre chaque jour plus grand de Français et leur travail n'a pas échappé aux patrons. L'absentéisme qui en est la conséquence visible est la bête noire des chefs d'entreprise. Aussi ont-ils multiplié depuis quelques années les tentatives pour démontrer qu'à l'usine comme au bureau les conditions de travail évoluaient vers plus de liberté, plus d'initiative, une meilleure information : horaires souples, équipes autonomes, enrichissement des tâches, participation des salariés à la vie de l'entreprise, usines à la campagne, etc. Autant de tentatives passionnantes mais qui restent des expériences, des produits de vitrine. Pour renverser le mouvement qui détache les travailleurs de leur travail, il faudrait plus que ces essais de laboratoire.

Autre preuve que rien ne va plus comme avant dans le monde du travail : la création en 1976 d'un secrétariat d'État à la condition des travailleurs manuels. En France, quand un problème devient aveuglant pour le pouvoir, le président de la République crée un secrétariat d'État... Celui-là n'a jusqu'à présent à son actif qu'une campagne pour la « revalorisation du travail manuel » qui ne semble pas avoir mobilisé les foules. Les affiches qui exaltaient la dignité du travail manuel, dans le style habituellement utilisé pour vendre des voitures ou des lessives, ont fait la joie des humoristes, mais pas celle des gens touchés par le chômage et le blocage des salaires.

Exalté par les uns, contesté par les autres, accompli avec amour ou subi dans la grogne, le travail suffit de moins en moins à remplir la vie de nos contemporains.

Si tous sont conscients qu'il est une nécessité absolue, le moyen de gagner sa vie, ils sont de plus en plus nombreux à réclamer davantage : plus qu'un salaire et même qu'un bon salaire... Certains tentent de chercher ailleurs les satisfactions et les significations qu'ils ne trouvent plus dans le « devoir d'État »...

> Il est bien évident que si mon travail m'intéresse, il ne représente pas la partie la plus passionnante de ma vie ! J'ai coutume de dire (mes collègues et mon entourage le savent) que mon existence commence lorsque je quitte le CES. Bien sûr, j'aime mon métier, mes élèves et j'ai la chance d'avoir des collègues sympathiques avec lesquels j'ai des relations agréables (certains sont devenus mes amis). Mais la part de ma vie qui me reste après le travail est de loin la plus riche. Je dois toutefois préciser que, s'il en est ainsi, ma profession y est pour quelque chose. De toute manière, je ne m'ennuie jamais et lorsque je prendrai ma retraite (dans deux ans et demi), je n'aurai que l'embarras du

choix pour me livrer aux occupations qui m'intéressent et que jusqu'ici j'ai seulement effleurées faute de temps. Ma « vraie vie » est celle que je mène... seul, avec ma femme, en famille, ou avec nos amis, mais en dehors de mes occupations professionnelles *(Charles B., 63 ans, professeur de lettres).*

Vive la retraite?

On ne se plaint pas de son travail mais on revit quand on le quitte. On l'oublie facilement, mais on le retrouve avec plaisir. C'est un lieu de rencontres et d'amitié, mais on n'est vraiment bien que seul ou en famille.

Déçu par le travail, on compte sur les loisirs pour donner libre cours à ses possibilités. Mais les loisirs eux-mêmes dépendent de la qualité du travail. Alors on espère la retraite pour faire enfin des choses passionnantes. Mais ceux qui prennent enfin possession de ce temps libre, qu'en font-ils?

La plupart (57 %) n'ont rien entrepris de nouveau depuis qu'ils ont cessé d'être actifs! Quelques-uns (13 %) voyagent [1], d'autres participent à un club du troisième âge, un petit nombre (6 %) consacrent une partie de leur temps à une activité artistique ou culturelle et une infime minorité (3 %) militent dans un parti, une association sociale ou religieuse.

La retraite, alors, un malentendu de plus? Pourtant 16 % seulement des retraités se disent déçus et deux fois plus, exactement (32 %), se trouvent plutôt agréablement surpris. Serait-ce que pour ceux-ci la perspective de la retraite était envisagée avec appréhension?... Mais 43 % — les plus nombreux — ne sont ni déçus ni agréablement surpris. Qui sont-ils? Des philosophes qui se contentent de peu et qui étaient sans illusion sur les charmes de la retraite? Ou des prévoyants qui ont tout préparé pour ne pas être pris au dépourvu?

Les motifs de déception, en tout cas, ne manquent pas. Il y a d'abord les grands maux de l'âge : la maladie (31 %), la pauvreté (36 %) et l'isolement (36 %) dans une assez sinistre égalité. L'inaction (31 %) pèse aussi sur les vieillards qui se sentent au rebut, privés de contact avec les autres.

La retraite ne tient pas, semble-t-il, toutes les promesses qu'elle faisait miroiter...

1. Voir p. 45.

Ce qui frappe, finalement, c'est l'exigence de nos contemporains. Devant les réalités de toujours : travailler pour gagner son pain, vieillir, ils revendiquent quelque chose de neuf. Une plénitude, un épanouissement inconnus jusqu'alors...

Comme s'ils étaient insensibles aux améliorations matérielles (confort, conditions de travail, sécurité, etc.), ils demandent plus sans toujours préciser exactement quoi.

Ils demandent au travail plus qu'il ne peut leur donner. Comme ils demandent trop, sans doute, à la famille.

« Nous sommes l'armée souterraine... »

Dans une lettre par ailleurs sympathique, un jeune père de famille, au détour d'une phrase, écrit en parlant de sa femme : *« Elle a le temps, elle ne travaille pas... »* Formule lourde d'arrière-pensées...

Notre courrier est plein de lettres de femmes qui commencent par dire : *« Cette enquête ne s'adresse pas à moi, puisque je ne travaille pas... »* *« Je n'osais pas vous écrire; étant mère au foyer, je ne me sentais pas concernée par vos questions... »*

Préambules bien surprenants de nos jours. Et révélateurs. A force de leur répéter qu'elles « ne travaillent pas », aurait-on convaincu les femmes au foyer qu'elles devaient se retirer dans leurs cuisines quand on prononce certains mots? Comme, autrefois, elles laissaient les hommes au fumoir, entre eux, parler de politique et... de femmes?

En dépit des exhortations lancées à grands cris par les féministes, les femmes auraient-elles si peu changé? Oui et non. Oui au regard du sondage, où elles ne remettent guère en cause le rôle et la présence de la femme au foyer : si elles n'ont pas assez de temps, c'est pour jouer ou sortir avec leurs enfants (46 %), voir des parents ou des amis (42 %), faire du lèche-vitrine (38 %) ou aller chez le coiffeur (34 %), pas pour militer (15 %). Mais, en même temps, quelque chose de neuf perce dans les lettres que nous avons reçues.

Le courrier est plein des clameurs de mères de famille indignées de l'image que l'on continue à se faire d'elles.

> Je voudrais que l'on cesse de nous considérer, moi et mes pareilles, comme des quantités négligeables. Je voudrais que l'on

cesse de nous corner dans les oreilles que notre travail est obscur et sans noblesse, et improductif...

Je voudrais que l'on arrête de crier sur les toits que nous sommes des personnes à charge.

Car il est des maris qui finissent par le croire et qui en viennent à regarder parfois leur épouse de l'air du monsieur qui fait l'aumône à un mendiant!

Je voudrais qu'on veuille bien enfin avoir l'honnêteté de dire à celles qui veulent travailler à l'extérieur que ce n'est pas du tout pour leur épanouissement, ni pour leur promotion, ni pour leur liberté, mais parce que l'économie du pays en a besoin : parce que c'est la seule vraie raison et que le reste est billevesées, et mensonge et imposture!

Je ne veux pas de la pitié et du regard et du ton condescendant de tous les bons apôtres qui, en pensant « mère au foyer », pensent pauvre victime, femme trompée, pas dans la course. Car je suis sûre, moi, et d'autres, beaucoup d'autres, que nous sommes l'armée souterraine qui défend le mieux ce qui reste de bon en l'humanité puisque nous élevons les hommes et les femmes qui forgeront la matière dans laquelle sera fait « demain ». Je suis sûre que l'œuvre la plus difficile au monde, c'est d'élever un enfant, des enfants. Je suis révoltée de voir que l'on brade l'enfance. On parque les bébés dans des crèches comme on met les bœufs au corral! Il faut être là quand l'enfant a besoin de vous et il peut en avoir besoin à n'importe quel moment, pas forcément le soir ou le week-end! Sa mère a tendance pour compenser à s'occuper trop de lui à ces moments-là puisque dans la journée elle ne le voit pas. Mais lui, à ce moment-là, il a peut-être envie qu'on lui fiche la paix! Il n'a peut-être pas besoin d'elle. C'est elle qui, à ce moment-là, a besoin de lui... J'ai 43 ans, pas un liard d'économie puisqu'il n'y a jamais eu chez nous qu'un seul (petit) salaire, mais je suis sûre que là où j'ai passé ma vie personne n'aurait pu me remplacer sans dommage *(M.D., Orgeval).*

Une jeune mère de 23 ans, tout en reconnaissant le bien-fondé des revendications féministes dans le domaine du travail, de la sexualité, de la politique, écrit avec le même mouvement de fierté :

Je refuse d'être considérée comme une arriérée par les femmes elles-mêmes parce que j'ai choisi de rester à la maison et d'élever mon enfant. Croyez-moi, ce n'est pas si facile et il y a des jours où, comme tout le monde je suppose, je rêve d'autre chose, où les murs de ma maison me semblent étouffants, où j'ai peur de cet « encroûtement » qui guette les femmes.

Femme au foyer, donc, je suis et je resterai sans doute un certain nombre d'années puisque Nicolas ne restera pas fils unique, je l'espère, et que mon mari et moi projetons de mettre au monde trois ou quatre enfants. Voilà encore quelque chose qui fait pousser à d'aucuns des hurlements d'indignation. Je me suis entendu dire plusieurs fois : « Mais alors, tu vas te sacrifier pendant quinze ans pour élever tes enfants? Ta vie sera fichue... » Me sacrifier? Mais quelle est cette société, à la fin, pour qui l'enfant est un handicap, un boulet, un facteur de troubles et un générateur d'inhibitions? Je n'ai pas l'impression de me sacrifier, moi qui regarde vivre mon fils, jour après jour, qui essaye de lui faire une vie gaie. Au contraire, mes enfants, je les fais pour mon bonheur et pour celui de mon mari, leur père émerveillé *(Claire D., 23 ans, mère au foyer, Athis-Mons).*

Moins triomphante, mais revendiquant aussi le droit d'être reconnue pour ce qu'elle est, une femme plus âgée et que ses études (Arts décoratifs) ne prédestinaient pas à la seule existence au foyer, nous écrit :

> La société ne méprise-t-elle pas les « demeurées » que nous sommes? Il serait bon de revaloriser celles qui restent chez elles et qui n'ont peut-être pas choisi d'y rester!
> Car si tant de femmes « travaillent », choisissent-elles aussi, de leur plein gré, comme cela devrait être?
> Pour l'immense majorité d'entre elles, la libération, l'indépendance par le travail ne sont que des slogans.
> Quelle indépendance gagne-t-on à ajouter la tutelle d'un patron (qui peut vous licencier) à la tutelle d'un époux, pour 1 500 F par mois? Il n'en reste pas moins que dans la société actuelle, celles qui ne font qu'élever leurs enfants sont culpabilisées, frustrées, isolées, ignorées *(Mme C., 46 ans, Suresnes).*

Ces « nouvelles mères de famille » ne se contentent pas de protester contre le mépris où on les tient, elles ont une conception « professionnelle » de leur fonction :

Pour moi, le métier de mère de famille est la profession libérale par excellence, où l'on est LIBRE... bien qu'assujettie aux emplois du temps et fantaisies de tous. On crée du début jusqu'à la fin; on s'organise comme l'on veut malgré des horaires où l'on est sur la brèche seize heures par jour. Ce métier est une porte ouverte extraordinaire sur tous les mondes : éducatif, municipal, social, vie de quartier, religieux. C'est tout le contraire de « bobonne au foyer » *(Marielle C., Vienne).*

Les mères de famille interrogées dans le sondage ne se montrent pas, dans l'ensemble, aussi audacieuses.

Elles demandent d'abord (53 %) du temps pour se cultiver, lire, écouter des disques. On sent derrière cette revendication le douloureux complexe des « ménagères » qui souffrent d'une infériorité culturelle entretenue par tous ceux qui ont besoin d'elles — maris, enfants — et qui ne détestent pas les reléguer à leurs cuisines, avec une affectueuse condescendance...

Qu'appelle-t-on travailler, pour une femme?

Immédiatement après le besoin de culture, viennent ex-aequo deux souhaits : 46 % des femmes au foyer estiment ne pas avoir assez de temps pour jouer ou sortir avec leurs enfants; un nombre identique aspirent à pratiquer un art d'agrément, un artisanat ou un sport. Le premier souhait leur ressemble : jamais sûres d'avoir fait tout ce qu'elles devaient pour leurs enfants, tiraillées souvent entre leur cœur et les corvées ménagères, elles rêvent d'être entièrement à la joie d'aimer, de parler, de jouer...

Qu'appelle-t-on travailler pour une mère de famille de 30 ans, ayant quatre enfants de 8, 6, 3 ans et 4 mois? Est-ce sans discernement, comme on se plaît à le dire à l'heure actuelle : récurer les casseroles, laver la vaisselle, raccommoder, repasser, ranger... et... dans le même sac, élever ses enfants?
Est-ce jour après jour dépenser son énergie, seconde après seconde exercer sa vigilance, « vingt fois sur le métier remettre son ouvrage », façonner à la sueur de son front un équilibre de vie fait de joie, de paix, d'amour?

Si c'est ainsi, mon métier de femme, épouse et mère, voilà qui me passionne, mobilise le meilleur de moi-même, donne du goût à ma vie. Du tout petit au 8 ans, du 8 ans au tout petit, courir à l'un, à l'autre, mais rester avec 6 ans, écouter 3 ans et demi, répondre à l'aîné, embrasser le dernier. Ne pas laisser passer la richesse d'un moment et ne pas gaspiller le temps de cette enfance. Prendre à pleins bras la vie, en goûter tous les aspects changeants au fil du temps. Œuvre de création. Inventer sans cesse et sans cesse innover. Travailler à cette œuvre de vie *(Germaine de P., Rambouillet).*

Celles qui ont le temps, celles qui s'épanouissent dans le « métier » de mère trouvent pour le raconter des mots de poète.

Heureuse femme que celle qui peut se laisser envahir par le sourire de son bébé, par le chant des merles et celui des tourterelles qui, plus que l'horloge, lui disent que les jours allongent. Heureuse aussi celle qui se laisse envahir par la certitude (pas toujours aussi évidente) qu'elle a bien choisi.
Choisi les vraies valeurs, celles qui font le bonheur... Choisi d'être la femme-esclave, la femme pour qui la venue d'un enfant bien portant sera toujours une joie. La femme, avec ses fins de mois difficiles, avec le gros tas de vaisselle et qui en a ras le bol d'écouter tout le monde alors que personne ne l'écoute... J'ai choisi d'être la femme souvent fatiguée dans sa petite maison sans luxe, dans une petite ville sans attrait, au milieu des marais, près d'un océan vaseux. Et ce choix a fait de moi, après douze ans de mariage, la femme heureuse, la femme orgueilleuse qui prétend être la clé de voûte d'une croisée d'ogives quand son mari en est la fondation solide; la femme qui maintient l'équilibre, l'harmonie, qui a le temps de voir une fleur s'épanouir, de voir son enfant s'épanouir, qui a le temps de suppléer aux manques de la société, qui a le temps de découvrir à tout instant l'homme adulte et l'enfant à tout âge, qui a le temps d'écouter vivre son quartier et les autres.
Je suis une femme qui pleure souvent de fatigue et d'énervement, mais qui n'a jamais pleuré sans se dire : regarde pourtant comme tu es heureuse! Bonheur sans gloire, bonheur paisible, le plus souvent. Bonheur fou et intense parfois. Bonheur à l'échelle de l'homme *(G. M., Rochefort).*

Le récit suivant, extraordinaire de foi et d'émotion, nous rappelle que le bonheur d'être mère peut aussi se changer en drame :

> Mon père était autoritaire, ma mère soumise. J'ai été élevée dans les principes de la bourgeoisie catholique de province.

Thérèse Blondel, petite, mince, d'apparence fragile, des yeux de braise, une allure de gitane pathétique, a 45 ans.

> J'ai fait des études de droit. Je voulais être avocate, défendre les enfants délinquants. J'ai appris la harpe et le chant en dilettante. En fait, je ne sais pas si je manquais de courage et d'ambition. Je ne pense pas avoir réellement trouvé ce qui m'intéressait. J'ai épousé Charles, que j'aime. Un journaliste qui était toujours absent. Je suis passée d'une tutelle à l'autre et j'ai englouti ma « grande liberté » dans un enchaînement de contraintes joyeusement consenties, dominées par les activités domestiques courantes et aggravées par les soucis financiers.

Nommé reporter dans un journal parisien du matin, Charles s'installe avec Thérèse à Sceaux. Banale petite existence, où le quotidien commence à prendre toute sa signification. Pour échapper à cette condition de grisaille, un grand rêve : avoir un enfant très vite.

> Ainsi a débuté une période que j'ai intitulée : « Dix ans de grossesse. » Les bébés se succédaient au rythme des années. Je n'avais qu'une pensée : vivement que celui-ci marche pour que je puisse récupérer le parc... pour celui que j'attends! Toutes mes préoccupations étaient du même ordre. C'était atroce. Je m'en rends compte maintenant. Si j'avais vraiment aimé mes enfants, j'en aurais profité.

La vie de tous les jours?

Dure, très dure. Les samedis, les dimanches, les vacances étaient pires que tout. J'espérais souffler un peu aux rentrées des classes, mais je n'étais pratiquement pas aidée. Je me disais : cette vie, tu ne l'as pas voulue, mais tu l'as cherchée, alors tu n'as pas le droit de te plaindre. C'était un travail qui n'avait pas de nom. J'avais toujours mon sac à dos. On pose son sac à dos le soir et on le reprend le matin. C'est sans fin.

Une détente, parfois?

Lorsque je pouvais distraire une heure ou deux, je n'osais même pas en profiter. Je gaspillais ce temps avec mauvaise conscience, me disant que j'avais mieux à faire que de me reposer ou de lire. J'étais tout le temps dans les lessives, le nettoyage, la saleté, la boue. Il faut avoir un minimum d'argent pour faire vivre une famille nombreuse.

Mais le retour du mari, le soir?

Bien sûr, j'étais heureuse de retrouver mon mari. Lorsque Charles rentrait à la maison, je l'écoutais. Il se racontait et essayait de me faire participer à sa journée. Mais je ne pouvais pas. J'étais isolée et ne connaissais personne. Pour moi, c'était un autre monde. Et personne n'essayait de savoir ce que j'avais fait, parce que ce n'était pas intéressant, c'était toujours la même chose. Ce travail qui n'était pas considéré comme un travail, il était normal que je le fasse. On ne me le disait pas, mais cela faisait partie du contrat. Il était lié à ma condition. Je ne pouvais pas y échapper. Encore une fois, je l'avais choisi. J'étais piégée!

Isolée moralement comme je l'étais, j'ai été très heureuse dans une HLM à Levallois. Je vivais dans un immeuble où j'entendais la voisine faire la vaisselle, le gosse d'à côté pleurer pendant la nuit. Tout ce qui gênait les autres m'apportait un réconfort. Je me disais : « Je ne suis pas seule. » Je participais. Nous étions trois femmes qui ne « travaillaient pas ». Nous allions ensemble chercher nos enfants à l'école, nous bavardions dans le jardin public, devant chez nous. Nous mettions en commun nos préoccupations. Nous partagions.

Pourtant, cet appartement n'avait que quatre pièces. On était très à l'étroit. Pour m'aider, Charles m'a trouvé une grande maison de douze pièces, avec une cour où pouvaient s'ébattre les gosses, dans l'île Saint-Denis. Un vrai domaine. Ce fut l'isolement, l'enterrement.

Il y eut Catherine, notre grand déchirement. Une handicapée totale de naissance. Les problèmes étaient effroyables. Je ne pouvais pas la laisser seule un seul instant, même pour aller aux toilettes. Il fallait que je l'attache. Que je fasse tout pour elle. Le calvaire. Je ne pouvais plus sortir. Je n'osais plus. Il m'est arrivé de rester plus d'une semaine sans aller dehors. Mon mari faisait les courses. Nous souffrions en silence. Un remords, un boulet effroyable.

Les enfants ont été très bien. Ils comprenaient. Jamais ils ne se sont moqués. Par contre, dans cette grande maison avec de l'espace, les garçons étaient déchaînés. Ils se battaient continuellement. Ils avaient grandi et la force physique me manquait pour les contenir.

Et pourtant, je ne pouvais compter que sur moi-même. Après les années de grossesse, les années garde-chiourme! J'avais peur. Par moments, j'étais même terrorisée. Je devais intervenir à tout moment. Tantôt j'en délivrais un, ficelé, bâillonné, à demi étranglé, tantôt je devais remettre un œil sorti de son orbite. Souvent, il me fallait m'interposer entre les combattants qui se poursuivaient le couteau à la main. Parfois le « jeu » se terminait à l'hôpital. En désespoir de cause, j'appelais mon mari au téléphone. Il essayait de les ramener à la raison en leur parlant. Quand il n'y avait rien à faire, il rentrait en catastrophe à la maison. Il les faisait s'aligner devant le compteur électrique, baissait les culottes, prenait le ceinturon et commençait à frapper. Et moi, affolée, je criais : « La ceinture oui, mais pas le ceinturon. » Eux, ils attendaient que l'orage se passe en regardant tourner le compteur. C'est ce qu'ils me disent maintenant, car ils en ont encore de cuisants souvenirs. Après cette séance, Charles les enfermait dans la cave. Alors, ils poussaient des hurlements : « J'ai peur maman, j'ai peur maman, remonte-moi, je t'en supplie! »

Quand les enfants étaient couchés, en attendant le retour de mon mari, je regardais la télé, puis lisais, faisais du crochet. Il fallait que je sois occupée, absorbée, pour m'empêcher de penser. Le jeudi, j'ai organisé des catéchismes à la maison. Mais c'était surtout l'occasion de recevoir les copains des enfants et de leur offrir un grand goûter pour qu'ils ne traînent pas dans les rues en attendant le retour de leurs parents.

J'ai aussi confectionné des bougies. J'aime beaucoup les couleurs. C'était une occupation joyeuse. Il y avait la campagne, la maison que nous avions achetée à Bois-Ricard, en Normandie, et où nous allions tous les week-ends et pendant les vacances scolaires. C'était une très vieille ferme que nous retapions nous-mêmes tant bien que mal. Il n'y avait pas d'eau.

La plupart du temps, mon mari était retenu par son travail à Paris. Il y avait aussi les corvées avant les retours. Il ne fallait pas oublier les cadeaux pour les maîtresses des enfants. Six bouquets de lilas. Et quand ce n'était pas le lilas, c'étaient des jonquilles qu'il fallait mettre à tremper dans un baquet. Le plus difficile était l'organisation dans le désordre, le déménagement permanent, car on devait, chaque fois, tout apporter de Paris et le remporter. Nous avions à l'époque une vieille voiture américaine, très grande. Et les passants étaient ahuris de voir mon mari jouer les prestidigitateurs. Il sortait un gosse, il en sortait deux, il sortait un chien, il sortait l'autre chien, il sortait le troisième gosse, puis le quatrième, le cinquième, le sixième, une pile de draps, la batterie de cuisine... Et je devais me débrouiller avec tout cela.

Et quand les enfants ont grandi?

Je me suis pratiquement retrouvée seule dans cette grande maison de l'île Saint-Denis. Un trop grand vide, brutal. J'aurais pu sortir, aller au cinéma. J'en avais perdu l'habitude. Je ne connaissais plus personne. Et puis, j'avais peur. J'hésitais même à me rendre chez les commerçants. J'attendais 8 heures moins cinq pour aller acheter le pain. Je ne savais plus traverser la rue. Sortir de la maison devenait une aventure périlleuse. Un jour, j'ai acheté un yaourt périmé; Charles a voulu m'obliger à aller le rendre. Je n'ai pas osé. Pour les courses, je me réfugiais dans l'anonymat des supermarchés, là où il n'y avait rien à demander à personne. Par contre, avec mon mari, j'étais détendue. Je me laissais guider. Il était autoritaire, sûr de lui. Il me rappelait mon père. Il s'imposait et imposait. J'acceptais. Ainsi, à la maison, il y avait des tabous. Il était interdit de critiquer la religion et on ne parlait pas de sexe. Charles était une force, un mur. Ce qu'il y a de bien dans un mur, même un mur d'incompréhension et d'intolérance, c'est qu'on peut s'y adosser, se protéger.

Vous n'avez jamais réagi?

J'ai eu l'occasion de faire un remplacement comme archiviste à la documentation du journal où travaillait Charles. Mon premier emploi officiel, rémunéré. J'ai eu peur. Il m'a fallu beaucoup d'énergie pour y aller. Mon mari, qui ne souhaitait pas du tout me voir travailler, pensait que cette expérience était nécessaire pour me décider à réintégrer le foyer et à abandonner définitivement mes rêves. Cette première journée a été une révélation. Lorsque j'ai refermé la porte, mon travail terminé, j'ai réalisé que j'avais FINI un ouvrage. Quelle satisfaction! Une sensation extraordinaire. Une joie réelle, pour moi toute seule. J'avais fait quelque

193

chose par moi-même et je l'avais accompli entièrement. Ce qui est abominable pour une femme qui reste chez elle, c'est que sa besogne n'est jamais terminée. Il n'y a pas de dimanches, pas de fêtes. Sitôt fini le déjeuner, on remet la vaisselle pour le goûter. Et le lendemain ressemble à la veille. Et si on est malade, il faut se dire : « Je dois rester debout. » C'est sans fin, jusqu'à la mort. Il n'y a pas d'issue. Parce que c'est dans l'ordre des choses et qu'il faut le faire, sans aide, sans participation, sans encouragement. Ma première journée de travail avait été une libération. Je réalisais que l'asservissement se situait au niveau de la condition féminine et non pas sur le plan du travail salarié. J'ai ressenti aussi un grand plaisir lorsqu'on m'a attribué un numéro de Sécurité sociale. A cause de ce numéro, je n'en étais plus un! Je devenais quelqu'un de distinct.
Je ne dépendais plus de Charles sur ce plan-là. C'était la prise de conscience d'une amorce d'indépendance.

Le fait de gagner de l'argent, était-ce important?

Bien sûr, c'était le premier argent que je gagnais personnellement. Mais son importance était toute relative. Les billets, je les ai d'abord regardés, comme si je les découvrais. Et puis, symboliquement, je les ai rangés à part, je les ai mis de côté, surtout en dehors des Allocations familiales, cette espèce de faux salaire. Après, je les ai utilisés. Pas pour moi. En fait, je n'en avais pas besoin. J'ignorais le coiffeur et les boutiques. Cet argent, il a servi pour les enfants, bien sûr!
Et puis j'ai été engagée à temps complet. J'ai eu droit à des vacances. Extraordinaire! Toucher mon premier chèque de congés payés et me dire : « A partir de cet instant, je suis en vacances. » En fait, rien n'était changé. Toujours la même besogne, la même fatigue. Mais l'esprit avait changé. Je devenais un « individu » et commençais à le faire savoir autour de moi. Charles, qui appréciait de moins en moins mon incursion dans le monde des vivants, se soumettait malgré lui.

Y a-t-il eu révolte?

Pas du tout. Je me rouvrais à l'extérieur. Je redécouvrais le monde à travers le journal et dans les attitudes les plus élémentaires de l'existence. J'étais dans la vie. Je participais. Et j'étais gaie, détendue, heureuse, enfin presque.
Et cela, paradoxalement, toujours et de plus en plus en compa-

gnie de mon mari, à la fois l'opposant et l'instigateur de mon émancipation. Car maintenant nous étions toujours ensemble. Je n'étais plus derrière lui, mais à côté de lui. Nous arrivions au journal et en repartions ensemble. J'étais avec lui à la maison. Nous parlions à égalité. Il encourageait même mes projets de perfectionnement professionnel. Car je n'hésitais pas, à mon âge, à retourner à l'école pour assurer mes assises et gravir à mon tour les échelons qui allaient me permettre d'exercer un poste de responsabilité. Mes enfants aussi m'encourageaient. Après m'avoir épuisée, m'avoir tout pris. Consciente que je ne pouvais plus rien leur apprendre, j'acceptais d'eux les conseils, le délicieux cadeau de leur attachement, parfois maladroit, mais combien sensible. Tout cela me donnait des ailes. Non pas pour fuir car, en fait, rien n'avait changé. J'étais toujours présente, efficace, un peu contestataire, et moins soumise, libérée mais non libre, disponible non seulement aux autres mais à moi-même. A tel point que je me suis mise à étudier le grec. Parce que j'en avais toujours eu envie et que je pouvais maintenant me permettre ce luxe. Maintenant, je souhaite en plus participer à une action sociale en faveur des femmes victimes de leur condition, dans cette île Saint-Denis où j'ai si cruellement souffert d'isolement.

Seriez-vous prête à recommencer cette vie?

Pour ce qui est du labeur ingrat, astreignant, sordide, lot de nombreuses femmes, je dis « oui ». Car, en fin de compte, malgré les lassitudes, l'épuisement, le découragement, je pense que le bilan est positif. En ce qui me concerne, je préfère ne pas le qualifier. Il est trop tôt. Il est des cicatrices que le temps doit effacer. Ce que je peux dire, c'est que mon existence a été bien remplie. Une très grande densité. C'est peut-être cela la qualité d'une vie. Par contre, il est une chose que je n'accepte pas, qui me révolte, et qui me réveille encore la nuit : c'est le calvaire de Catherine. Cette suprême injustice qui l'atteint et nous atteint, et tend à remettre en question tout le problème de la vie que j'ai voulu donner à sept enfants, par amour, tout simplement [1].

L'autre grand souhait des mères de famille, pratiquer un art, un artisanat ou un sport (46 %), traduit le besoin de « faire quelque chose » qui les

1. Interview recueillie par Michel Lefebvre.

valorise à leurs propres yeux. L'égoïsme sacré qui fait les « grands hommes » et les créateurs, un peu moins d'une sur deux ose en rêver.

> Je suis une femme de 32 ans. J'ai deux filles de 7 et 3 ans. Mon mari travaille dans une banque, il a 29 ans. Ma vie n'est pas très gaie... Il y a quelques bons moments quand même, avec les enfants, et les dimanches. J'aimerais me dévouer, me dépasser, créer et je reste dans mon ménage sans avoir la volonté de changer quoi que ce soit.
>
> J'ai aussi envie de peindre, de chanter, d'apprendre la musique, de bricoler et je ne trouve pas le temps; et si j'évoque tous ces rêves, on me dit qu'il ne tient qu'à moi de les faire réalités et que si j'en avais vraiment envie, je le ferais *(Chantal R., Nantes)*.

Les autres, dans la famille, n'ont-ils pas leurs menus plaisirs?

> Travailler, pour moi, c'est d'être ce que péjorativement la société nomme : « une femme d'autrefois ». Ce n'est pas mon idéal, mais... les circonstances. Mon mari est un sportif et se trouve donc souvent hors des murs. Quant à mes enfants (15 ans et 3 ans), ils sont pour moi une ancre de bateau. Écoutez la chanson de Jean Ferrat qui parle de ménage, de courses à faire, de poulets aux hormones, d'HLM...
>
> Mon mari se défoule dans le sport, ma grande fille remplit son temps avec ses devoirs, ses amies. Mais moi? Triste, hein? Je respire encore, mais j'ai failli être étouffée... *(Mauricette T., Montbéliard)*.

Des vacances au féminin singulier?

Prendre des vacances sans leur mari et sans leurs enfants, est-ce une idée qui leur a déjà traversé la tête? Huit sur dix répondent « non » : on ne quitte pas sa famille, jamais! Mais arrêtons-nous un instant sur les minoritaires (deux sur dix) qui osent rêver de ce crime de lèse-famille. Une femme d'artisan, qui reconnaît travailler quatorze heures par jour, écrit :

Quand je ne travaille pas, je travaille quand même : tricot, couture, bricolage, canevas, car je souffre du complexe des femmes qui se sentent coupables de prendre du repos, des loisirs, du plaisir. En effet, de quel droit me prélasserais-je alors que mon mari travaille, que mon fils à l'école travaille aussi? J'aimerais aller passer quatre jours chez mon amie à 60 kilomètres de chez moi, seule. Ce serait financièrement possible, une fois tous les trois ans. Interdit par mon complexe! Dernièrement, crevée, j'ai demandé à rester seule un dimanche pour la première fois en seize ans de mariage. Perdus sans moi, mes hommes sont partis à la campagne comme chaque dimanche, mais seulement à 11 heures, et sont revenus à 15 h 30 (quatre heures de congé)! Mon complexe s'appuie donc sur quelque chose de tangible (*Mme C., 48 ans, femme d'artisan, Lyon*).

La femme de 53 ans qui écrit ce qui suit est une mère de sept enfants, grand-mère d'une fillette de 5 ans :

Depuis longtemps, je rêve de partir pendant huit jours, seule, n'importe où : que je n'aie pas le souci de la cuisine et de la maison, que je sache mes enfants, les deux plus jeunes, en bonnes mains, que j'aie la certitude de ne pas retrouver la maison transformée en « capharnaüm » à mon retour, donc que je puisse vivre huit jours en toute tranquillité d'esprit. Ce que je ferais? Surtout lire des livres que j'aurais choisis spécialement. Je n'ai jamais le temps de lire un livre, je ne lis que quelques revues et il est rare que je puisse lire un article sans être dérangée! Mais pouvoir passer deux heures sur un relax, avec un bouquin, quelle merveille!

Chez moi, comme dans beaucoup de foyers, les vacances se conjuguent au masculin singulier, pas au féminin pluriel; et, pour beaucoup de femmes au foyer, les vacances c'est un changement d'air... et d'évier, avec moins de confort et plus de fatigue... Vive les vacances? Pour moi, c'est vive la rentrée! (*M. C., 53 ans, femme de fonctionnaire, sept enfants*).

Militer?

Ces mères de famille confinées entre les murs de leur maison qui souvent se plaignent de leur solitude, ont-elles au moins envie de militer dans une association, un mouvement quelconque dans la cité? 73 % déclarent que ces activités sont sans intérêt pour elles! De quoi faire baisser les bras à tous ceux qui, de la paroisse aux partis politiques, en passant par les associations de parents d'élèves, les pressent de se lancer dans l'action!

C'est souvent lorsqu'elles ont atteint la cinquantaine, âge où elles peuvent se dégager des obligations familiales, que les femmes acceptent le plus volontiers de s'engager dans une action sociale.

> J'essaie de me passionner pour ma vie à la maison, mais, à vrai dire, je ne la trouve pas tellement passionnante. Et je trouve très intéressant le travail en équipe que nous effectuons dans le cadre de l'UFCS[1]. Ce mouvement m'a beaucoup apporté et m'aide aussi dans la compréhension et l'écoute de mes enfants; il m'oblige à dominer mon travail ménager pour avoir le temps de participer aux réunions, à améliorer mon style puisqu'il faut rédiger les comptes rendus, etc. *(Mme C., 53 ans, femme de fonctionnaire, sept enfants).*

Femme au foyer et heureuse de l'être, après avoir travaillé pendant près de vingt ans dans une grande entreprise, exercé des responsabilités syndicales, la correspondante suivante a voulu engager sa liberté retrouvée.

> Je milite avec mon mari dans un parti politique et l'approche des municipales donne un certain travail...
> Depuis que je suis devenue une femme sans profession qui reste à la maison, je me suis rendu compte que mes pareilles, et nous sommes des millions, n'étaient comptées pour rien dans la nation. D'une façon générale, les femmes n'ont guère leur place en France, mais celles qui l'ont sont des femmes qui travaillent. Ce ne sont du reste pas les femmes que l'on considère, mais leur

1. Union féminine civique et sociale.

198

profession, ce qu'elles offrent à la nation comme production. Pourtant, si la France vit, c'est parce que des femmes tous les jours font les repas, lavent le linge, nettoient, soignent les enfants. Imaginons que d'un seul coup plus aucune femme ne travaille dans sa maison...

Le régime capitaliste qui ne survit que par le développement à outrance de la société de consommation exclut les vieux, les handicapés, les malades, les femmes sans profession. Une femme chez elle va tricoter, coudre, raccommoder, faire de la cuisine. Une femme qui travaille n'a pas le temps, elle achète et il faut que les femmes achètent de plus en plus.

Je remarque qu'aucun parti politique ne prend en compte la vie de la femme sans profession *(D. W., 50 ans, quatre enfants, Mons).*

On a l'impression que les femmes au foyer ont pris une nouvelle conscience de leur rôle. En les obligeant à s'interroger, le féminisme aurait-il conduit certaines d'entre elles à se redéfinir et paradoxalement à prendre la défense de la femme au foyer?

La double journée

Quant aux femmes qui sont à la fois mères de famille et travailleuses, leur sort, on le sait, n'a souvent rien d'enviable. La « double journée » de travail justifie ce cri de l'une d'elles, institutrice :

Oh! l'injustice d'être née femme! La vraie libération des femmes consisterait à ne plus être l'esclave des travaux ménagers. J'ai pourtant un mari compréhensif, il m'aide chaque fois qu'il le peut. Mais c'est là qu'est l'injustice, il se contente d'être « l'aide » et je suis la « responsable ». La préparation des repas et le souci permanent que tout aille bien, tout ça reste pour moi; il faut toujours penser à tout; j'ai l'impression d'avoir un ordinateur dans la tête. Si c'était à refaire, je concevrais la vie du couple différemment. Pourquoi ne pas se charger de la responsabilité du ménage un mois chacun, ou une année chacun?

Il reste des femmes perpétuellement écartelées entre leur profession et leur foyer, qui se sentent toujours coupables envers l'un ou l'autre. Des femmes qui sont sans cesse en train de mendier : « Un peu de temps, monsieur le bourreau! »

Veuve à 30 ans avec quatre jeunes enfants, j'avais un budget trop juste pour « prendre à mon compte » des jours de congés qui auraient eu des conséquences sur la prime de fin d'année ou le treizième mois. Vive le progrès social qui permettra de s'absenter, sans diminution de salaire, pour soigner son enfant ou son vieux père! J'ai confié parfois à mon aînée, quand elle avait 8 ans ou 10 ans, le soin de s'occuper d'un petit frère grippé. Mais quand elle était elle-même souffrante, qu'il était pénible de la laisser seule!... Et si j'étais en retard en arrivant à mon travail, mon patron manifestait son mécontentement en regardant la pendule d'un air glacial. Quand après vingt ans chez le même employeur, vingt ans pendant lesquels je ne m'étais pas absentée plus de quatre fois, trois ou quatre jours, j'ai dû prendre un arrêt de travail pour soigner un des miens, j'ai reçu une lettre très sèche de rappel à l'ordre *(M*^{me} *Suzanne L., 62 ans, Paris).*

Quand la coupe est pleine, les journées trop dures et les nuits trop tristes, la révolte éclate en une prose célinienne :

Nous sommes pleines de riens, des riens qui nous emplissent de la tête aux pieds. Oui, si on les enlève que nous reste-t-il? J'ai plein de télévision dans les yeux, adieu soleil, nuages, forêts... J'ai plein de radiophonie dans les oreilles, adieu chants d'oiseaux, bruit du vent, de la pluie. J'ai plein d'odeurs dans le nez, adieu parfum de fleurs, de l'humus. J'ai plein des dernières nouveautés alimentaires dans la bouche, adieu poisson frais, les beaux légumes du jardin. Adieu la vie, bonjour... qui au fait? Et surtout, on m'a foutu un vilain rôle, des vilains rôles de p... avec, comme drogues, esprit de sacrifice, de dévouement, de résignation, de charité en tous genres, esprit de solidarité, sublimation à son plus haut point de fièvre dévorante et j'en passe... Oh! ces « prêchez-leur ça », « ça les fera fonctionner » et à plein rendement encore, pendant ce temps, eh bien! nous...
Voici une tranche de ma vie :
— 5 h 30, debout déjeuner,
— 6 h 30, après le voyage en bus, hosto,
— 14 h 30, retour maison, courses, Prisunic, ménage, repas pour le soir et le lendemain midi, les enfants, les devoirs, le linge qui tourne dans la machine ou le repassage ou le raccommodage.

Repas du soir, coucher et rebelote. Mercredi, soi-disant repos, en réalité, les enfants n'ont pas classe, les cris, les « fais-ci, fais-ça ». Reboulot le lendemain. Dimanche repos, en réalité faire ce qui n'a pas été fait; le mari, ce qui n'est pas mince, les gosses. Et le lundi, ça remet ça... Faut pas s'endormir.
Parlons-en de dormir. Pas le droit, boulot, boulot. Les nuits dans les salles avec quelquefois plus de cent malades pour une infirmière, aidée par une employée, avec ça enceinte, plus deux gosses, 2 ans et demi, 3 ans et demi. Pas de sommeil. Faut soigner les pauvres gens.
Y a des cons qui acceptent ça. Faut pas perdre la main, sa place, et quand on a travaillé, c'est dur de se retrouver dans une pièce-couloir-cuisine, deux gosses sur les bras, toute seule et puis faut reprendre... Quand les gosses seront grands, qui c'est qui vous donnera à manger? Un tiens vaut mieux que deux tu l'auras. C'est ça la vraie vie de certains *(Jacqueline B., infirmière, mariée, deux enfants, Versailles).*

La violence de certaines révoltes ne doit pas nous rendre sourds à d'autres voix, tout aussi fermes, qui exaltent la double condition de travailleuse et de vestale.

Je suis professeur de lettres depuis vingt-six ans et j'adore mon métier qui me passionne autant et plus qu'au premier jour. Il me remplit de mille joies et mille soucis et je serais tentée de dire que c'est mon travail qui me passionne le plus. Mais j'ai élevé cinq enfants, j'en ai encore deux à la maison. Et n'en déplaise aux organisateurs de notre « civilisation des loisirs », quand je ne travaille pas, je travaille chez moi. J'adore mon intérieur, aime le voir propre et bien rangé, sans être une maniaque de l'astiquage. J'ai toujours connu des montagnes de linge sale, de linge à repasser. Et des repas à préparer, et des vaisselles à faire. Mais tout ceci sans déplaisir. Je ne suis pas du camp des féministes qui considèrent ces travaux ménagers comme des corvées. Je dirais même que ces travaux, si différents de mon métier dans lequel je sème sans voir souvent de récolte, contribuent à mon équilibre : c'est réconfortant de voir achevé un ouvrage qu'on a créé de ses mains. Si c'était à refaire, je ne choisirais pas une autre vie. Car quoi que je fasse, au lycée ou chez moi, j'ai le sentiment de vivre la « vraie vie » dont parle Rimbaud *(Suzanne A., professeur, cinq enfants, Antibes).*

Travailler? Ne pas travailler? Chaque femme répond à cette question comme elle peut, comme elle veut. Mais dès qu'elle est mère de famille, tout se complique et tout s'éclaire à la fois. Il faut concilier l'inconciliable : la vie professionnelle accaparante, fatigante, et la vie familiale qui exige, qui dévore... qui comble aussi.

Sans la certitude qui les anime d'être à la bonne place et de faire le bon travail, les mères de famille n'auraient pas cette force, cette énergie, cette joie qui débordent de leurs lettres... Même si elles ne veulent plus être seulement les grillons du foyer. Cette famille qu'elles défendent avec bec et ongles, à laquelle elles donnent sans compter leurs chants et leurs larmes, est-elle donc toujours un des piliers de la société française contemporaine?

Familles, je ne vous hais point

Parce que les jeunes gens secouent plus tôt que naguère la tutelle de leurs père et mère, parce qu'ils croient surtout à ce qu'ils ont expérimenté, parce qu'ils vivent à deux sans demander la permission, on proclame un peu vite que la famille est une institution condamnée. Ébranlée sans doute par tous les changements que connaît le monde moderne, transformée certainement, la famille n'en demeure pas moins pour nos contemporains une des réalités auxquelles ils s'accrochent.

C'est de leur famille, de leurs enfants, que les Français parlent le plus volontiers : souvent (46 %), de temps en temps (34 %).

C'est à leur famille que 35 % des travailleurs qui exercent un second métier ou font des heures supplémentaires consacreraient le temps que leur prend ce surcroît de travail, s'ils cessaient de le faire.

C'est aux études de leurs enfants que pensent les parents en plus grand nombre (41 %) quand ils mesurent les avantages d'habiter en ville.

C'est aux fêtes de famille que vont les préférences de nos contemporains (48 %). Et, entre toutes, à celle qui est traditionnellement vouée à l'enfance : Noël (55 %). Le jour de l'An vient en second, loin derrière (27 %). Les fêtes populaires ne recueillent que 18 % des suffrages.

Dans un excellent numéro de la revue *Autrement* consacré à la fête, Henri Dougier écrit[1] :

> Deux tendances dominent aujourd'hui : la première, la plus importante, c'est le repli sur soi, sur les petits groupes, sur la famille (nous retrouvons ici les conclusions de notre dossier, « Fini la famille? ») où les fêtes du cycle de vie — baptême, communion solennelle, anniversaires, mariage, funérailles — gardent leur force d'attraction et leurs symboles. Si le deuil, par exemple, a perdu son costume et ses « pompes », la mort est loin d'être escamotée! Mais le signe le plus éclatant est la prééminence

1. Henri Dougier, « La fête, cette hantise », *Autrement,* juillet 1976 (120, bd. Saint-Germain, 75280 Paris-Cedex 06).

accordée dans tous les témoignages aux fêtes de Noël, fête de l'enfance, fête du mois, fête planétaire. On a l'impression que la fête s'est intériorisée et ne passe plus vraiment par le collectif.

A la campagne, plus encore qu'en ville, la fête familiale est la vraie fête : 65 % des agriculteurs disent l'apprécier *beaucoup*. Dans certaines campagnes très déchristianisées, la « communion » des enfants obéit encore à des rites familiaux : grand repas, cadeaux somptueux, etc., qui prennent souvent le pas sur l'acte religieux. De la même façon, le mariage des enfants est l'occasion pour la famille d'affirmer publiquement, par les réceptions offertes (vin d'honneur pour tout le village, repas pour tous les membres de la famille), sa cohésion, sa puissance.

Les enfants : ils occupent le devant de la scène et tout se joue autour d'eux. On ne s'est jamais tant occupé d'eux; on ne les a jamais autant regardés vivre et grandir; on n'a jamais, enfin, tant culpabilisé les parents; on n'a jamais donné tant de conseils sur la manière d'être de *bons* parents. Les enfants sont une œuvre et on n'en finit pas de trembler et de s'émerveiller :

> J'aime réaliser entièrement quelque chose. Faire un enfant fait partie pour moi de ces réalisations. Je n'en fais pas mon apanage, mon mari se sent aussi très concerné par tout ce qui touche notre petit garçon et il faut reconnaître que c'est souvent dans les moments où nous sommes à trois en train de faire quelque chose que nous sentons le mieux, l'espace d'une seconde, notre « vraie vie » *(Béatrice R., 25 ans, professeur, mariée, un enfant, Valenciennes).*

Les mères ne sont plus seules à scruter l'enfant, ce miroir. Les pères aussi...

> Je m'appelle Gilles, âgé de 26 ans, marié depuis cinq ans à Marianne, âgée de 24 ans (projet de vie commune à 18 ans). Nous rêvions de vivre auprès d'enfants. Nous avons une petite fille de 2 ans et attendons ce mois-ci notre second enfant. Nous faisons de notre mieux pour l'éducation; et c'est bien mystérieux l'éducation. Mais nous retirons beaucoup de joie de notre relation avec notre petite fille et de l'attente qui est la nôtre actuellement *(Gilles et Marianne, assistants sociaux).*

Quand les enfants ont grandi et que se sont apaisés les inévitables conflits de l'adolescence, quelle satisfaction de « les » voir revenir!

Notre vie de Français a sa place importante dans notre société, par les cinquante années de travail de mon mari, par nos cinq enfants et leur descendance future : ainsi, n'est-ce pas, on ne finit jamais complètement, même si on n'a pas la foi en l'immortalité.

Au fil des années, la joie des grands, mariés, de revenir souvent chez nous, à Noël entre autres, nous prouve que cette famille même un peu bousculée, c'était un bloc... et c'est ça ma vraie vie : avoir fondé un foyer, avoir donné d'une façon indélébile, je crois, à nos enfants l'honnêteté et la franchise dans leur vie. Car à part ça, ils ont tous les défauts et les façons de vivre de leur génération... qui ne sont pas du tout, du tout les nôtres! *(Raymonde M., Crécy-la-Chapelle).*

Une enquête de l'Institut national d'études démographiques (INED) révèle en effet que les enfants mariés conservent très souvent de bonnes et fréquentes relations avec leurs parents.

« Les échanges sont asymétriques et masqués, *note L. Roussel* [1]. Les parents jouent les prestataires de service, gardent les petits-enfants — c'est le cas pour un bébé sur trois âgé de moins d'un an —; ils sont toujours prêts à apporter une aide matérielle, parfois financière en cas de difficultés. Pour les enfants, même mariés, ils restent un havre de sécurité. Ils exorcisent aussi la menace de mort : leur seule présence semble garantir que le tour de la génération suivante est encore éloigné. Les parents âgés ne demandent, en échange de leurs services, qu'un peu d'affection; leurs enfants leur apportent aussi une sorte de sécurité contre la solitude possible quand vient le moment de cesser toute activité professionnelle. »

Pour ceux qui travaillent et que le travail meurtrit, le foyer est aussi le lieu de détente, de l'oubli, de la liberté. Fût-ce au prix de quelques travaux ménagers qu'un homme, aujourd'hui, ne rougit plus d'exécuter.

Travailler certes est une nécessité, mais ce n'est pas « toute la vie ». Heureusement, lorsque je quitte mon bureau, je suis franchement content de retrouver le toit familial et plus particulièrement ma « pièce » créée par ma femme pour mon plaisir. Je

1. L. Roussel et O. Bourguignon, *La Famille après le mariage des enfants.*

tends les bras vers mon foyer. C'est là que j'écris, lis, fume de bourgeoises pipes, rêve et surtout écoute d'excellents disques. Je n'oublie pas pour autant les soins du ménage. Je tente de mon mieux d'aider mon épouse qui travaille dans la même administration que la mienne (Finances-Trésor). Mes qualités sont celles d'un véritable chambellan : aspirateur, sanitaire impeccable, lavage des carreaux, chaussures étincelantes, voiture propre et... escalier dont le miroir est presque dangereux... *(Henri B., 54 ans marié, fonctionnaire, quatre enfants, Le Bouscat).*

Le cinéaste Jean-Daniel Pollet *(L'amour c'est gai, l'amour c'est triste, l'Acrobate...),* 40 ans, nostalgique de Mai 68 et père d'un enfant de 2 ans, nous a fait cette confidence qui ne manque pas de candeur :

Ce que je voudrais connaître à présent, c'est la vie familiale. A Paris, c'est très difficile parce qu'il y a trop de tentations. Si on s'ennuie, si on a des problèmes avec l'autre, on a la possibilité de bouger, d'aller ailleurs. Tandis qu'à la campagne, on est presque contraint de vivre une relation dans sa complexité. A 40 ans, j'éprouve aussi le besoin d'établir une communication intime avec ma famille. Il faut pouvoir s'asseoir avec son père, sa mère, et bavarder tout en connaissant les conventions, les limites de ces échanges.
Je considère que l'éclatement de la famille est un drame universel parce qu'il y a quelque chose d'essentiel qui ne se transmet plus. J'ai pour ma part cherché durant des années une filiation spirituelle, sans doute pour échapper à ce manque. Mon admiration pour Rossellini se situe tout à fait dans cette quête. Quand il était là, je l'écoutais, j'avais tout à apprendre.

La famille, valeur-refuge dans une société qui remet tout en question ? Peut-elle avec ses conflits, ses échecs, son horizon parfois borné, jouer le rôle immense que nos contemporains angoissés la pressent de remplir ? Réalité, oui, la famille en est une encore aujourd'hui... mais solide ?... qui oserait l'affirmer ? Pas les enfants de couples divorcés (15 % des mariages), ni les parents troublés par la voie que choisissent leurs enfants...
La lettre suivante, malgré sa chaleur, trahit plus d'inquiétudes que de certitudes. Elle offre une image de la vie familiale moins flatteuse, moins idéalisée...

On vit, on a un métier, une vie, une famille. On essaie de faire face à toutes les difficultés qui nous assaillent, de garder un moral d'acier dans un monde bouleversé, dans cette époque de changements immenses où l'homme a bien du mal à se tailler une place à sa mesure.

Je suis enseignant. Ce n'est pas un métier facile. Les parents ont de moins en moins de temps à consacrer à leurs enfants. La vie est dure. Le père et la mère travaillent souvent tous les deux et il n'y a plus guère de grand-mère dévouée pour prendre la relève affective dans le foyer vide. La télévision a souvent transformé le repas familial en spectacle de cinéma. Et on attend de l'enseignant qu'il prenne en charge totalement l'éducation de ses élèves.

Certes, on pourra toujours apprendre à un enfant que deux fois deux égale quatre, mais on ne pourra jamais lui apprendre ce que c'est que l'amour dans un couple, l'amour d'un père et d'une mère pour un fils ou une fille. On ne pourra jamais combler cette faille terrible. Quand des parents viennent nous trouver pour nous dire qu'ils ne savent plus que faire, que leur enfant n'a envie de rien, qu'il ne travaille pas, qu'il passe son temps dehors avec des copains, que pouvons-nous faire? ou dire?

Alors j'essaie de faire en sorte que mon fils ait toutes les chances de son côté pour réussir sa vie. J'essaie surtout de lui donner envie de vivre, de profiter de l'existence, d'en découvrir toutes les joies et les beautés. J'espère y réussir tout en sachant que j'ai fait, que je ferai encore des erreurs. Quoi qu'il arrive plus tard et quelle que soit la voie qu'il choisira, il aura eu des parents unis, il aura vu ce qu'est un couple qui s'aime profondément, même si parfois il se dispute. Et j'espère que notre exemple l'aidera à bâtir un avenir heureux *(Yves B., enseignant, Chartres).*

Les loisirs

Six Français sur dix (63 %) reconnaissent avoir dans leur vie un passe-temps qui peut être qualifié de passion et qui occupe de façon privilégiée leurs loisirs.

Mais beaucoup se plaignent de l'ombre que le travail fait planer sur leur temps libre.

> Ce contre quoi je m'insurge, c'est le découpage « en rondelles » de la vie, aboutissant à un modèle de vie préfabriqué où tout est prévu, toute activité correspond à une case standard.
>
> Le loisir ne peut être « constructif » dans la mesure où le métier est « destructif ». Il n'y a pas de compensation possible, quoi qu'on dise. Rares sont ceux qui arrivent à concilier un travail qui ne les intéresse pas et une activité de loisir qui les passionne *(J.P. Flipo, 33 ans, professeur de gestion, Francheville).*

La conviction qu'un travail déshumanisant ne peut engendrer que des loisirs également appauvris ressortait déjà de certains témoignages sur le travail. Des correspondants concluaient même que la fragmentation des vies en zones de travail et de loisirs relève d'une supercherie.

> L'activité de loisir qui devrait être un exutoire est bien souvent conditionnée par le métier. Mais d'abord, « le loisir » existe-t-il pour l'OS qui sort de l'atelier, abruti d'une fatigue parfois aggravée par des temps de transports excessifs? Non! Et moins encore pour la femme qui supporte en plus le poids des tâches ménagères. Ceux-ci n'aspirent qu'à une chose : le repos. De même, où est le temps libre de celui (et de celle) qui tente de « s'en sortir » par des cours du soir et y consacre tout son temps disponible?
>
> L'activité de loisir semble globalement en rapport étroit avec la hiérarchie sociale, fait explicable par le coût financier, mais peut-être plus encore par un certain « snobisme de classe »;

ainsi, schématiquement : au PDG, le golf et le bridge, à l'ouvrier, le football et la belote *(R. M., 35 ans, Lyon).*

Une coiffeuse, installée dans une petite ville : elle apprécie le libre jeu du travail et du loisir au point d'en oublier les vacances.

> C'est dans le travail que je me réalise le mieux, non pas en tant que travail uniquement, mais surtout pour ces heures libres qu'il me laisse. Bien que je sois entre quatre murs, je ne m'ennuie jamais et trouve toujours une occupation agréable et complète. Il faut dire que j'ai un job privilégié, un contact avec la clientèle très agréable. Nous ne prenons jamais de vraies vacances, mais cela ne nous manque pas, car nous avons au bord de la Méditerranée un second salon de coiffure que nous ouvrons saisonnièrement.
>
> De ce fait, nous passons trois mois au bord de la mer. Les enfants sont au club de voile et nous-mêmes avons la possibilité de profiter des baignades entre midi et 13 heures ou le soir après la fermeture de notre boutique *(Pascale A., 36 ans, deux enfants, Castelsarrasin).*

Voilà qui conforte l'hypothèse des rapports entre le travail et les loisirs. Ici se conjuguent la liberté du petit patron, le climat plaisant d'un salon de coiffure et, dans ce cas particulier, une certaine prospérité.

Quant aux six Français sur dix qui ont une activité de loisirs pouvant aller jusqu'à la passion, ils nous réservent une surprise : c'est la lecture qu'ils mettent en tête, juste avant le sport!

Le pouvoir des mots

Les préférences exprimées par les interviewés eux-mêmes allaient du tricot à la danse en passant par la pêche, la chasse, le tennis, etc. [1]. En tout, dix-neuf occupations. C'est la lecture qui a été citée le plus souvent (17 %).

---

1. La question était : *« Avez-vous dans votre vie, une activité qui occupe votre temps libre, un loisir préféré, une passion? Laquelle? »*

La place occupée par la lecture peut sembler insolite si l'on se réfère à l'opinion généralement admise sur le déclin de l'écrit et l'invasion triomphante de l'audiovisuel.

> Périodiquement nous nous mettons d'accord pour ne pas nous laisser dévorer par la « télé ». A ces moments-là, nous redécouvrons le plaisir de lire. Redécouvrir n'est pas d'ailleurs le terme à employer car, en ce qui me concerne du moins, la lecture n'a jamais cessé d'être un plaisir, voire une passion; si j'ai entre les mains un livre qui m'intéresse, la vaisselle ne sera pas faite et le linge ne sera pas lavé.
> Les mots pour leur pouvoir, pour leur musique, pour tout ce qu'ils me donnent de rêves ont pour moi des vertus magiques. Les poètes comme Apollinaire, Verlaine ou Rimbaud sont pour moi la perfection verbale... Je les ai dévorés à 18 ans et ils gardent tout leur pouvoir, même si je les lis moins maintenant (manque de temps et peut-être paresse...). Je lis en revanche beaucoup de romans, jamais de quotidiens (là uniquement par paresse d'esprit!), quelques hebdomadaires *(Télérama* bien sûr, *la Vie, le Nouvel Observateur...).* Bref, en général, tout ce qui me tombe sous la main. J'ai fait partie d'une bibliothèque, mais je n'aime pas rendre les livres que j'ai aimés : alors, maintenant, je les achète... quand je peux, car je trouve que les livres coûtent horriblement cher! *(Mme C. J., Athis-Mons).*

La lecture est souvent considérée comme le moyen d'accès ou de participation à la culture. Cette place d'honneur, elle ne la doit pas uniquement à l'école. L'écrit bénéficie d'un prestige sans égal. Souvenons-nous des mots qui accompagnaient ce rêve : écrire! Non, la « Galaxie Gutenberg » brille toujours et, toujours, elle fait rêver.

> La lecture, je la pratique depuis toujours. Je l'ai peut-être appréciée beaucoup plus depuis qu'enfant je suis restée plusieurs mois alitée. J'ai « dévoré » et je continue de façon plus ou moins anarchique et éclectique. En fait, l'un de mes rêves serait de m'occuper d'une bibliothèque ou d'une librairie. Mais, c'est entrer dans le domaine de l'utopie et de l'impossible, quand je n'ai pas un centime à mettre de côté! Alors, quand j'ai économisé un peu, je me « plonge » dans une librairie et pendant des heures je regarde, je feuillette, j'imagine, je « m'abstrais » de mon univers

quotidien; c'est en quelque sorte une fuite devant notre réalité quotidienne!

Les livres envahissent mon appartement et à chaque nouvelle étagère complète il me faut solliciter mon mari pour qu'il me bricole, encore et encore, étagères et bibliothèques. La lecture et l'écriture... sont mes passe-temps, représentent pour moi la vraie vie, la vie que j'aimerais vivre *(Mme E. D., sténo-dactylo, La Rochelle)*.

Les amoureux de la lecture le sont parfois avec véhémence.

Qu'on ne vienne pas me dire qu'on n'a pas le temps de lire. C'est seulement une question de choix. Si vous trouvez deux soirées intéressantes (au maximum) à la télévision, il vous en reste cinq. Les heures passées en bovin devant son râtelier face à un verre, au bar! Je l'ai vu et j'en passe. Comment peut-on vivre sans Elisabeth Goudge, Molière, Balzac, Shakespeare, Corneille, Racine et Alexis Carrel? *(J. P., 28 ans, aide-familial agricole, célibataire, Saint-Brice)*.

Le sport

Le sport apparaît en seconde place : 16 % des interviewés le désignent comme leur occupation préférée... Nos correspondants épris de sports se sont contentés, la plupart du temps, de dresser la liste des disciplines qu'ils pratiquent.

Quelques-uns, pourtant, ont tenté de dire pourquoi, au-delà de la performance et même de l'activité physique, ils aimaient le sport.

J'ai gardé du scoutisme, entre autres choses, l'idée que l'équilibre physique, intellectuel et moral, est une chose primordiale : j'ai toujours décidé d'être un homme aussi complet que possible. Chaque semaine, je passe une heure à la piscine et je fais une heure de vélo ou de badminton. Au printemps et en été, mon épouse et moi faisons de petites randonnées en vélo. Nous ne sacrifierions ces heures de sport à rien d'autre. Durant l'été que nous passons en Lozère, nous nageons beaucoup en rivière et nous pratiquons la marche en tous terrains.

Quel dommage qu'en ville l'accès aux sports soit si difficile, que les stades ne soient ouverts qu'aux licenciés des fédérations, que les équipements des quartiers soient si pauvres *(M. A. D., 54 ans, comptable, Saint-Maurice).*

Le sport comme moyen de lier connaissance hors du travail?

Je pratique la course à pied. Je participe aussi à des randonnées pédestres. Le sauvage que j'étais n'a pas trouvé mieux pour entrer en relation avec autrui. L'activité en elle-même et la simplicité des gens qui y participent facilitent la communicabilité qui fait tant défaut à notre civilisation *(L. L., 32 ans, célibataire, Tournus).*

Une correspondante évoque même une sorte d'Eldorado des sens.

Je cours au stade et il semble au plus fort de la fatigue physique (je fais 600 mètres sans m'arrêter, je suis costaud et fragile à la fois) que j'atteins les étoiles. Au plus fort de la fatigue, le corps s'envole. Quel effort suprême! *(Mlle D. B., 25 ans, secrétaire à l'UNESCO, Paris).*

Les 16 % des Français qui ont désigné le sport comme leur activité préférée ne sont pas nécessairement des gens qui pratiquent personnellement un sport. On sait que nos concitoyens sont aussi amateurs de spectacles sportifs. Ceux-ci occupent la deuxième place parmi les quatorze sorties-spectacles répertoriées par l'ARC : 24 % des Français sont allés au moins une fois assister à un match dans les douze mois précédant cette enquête [1].

La musique

Qui l'eût cru? Avec les années, il arrive que le sport prépare le terrain à l'amour de la musique!

J'aime infiniment la musique. Si, jeune femme, je pratiquais joyeusement le sport : natation et bicyclette, aujourd'hui,

---

1. *Pratiques culturelles des Français,* op. cit.

j'éprouve une joie profonde à écouter une suite de Bach, une symphonie de Beethoven ou simplement une chanson de Schumann. *(Mme G. L., 62 ans, femme au foyer).*

Les Français ont la réputation de ne pas être très mélomanes. 9 % seulement se disent passionnés de musique (19 % des moins de 25 ans et 17 % des Parisiens)! Mais c'est elle qui vient en troisième position ex-aequo avec la couture et le tricot; c'est elle aussi qui inspire les commentaires les plus imagés.

Ma joie de vivre se concentre essentiellement sur la musique. C'est la fée de mon logis. Mon Dieu est Beethoven et les apôtres sont nombreux : Chopin, Schubert, Rossini, Chostakowitch, Prokofiev, Debussy, Ravel, Berlioz, Mahler...
J'ai 54 ans. Bientôt 55. J'enrage de ne pouvoir tout écouter, tout digérer. Là aussi, ce sera trop rapide... Et encore, j'aurais tort de me plaindre. En tant que fonctionnaire, je bénéficie d'heures reposantes. Je suis pénétré de lumière et de soleil. Les secondes précieuses d'une seule vie, je ne veux pas les louper.
Je suis une sorte de Don Basile qui capte ces bourses pleines de rayons qui vont droit au cœur. Je suis persuadé que la fin de ma vie comportera encore des satisfactions multiples. Ce n'est pas un optimisme abusif. Si je pouvais mourir en distillant l'adagio de la *IXe symphonie* du Maître de Bonn, une certaine réussite serait à mon actif et je ferais sans doute un beau mort. Qu'importe la suite. Le Ciel? Les Hommes? Je m'en moque décemment et ouvertement *(M. H. B., Le Bouscat).*

Parfois, la musique devient un art d'exister. Tout le reste n'est qu'insignifiance et fadeur.

J'ai 38 ans, quatre enfants de 18, 17, 14 et 12 ans, et un mari gagnant bien sa vie. J'aime mon travail de maîtresse de maison, cuisinière, femme de ménage. Pourtant ce travail, je ne l'ai pas choisi, je m'en accommode plutôt avec joie. Aussi mes loisirs sont-ils pour moi quelque chose à ne pas gâcher. Et depuis quatre ans, je les occupe d'une façon merveilleuse. Toute ma vie est tournée vers ces quelques moments de ma journée que j'essaie d'augmenter. Depuis quatre ans, donc, je joue de la flûte traversière. Issue d'une famille musicienne, j'ai toujours entendu de la musique. Mais, huitième enfant de cette famille, on ne s'occupait

guère de mes aspirations à en faire. En fait, j'aurais rêvé de faire
le conservatoire de chant. Mais pour ma famille extrêmement
bourgeoise et de morale stricte, le conservatoire ne pouvait être
qu'un lieu de perdition...

Après mon mariage (mon mari est totalement indifférent à la
musique), contracté à 19 ans, j'ai fait partie de chorales, mais
pour raisons conjugales, j'ai été obligée de tout arrêter. Puis,
j'ai fait quelques essais de jazz, je chantais avec un petit groupe
d'amis, lequel s'est désagrégé petit à petit. Et puis, coup de foudre
de ma vie, la flûte traversière. Mon fils aîné jouant de cet instrument à l'école de musique de Châlon et voulant l'abandonner,
j'ai pris tout simplement la relève. A présent, j'étudie tous les
jours avec passion, acharnement quelquefois, désespoir ou joie
intense. Pendant les vacances, je me retrouve avec ma sœur
violoniste et mon beau-frère pianiste et nous faisons de la musique
de chambre. Tout l'hiver, je travaille en vue de ces quelques
heures... Enfin, sommet de ma joie, j'ai maintenant deux élèves,
ce qui représente beaucoup pour moi : le travail, l'obstination,
la régularité sont payants même quand on est moyennement
doué. Lorsque les enfants seront tous partis, j'espère que mon
temps sera alors totalement absorbé par la musique. Pour
conclure, je crois que depuis que je fais de la musique, j'aime ma
vie *(Mme H. L., Châlon-sur-Saône).*

Des vies entières semblent se justifier par la plénitude que prodigue la
musique. Une plénitude voisine de l'envoûtement. Madame « Tout-
le-monde » approche le secret des dieux.

La musique remplit ma vie. A cause d'elle, je me suis mise à
l'italien. J'adore l'opéra, particulièrement l'opéra italien, et pour
pouvoir vraiment l'assimiler, je suis depuis cinq ans des cours à
l'Institut culturel italien. Je suis toute contente de pouvoir suivre
un livret de Verdi, de Puccini, de Donizetti sans le secours d'une
traduction. Et si vous saviez comme cela augmente l'intérêt de
la musique! Chaque année, je vais avec mon fils aux chorégies
d'Orange. Mon mari n'a jamais voulu venir, ça ne l'attire pas.
Nous ne prenons pas des places chères, mais toujours les mêmes,
à 30 F, et elles nous satisfont pleinement; on entend merveilleu-
sement et le spectacle vu d'en haut est sûrement plus impression-
nant que vu des places à 150 F. Pour limiter les frais, nous n'allons ni au restaurant ni à l'hôtel. Je fais un gâteau, des biscuits,

des sandwichs et nous grignotons ainsi avant le spectacle pour tromper notre attente, puis après le spectacle, pour couper la route, car nous rentrons à Grenoble sitôt après. On arrive vers 5 ou 6 heures du matin suivant les cas, claqués, fourbus, parfois grelottants, mais combien heureux. Et toute l'année, j'y repense : pendant six mois, je revis les spectacles passés et ensuite pendant les six autres mois, je songe à ceux à venir.

C'est si beau ces nuits à Orange, même quand il fait un froid terrible, comme en 1975 pour *Norma,* on en garde d'impérissables souvenirs. Voir ces spectacles parfaits me procure un immense plaisir, mais ce que j'aimerais encore plus, ce désir absolument fou qui me tarabuste, ce serait de voir ce qui se passe avant le lever de rideau, bien avant, en un mot, pouvoir assister aux répétitions.

Que ne donnerais-je pas pour avoir la permission de m'asseoir dans un tout petit coin où je ne bougerais pas plus qu'une statue de sel. Celui qu'entre tous j'aimerais voir travailler, c'est Luciano Pavarotti. Ce ténor italien me fascine et me comble. Sa voix est superbe, sa diction parfaite et l'art consommé avec lequel il met en valeur chaque phrase en fait pour moi un des sommets de l'art du chant.

Voilà, je suis une Française, moitié mère popote, moitié fofolle, vivant dans des rêves extravagants. Agitez, mélangez, ouvrez, il en sort une femme qu'on peut sans doute appeler « madame Tout-le-monde » *(Mme M. C., 55 ans, femme au foyer, Grenoble).*

Peut-on se dire mélomane aujourd'hui sans posséder une chaîne stéréophonique? Curieusement les lettres précédentes ne faisaient aucune allusion à cet équipement jugé par beaucoup indispensable. L'amour de la musique et la satisfaction d'une écoute impeccable semblent parfois indissociables.

Ayant fait l'acquisition depuis peu d'une bonne chaîne, je constitue à petits pas (un disque par mois) une discothèque essentiellement de jazz. J'écoute souvent en travaillant, à la condition qu'il s'agisse de musique instrumentale : les paroles me déconcertent et m'empêchent de travailler.

Avant l'achat de la chaîne, je privilégiais la télé au détriment du disque et de la radio. C'est maintenant l'inverse *(M. C. D., 37 ans, professeur d'espagnol, marié, trois enfants, Périgueux).*

Quand le choix se porte plutôt sur la musique de variétés, on ne lésine pas avec les décibels!

> J'ai une chaîne puissante. Pauvres voisins... Heureusement, les murs sont épais. J'écoute France-Musique et France-Inter. J'estime que la radio est mieux faite que la télé. Mes goûts : Polnareff, Véronique Sanson, Cat Stevens, Stevie Wonder...
> Je suis amateur de musique dite classique, mais sans excès. J'apprécie également la musique « expérimentale », Phil Glass, par exemple. En dehors de ces goûts marqués, j'explore. J'achète environ cinquante trente-trois tours par an, de tous genres et styles *(J. R. J., 23 ans, étudiant, Vence).*

L'audiovisuel : beaucoup, mais pas passionnément

Avec la lecture, le sport et la musique, nous sommes encore en terre traditionnelle et dans le domaine de la culture par excellence. Même si ces trois activités n'attirent qu'un nombre relativement restreint de personnes, elles inspirent, nous l'avons vu, des commentaires passionnés. Et surtout, elles regroupent des amateurs éclairés, convaincus du bien-fondé de leurs passions, bien que celles-ci soient de plus en plus dédaignées de nos jours. Avec le cinéma et la télévision nous sommes entrés dans l'ère de la culture de masse : le cinéma et la télévision retiennent les foules. Ils semblent avoir supplanté ces activités d'un autre âge que seraient lire ou écouter de la musique.

Or, que voyons-nous? Alors que 65 % des Français regardent la télévision tous les jours[1], 2 % seulement la mettent au rang de leurs loisirs préférés!

Quant au cinéma qui est, de loin, le spectacle le plus pratiqué (52 % des Français y sont allés au moins une fois par an[2]), il ne recueille au tableau d'honneur des loisirs que 3 % des voix! Il faut en convenir : le cinéma et la télévision n'inspirent pas aux Français de folle passion.

> Je suis une vieille paysanne sans expérience, je suis très pauvre, je n'ai jamais voyagé; cependant, j'aime ce qui me semble beau. La télévision pourrait nous apporter tant de choses. Cela est si

1. *Pratique culturelle des Français,* op. cit.
2. *Ibid.*

médiocre, le théâtre, le cinéma, la chanson, Guy Lux et ses tubes, *Midi-Première* et sa médiocrité, les séries américaines, la violence, les sempiternelles parlotes pour ne rien dire, les films idiots, un de bon, dix de mauvais. Kojak et son regret d'arrêter les malfrats : « qu'il démissionne »! Et le bon policier et le bon bandit et le bon tueur, et le pauvre justicier et les cadavres plein un tombereau dans les westerns, et les cas de conscience et les états d'âme des belles dames qui n'ont rien à faire que s'habiller, forniquer... Est-ce que c'est la vie, cela? Et lorsqu'on nous offre un film sur la vie actuelle, cela sonne faux. Il y a toujours une fausse note. Et les chanteurs, toujours les mêmes, Michel Sardou qui fait argent de tout, et tout un tas de tordus de son acabit. Moi, je n'aime pas Brassens, je n'aime pas Brel qui hurle pour ne rien dire, je n'aime pas les gueulards, je n'aime pas Piaf pour la même raison, crier n'est pas chanter et sa chanson n'était pas « populaire » mais populacière. La chanson populaire, c'est Francis Lemarque, Yves Montand et, à un plus haut degré, Jean Ferrat, Jean-Roger Caussimont et quelques autres que l'on entend peu, hélas! Quelques jeunes ont beaucoup de talent, mais comment faire entendre à tous ces vieux imbéciles intéressés et prétentieux qu'il faudrait leur laisser la place. Il en est de même au théâtre, hélas!
Vieilles rides, vieux très jeunes premiers de 45 ans, amoureux dégarnis ou en moumoutes, ventripotents que l'on reconnaît dans tous les déguisements, et qui jouent « eux-mêmes » plus que leur rôle. C'est grotesque et lamentable. Moi, j'ai 67 ans, je ne joue pas les bergères aux coins des bois. J'aurais bonne mine. J'ai beaucoup de rêves, mais de rêves honnêtes. Lire de beaux livres. Posséder une encyclopédie, des dictionnaires. Apprendre une langue, faire le tour, le tour de la terre... en attendant la mort dans mon misérable taudis, cela ne fait pas mal à personne (*Mme R. L., 67 ans, Villeneuve-sur-Yonne*).

Le cinéma, lui aussi, affiche : amour déçu!

Nous habitons une ville de 12 000 habitants. Nous allons très souvent jusqu'à Toulouse, afin d'aller au cinéma, car dans notre village il n'y a guère le choix pour les films, nous avons deux salles, et dans toutes les deux sont projetés constamment des films pornographiques! Même pas la liberté de choix! (*Mme P. A., 36 ans, coiffeuse, mariée, deux filles, Castelsarrasin*).

217

Et pourtant, la télévision est devenue irremplaçable pour un nombre de plus en plus grand de personnes qui ont le sentiment d'avoir, grâce à elle, accès à la richesse du monde.

> La télévision est pour moi le moyen principal de me détendre, d'oublier soucis et préoccupations du moment qui auraient sans elle tendance à devenir obsédants. De plus, je trouve que de certaines émissions se dégage une véritable « chaleur humaine », à tel point que l'on est « pris », que l'on « participe », oubliant l'écran.
>
> De plus, je considère la télévision comme un moyen de culture générale; en effet, les sujets les plus divers : littératures historiques, scientifiques... sont abordés, discutés de façon le plus souvent distrayante, rarement ennuyeuse. Enfin, les soirées paraissent moins longues devant un programme de télévision que l'on a pu choisir; et on a l'illusion parfois de se trouver dans une véritable salle de cinéma ou de théâtre, d'être « sorti de chez soi » *(Mme M. D., éducatrice d'enfants, mariée, sans enfant, Paris).*

Sortir de chez elle, cette jeune mère de famille en rêve aussi en regardant la télévision.

> Avant la naissance de Nicolas, nous allions beaucoup au cinéma, que nous adorons l'un et l'autre. Aujourd'hui, la présence de notre fils limite considérablement ces sorties : il est difficile de trouver impromptu une baby-sitter (quand nous décidons de sortir, c'est généralement à la dernière minute), difficile aussi de demander constamment à une sœur ou à une grand-mère de garder le cher petit. Et puis, il faut bien l'avouer, la télévision incite à la paresse : pourquoi affronter les embouteillages quand on peut tranquillement regarder un film chez soi, même s'il n'est pas excellent? Reste que périodiquement, je pars en guerre contre cet instrument de plaisir et de malheur.

Instrument de malheur ou de plaisir? Pour certains, c'est le malheur qui l'emporte.

L'homme moderne devant la télévision serait-il vraiment, comme l'écrit ce correspondant, prisonnier d'une habitude qui le laisse sur sa faim?

J'ai conscience de gâcher certaines heures de loisir lorsque je me contente de les meubler avec une émission de télévision qui ne m'apporte rien de positif, pas même une saine détente. Ça arrive. C'est que je n'échappe pas à l'emprise de la télévision. Elle fait partie de mon univers familier pour le meilleur, de plus en plus rare, et pour le pire, de plus en plus fréquent.

Le pire, c'est le ron-ron télévisé qui engourdit progressivement, qui intoxique lentement, qui endort toute conscience de vivre et qui étouffe toute velléité de créer. S'il paraît évident que l'on puisse être abruti de travail, on ne se rend pas toujours compte que l'on puisse être abruti de loisirs. Et pourtant, certaine presse, certaines radios, certaines émissions de télévision ne sembleraient avoir d'autres objectifs que d'engourdir la conscience *(M. J. A., 35 ans, Aix-en-Provence).*

Est-ce à dire que la télévision et le cinéma font partie du confort moderne au même titre que la voiture, le frigidaire?

Si l'on songe à l'énormité des moyens mis en œuvre dans le cinéma et la télévision, à la richesse des talents qui s'y déploient, à la fascination que ces deux formes d'art exercent, on est stupéfait du faible écho qui en reste. Point de trace dans les rêves, les émotions, les désirs... les passions. Rien — ou presque. Est-ce que ce vide inquiétant ne justifie pas, à lui seul, la sévérité des propos de Michel Lancelot, producteur à Antenne 2? :

Je pense qu'outre la pollution mécanique, physique, il faut redouter une pollution mentale et spirituelle. A ce titre, ce qu'on appelle la « civilisation des loisirs » représente quelque chose de dangereux, d'abominable pour l'esprit de l'homme. Les pouvoirs ont bien sûr intérêt à organiser les loisirs de masse, les jeux de cirque au temps de la décadence romaine, pour neutraliser toute initiative.

Je ne suis pas un marginal, c'est la civilisation des loisirs bêtifiants qui me rejette dans la marginalité. Je me suis, au contraire, inscrit dans la tradition. J'essaie de provoquer des réactions par le rire, le rêve, l'imagination, la contestation, l'humour. Ce sont les émissions faites pour le grand public qui sont marginales par rapport à la vraie tradition. Elles encouragent le public à s'engager sur le chemin de la sottise. Je ne crois pas que l'homme soit méprisable, je ne partage pas la théorie qui veut que la masse soit imbécile. Organiser les loisirs est donc une monstruosité. Pourquoi tant qu'on y est ne pas organiser l'amour et l'amitié? L'Allemagne nazie a été le premier pays du monde dans l'histoire moderne à nommer un ministère de la Propagande et de l'Organisation des loisirs. Ce n'est pas un hasard. L'homme ne périra pas par le corps, mais par l'esprit. S'il perd le sens de la création, de la pensée et de l'intelligence, au nom de la civilisation des loisirs, son cas n'est même plus à débattre : c'est un homme mort. Qu'importe, dès lors, qu'il se détruise dans un conflit nucléaire, dans cinquante ou cent ans, puisque ce sera une guerre entre zombies [1].

Cette « civilisation des loisirs » sur laquelle ironisent certains, qu'offre-t-elle à nos contemporains finalement? Il y a le cinéma et la télévision, bien sûr, mais nous avons vu le peu d'enthousiasme qu'ils suscitent. Ce sont encore les bonnes vieilles distractions traditionnelles, la lecture, la musique et le sport qui rassemblent le plus de suffrages. Restent les voyages, les week-ends, les vacances, le grand rêve, mais aussi la grande fuite en avant. Réservée aux privilégiés, les autres se contentent d'en rêver.

Faut-il en conclure que, après le travail et la famille, ce troisième pilier de notre civilisation : les loisirs, ne répond pas davantage à l'attente des Français? Comment, dès lors, ne seraient-ils pas moroses, désenchantés, indifférents, mais aussi — quand on les écoute attentivement — curieux, pleins d'interrogations et à l'affût de réalités enfin solides?

1. Propos recueillis par Gilbert Salachas.

5

Réalités intérieures

Parlez-moi d'amour

Merveille! les Français sont heureux en amour et en amitié! Si l'on en croit les résultats du sondage, ils ne sont que 4 % à manquer d'amour et 5 % d'amitié...

De plus, l'amour devient pour eux, au fur et à mesure que les années passent, plus important (26 %) ou reste aussi important (57 %). Autrement dit, huit Français sur dix accordent à l'amour une place privilégiée et semblent en retirer d'assez grandes satisfactions.

L'amitié occupe une meilleure position encore : avec le temps, elle demeure aussi importante pour 53 % de nos contemporains et devient même plus importante pour 40 %. De sorte que neuf sur dix donnent une grande part à l'amitié. Et ne connaissent là aussi que peu de déceptions!

Qu'est-ce à dire, en un temps où 15 % de mariages sont dissous par le divorce, où le couple traverse une crise considérable, où la sexualité semble l'emporter sur le sentiment?

... Qu'un récit comme celui qui va suivre suscite aujourd'hui une révolte impensable hier?...

Ce que j'ai follement envie de faire? D'aimer un homme au sens spirituel et charnel. Hélas! j'ai été forcée par ma famille de me marier à 18 ans (ignorant les lois). On était pauvre; c'était un « placement honorable »; je faisais une bouche de moins à nourrir. Le mariage, alors, était vu comme le baccalauréat aujourd'hui. Par sa pureté, la jeune fille sortait « la tête haute » (mais le cœur triste) et « honorablement » (on y tenait) de sa famille. Elle rendait service. Le mariage était le but de la bonne éducation familiale. L'homme honorait la famille en choisissant la jeune fille. Il n'était pas question d'amour (c'était du roman ou du cinéma), de sentiments (une jeune fille ne parle pas de ce qu'elle ne connaît pas). Elle doit obéissance à ses parents (très recommandé par l'Église d'alors). Les jeunes « ne parlent pas aux parents, par respect, ils écoutent ». Mais j'espérais le bonheur. Hélas, il ne vint pas. Mon mari était toujours souffrant. Il aurait fait un bon célibataire. Mais lui aussi faisait une place libre en partant et puis, avec la guerre et les pertes humaines, il fallait reconstruire les familles coûte que coûte...

Toute notre vie, nous avons fait de gros efforts d'entente, mais pour de petits résultats. Aux yeux « du monde » nous passions pour un ménage uni (j'ai fait un infarctus à 37 ans) (*Mme G. V., 46 ans, secrétaire, trois enfants, Lambesc*).

... Que l'amour a changé, qu'il se raconte moins en termes de conquête et se nourrit de liberté?

J'ai toujours « follement » souhaité un visage qui soit proche, un cœur qui comprenne, qui dialogue, une lumière qui brille, une femme ardente qui ne soit pas tentée par le suicide, petit ou grand, mais qui s'offre le luxe de la joie, de la malice, de la gratuité et de la générosité. Vous avez compris que je me sens profondément heureux, car mon épouse n'en fait qu'à sa tête et que sa tête est bonne (*M. G. L., 53 ans, médecin, Paris*).

... Que la recherche de l'amour survit de nos jours à tous les échecs conjugaux?

Je placerai d'abord dans la vraie vie les moments passés avec l'homme que j'aime. Car c'est lui qui partage, c'est lui qui affine, qui favorise, qui fait naître, qui apporte ces forces vives, à la fois calme intérieur et révolution.

Bien sûr, j'accorde une place primordiale à l'amour même si nous devons mettre très, très longtemps à le trouver, comme le héros du conte de fées qui accède au royaume (*Annette G., 32 ans, bibliothécaire, divorcée, deux enfants, Pau*).

... Que le divorce ne retire pas l'espoir de réussir un autre mariage?

Je souhaite à tout le monde de vivre avec la personne que l'on aime. Je suis divorcé, sur le point de me remarier et je sais ce que cela veut dire. Nous avons un enfant chacun de notre côté et notre rêve est d'en avoir un enfin à nous, que nous aimerons plus que tout, qui sera notre témoin, notre preuve d'existence de vie. En écrivant ces lignes, je pleure, car je suis heureux (*André F., 32 ans, cadre SNCF, Paris*).

... Qu'il n'y a plus de frontières entre l'amour « comme il faut » et l'amour coquin?

Je suis femme de commerçant œuvrant depuis vingt-cinq ans aux côtés de mon mari, par amour pour lui et pour notre métier. Je passe à la librairie quarante-neuf heures et demie par semaine! Le dimanche est le jour où je ne travaille pas. La première expression de mes loisirs dominicaux est de faire l'amour longuement, de me payer une sacrée tranche de tendresse. Des fois que ça pourrait servir à d'autres, je dirais que faire l'amour en plein jour, bien reposé, ça vous regonfle les accus. J'ai demandé l'autre jour à l'employé de la librairie qui prend son vendredi après-midi : « Alors, hier vous avez passé un bon congé avec ce temps merveilleux? » Il m'a répondu (il a 29 ans et une femme adorable) : « Oh! vous savez, le vendredi on fait les courses au Mammouth. » J'ai été triste pour lui. Je sais qu'à 29 ans et même à 46 comme me voilà, si mon mari était libre l'après-midi, j'enverrais paître le mammouth et pisser le mérinos, pour eh oui!... ça même.
Pourtant tout n'est pas si simple. Nous avons eu un grave différend il y a quelques mois. Jusqu'alors par asservissement librement consenti, par amour joyeux, j'existais par personne interposée. Mon mari était mon rempart, ma citadelle, mon roc, mon porte-parole, ma parole, mon maître à penser. Depuis que mon idole est tombée de son piédestal, qu'elle a cassé ses pauvres pieds d'argile, je m'aperçois que je commence à vivre ma vraie vie.
J'entends d'ici ce que vous pensez : et alors ces loisirs dominicaux coquins? Eh bien! je persiste parce que j'en ai besoin, parce que je crois que tout le monde en a besoin autant que moi, mari y compris *(Mme J. C., libraire, 46 ans, cinq enfants, La Rochelle).*

Faire l'amour : pour un bon tiers de nos contemporains (33 %), cela compte beaucoup; mais quatre sur dix (40 %) répondent avec une certaine réserve que l'amour physique compte « assez » dans leur vie. Entre le « beaucoup » des premiers et l' « assez » des seconds, il n'y a peut-être pas grande différence... Ils seraient alors 73 % à considérer l'amour physique comme une part essentielle de leur vie...
Toutefois la vague d'érotisme qui a envahi les salles de spectacles, les publications et quelquefois la rue, n'a pas submergé les Français. Si 30 % manifestent de l'inquiétude à cet égard, 21 % se déclarent indifférents. Ce qui frappe, aussi, c'est le score modeste des réactions extrêmes :

9 % seulement de dégoûtés et 4 % d'enthousiastes! Mais, fait plus remarquable encore : ce sont les jeunes que la « libéralisation des mœurs » laisse le plus indifférents. Peut-être ont-ils en ce domaine moins de liberté à conquérir que leurs parents.

> Je suis une femme, c'est très important! Je ne suis plus jeune, j'ai 58 ans. Enfant, j'ai perdu ma mère, elle m'avait soignée et choyée jusqu'à ce que j'aie 3 ans; ensuite, elle en a mis quatre à mourir de la tuberculose. Elle a laissé pour moi une lettre déchirante et depuis cet âge de 3 ans, le paradis m'a été fermé. Il s'est ouvert certains instants, lorsqu'à mon tour j'ai eu des enfants. L'amour éperdu et réciproque que j'ai entretenu pendant ces trois ans avec ma mère, je savais qu'il existait et ne me suis jamais résignée à ne pas le retrouver. J'ai aimé passionnément à 13 ans, sans oser le dire, une compagne de classe (elle est toujours mon amie). Plus tard, je n'ai jamais pu aimer un homme d'amour. J'ai un ami qui a toujours été d'un dévouement extraordinaire; c'est lui qui m'a révélé la jouissance sexuelle. Mais pour moi, c'est un frère. Le plaisir sexuel reste « plaisir », c'est tout. J'ai connu deux autres amours féminines; là je me suis ouverte et je voulais qu'on m'accepte. Je n'avais aucun complexe de culpabilité tellement mes sentiments m'embrasaient. On m'a acceptée comme amie, mais je n'ai pu connaître l'enivrement d'un amour partagé et les étreintes dont la seule pensée fait encore frémir tout mon être.
> Aujourd'hui, je suis relativement sereine et j'attends avec confiance le troisième âge *(Mme V. P., 58 ans, Paris).*

Alors, les Français sont-ils aussi comblés qu'ils le prétendent? Et sans regrets?

> Ce que j'aurais aimé faire mais que je ne fais pas par contrainte familiale : redevenir de temps en temps célibataire, mais pas pour rechercher des expériences sexuelles nouvelles... Mais pourquoi pas après tout, si l'occasion d'une expérience sexuelle, duelle, riche, c'est-à-dire pas uniquement sexuelle, se présentait?... *(M. C. D., 37 ans, professeur d'espagnol, trois enfants, Périgueux).*

Nos contemporains ne sont pas à l'abri de la solitude (loin s'en faut). Et les jeunes pas moins que les vieux.

J'ai 24 ans, orphelin à 6 ans, j'ai passé neuf ans en orphelinat. J'y ai été l'un des rares chanceux à en sortir avec le BEPC. Ensuite, dès l'âge de 15 ans, j'ai commencé à travailler. M'adaptant très mal dans le monde dans lequel je vis, j'ai cherché le bonheur comme un désespéré. Il y a deux ans, j'ai quitté un emploi dans une banque pour me lancer avec un ami à l'assaut du monde. Vendanges, hiver à la montagne dans la restauration, été au bord de la mer, en Normandie dans un bar... Et puis, en septembre dernier, l'angoisse m'a saisi. L'angoisse du vide, du vide de ma vie. Peur des gens si gentils avec vous et prêts à vous oublier du jour au lendemain. Sensation de profonde solitude où l'on est seul à se battre, où l'on ne compte pour personne. Même les filles que l'on aime vous oublient. Et pourtant moi, je n'oublie personne. J'ai l'impression de vivre à sens unique. Bref, je me suis installé à Paris à partir de septembre, décidé à donner un sens à ma vie. J'ai trouvé un travail de nuit. Vendeur au drugstore de 13 h 30 à 2 heures du matin. Je me suis inscrit à des cours, décidé à passer le baccalauréat. Je me sens toujours aussi seul, pourtant j'ai un tempérament sympathique et le sourire toujours aux lèvres. Je constate que tout le monde se cantonne dans sa vie. On aborde facilement les gens mais cela ne va jamais plus loin. Même les jeunes que l'on dit si ouverts, qui revendiquent tout, qui critiquent l'indifférence de leurs parents, sont en fait très inaccessibles. Ils se cantonnent dans leurs amitiés, leurs bandes, leur milieu. Il n'y a pas de place pour les autres. Et moi, je suis l'éternel « autre ».

En ce moment, le printemps revient, les filles sont plus jolies que jamais, j'ai le cœur qui s'étreint lorsque je les croise dans la rue la nuit, et je me sens encore plus seul. Je ne sors pas, je ne sais où aller sinon au cinéma d'où je sors immanquablement avec l'envie de discuter du film. Mais avec qui? *(J. R., Paris).*

Encore un jeune qui souffre de la solitude :

L'homme n'est pas fait pour vivre constamment seul dans la société; il lui faut connaître aussi bien les autres que lui-même. J'ai parfois la sensation d'être seul et pourtant il y a foule autour de moi. Finir son boulot et voir autour de soi des gens qui sourient, qui ont dans les yeux un regard d'accueil, ne devrait pas être trop utopique. Il y a des moments où je ne sais où aller et je me retrouve tout seul avec mes pensées. Au bout d'un certain temps, on en a marre de parler aux murs ou à soi-même. Il y a saturation. J'éprouve le besoin de communiquer, de traverser le mur de ma maison *(B. L., 27 ans, employé, Villers-les-Nancy).*

La vie quotidienne aussi entrave l'amour.

Mes relations amoureuses... ça aussi ça fait partie de la vraie vie. Quand on s'entend bien et qu'on est vanné de plaisir, on a l'impression de vraiment vivre. Ça n'est pas du temps perdu. On est vraiment présent à soi-même, à l'autre. Moments rares, trop rares *(Mme I. L., psychologue, conseillère conjugale, Paris).*

Alors, le sondage n'aurait-il pas dit toute la vérité? Nous demandions aux interviewés quelle importance ils accordaient à l'amour et à l'amitié. Les réponses ont jailli dans un seul sens. Pourquoi?

Dans un monde qui, lui, n'accorde d'importance qu'à la réussite matérielle, réussir en amour (ou en amitié) apparaît comme une manière de protester et de sauver sa vie. Qui oserait alors reconnaître qu'il est sans amour et sans amitié? Ces sentiments jouissent d'un tel prestige qu'il était à peu près impossible de s'en avouer privés.

Mais ces réponses n'ont pas menti pour autant. Proclamer avec une telle unanimité l'importance de l'amour et de l'amitié, c'était autant faire un acte de foi que chercher à dire une vérité.

Enfin, rappelons-nous, notre question disait textuellement : *Au fur et à mesure que les années passent, avez-vous le sentiment que l'amour (ou l'amitié) devient pour vous plus important?* Chacun en y répondant avec tant d'optimisme a peut-être aussi voulu affirmer que ces deux sentiments devenaient chaque jour un peu plus précieux. Alors, « au fur et à mesure que les années passent » et que s'estompent les satisfactions matérielles, l'amour et l'amitié accompagneraient-ils la vie et lui donneraient-ils un sens?

La vie spirituelle

Si l'amour et l'amitié font naître beaucoup d'espoir, la vie spirituelle, en revanche, ne fait apparemment pas recette : trois sur dix seulement de nos contemporains gardent un peu de leur temps si précieux pour méditer ou prier. Et sur les sept qui restent, une énorme majorité affirme sans complexe qu'elle n'en éprouve pas le besoin. Les interviewés avaient pourtant la possibilité d'invoquer le manque de temps pour expliquer leur réponse négative. 10 % seulement ont avancé cette excuse : c'est bien le désintérêt pour les choses spirituelles qui se manifeste ici.

L'avenir dans ce domaine ne devrait rien changer, selon le sondage : sept sur dix (69 %) des interviewés pensent que, dans les trente années à venir, la religion, la spiritualité auront encore moins d'importance!

Et parmi ces prophètes d'indifférence, les jeunes qui préparent l'avenir et les habitants des grandes villes qui font l'opinion publique sont les plus nombreux (74 %).

Connais-toi toi-même

Les Français, qui n'en sont pas à une contradiction près, se plaignent du bruit mais n'aiment pas le silence : 60 % considèrent le bruit comme l'inconvénient majeur des villes, mais 4 % seulement souffrent du manque de silence! 3 % recherchent en priorité dans leurs loisirs la possibilité de se mettre à l'écart, de faire retraite au calme, de réfléchir sur eux-mêmes! Certains mots ont la faculté de les faire fuir comme s'ils répandaient une mauvaise odeur : retraite, réfléchir... sont de ceux-là.

J'ai entendu des dizaines de femmes me dire : « Seigneur, vous restez là toute seule, comme ça, à la maison? Ah, là, là!, moi je ne pourrais jamais! » Les idiotes, elles me font pitié, oui pitié. C'est curieux comme les gens aujourd'hui ne savent plus rester en face d'eux-mêmes. Tout le monde se plaint d'être harcelé, bousculé, sur les dents, sur les nerfs, sur les jambes, sur la tête... Mais on ne peut supporter de vivre un peu en retrait des autres. C'est une chose qui ne cesse de m'étonner *(Madeleine C., environ 60 ans, ex-institutrice et commerçante, maintenant femme au foyer, Grenoble).*

Rester en face de soi-même, savoir qui l'on est, est évidemment incompatible avec le bruit et la fureur dans lesquels vivent tant de citadins d'aujourd'hui. C'est aussi la première réaction des correspondants qui prennent au sens le plus fort l'expression : la « vraie vie » que nous proposions à leur réflexion, ont accepté de nous livrer quelques parcelles de leur plus précieux trésor : leur vie intérieure.

Me voilà donc à pied d'œuvre, mes filles sont couchées, la maison silencieuse m'appartient totalement. Mon mari est à Paris, pour son travail, et j'ai résisté vaillamment à l'envie de tourner le bouton de la radio ou de la télévision pour meubler le silence un peu angoissant après une journée pleine d'activités, trop pleine peut-être.

Où est ma « vraie vie » dans tout cela? Pour moi la vraie vie est celle qui se passe à l'intérieur de moi, parallèlement à l'autre vie (celle faite de contraintes). Et cette vie intérieure (bien grand mot peut-être pour quelque chose de bien modeste) guide et donne un sens au quotidien.

Quelle chose magnifique que la pensée, quel puissant moyen d'évasion! Quelle femme isolée au milieu des tâches ménagères et du babillage des enfants n'a pas laissé libre cours à ses pensées? C'est parfois très dangereux et vous met au bord de l'abîme, mais quand on a le courage de gratter et de décaper le fond de soi (les activités ménagères se prêtent tout à fait bien à ce ménage intérieur), on se découvre des ressources et des forces nouvelles. Car pour avoir une vraie vie n'est-il pas essentiel de savoir qui l'on est vraiment? *(Christiane B., Oullins).*

Pour partir à la recherche de soi-même et de sa liberté, quelques-uns s'inventent une méthode d'introspection. Pour certains, ce sera une sorte de communion silencieuse avec l'univers, autant spirituelle que sensuelle.

Ce que j'ai envie de faire très souvent, c'est de dire « non » à tout, de m'asseoir par terre, sans plus rien exiger de moi-même que le renoncement, sans plus rien vouloir des autres que l'oubli. Ainsi, immobile, muette, intérieure, peu à peu sage, sereine, je serai bien car j'ai la certitude qu'un rien peut me combler, une infime parcelle de l'univers à admirer, la tendresse du vent, la douceur du soleil, la quiétude des arbres. Tout ce qui est là pour mon bonheur et dont je ne peux ou ne veux profiter *(Gisèle A., 38 ans, peintre et fonctionnaire, une fille, Berre-l'Étang).*

Pour d'autres, la méditation requiert d'abord une rupture physique avec l'environnement urbain en attendant le baptême purificateur de la nature.

De ma cage d'HLM, je m'expulse, j'enfourche un bicycle et fais comme les insectes qui se déplacent sans préméditation, ne subissant que les lois naturelles de ce merveilleux milieu qu'est notre terre et que nous étouffons à « petit feu » par notre insouciante pollution.

Que de sensations ressenties lors de ces trop rares escapades! Par moments, je m'arrête, je m'époumone, je sens, je vibre à l'unisson avec l'air, le vent, les chants, les espaces, ne pensant à rien et à tout, et j'ai l'impression que cette « minute de vérité », de beauté, dure une éternité *(André G., Mantes-la-Jolie).*

Le temps qui vaut si cher dans notre monde fou, fou, fou, on le sacrifie au profit d'un bien plus estimé :

Il y a tant de choses à faire, même perdre son temps, perdre du temps en ne faisant rien... Cela permet de se trouver soi-même *(Mlle A. R., Fleury-les-Aubrais).*

Se trouver, pour quoi, pour qui? Un médecin répond :

Si je le pouvais, je retournerais vers l'Est méditerranéen, la seule région étrangère que je connaisse un peu; mais le texte des sages est tellement vibrant à la tête de mon lit que je ne désire pas vraiment autre chose (être comme ceci ou comme celui-là, partir ailleurs). Je voudrais seulement mieux savoir, mieux comprendre, mieux me comprendre pour mieux m'oublier, mieux m'aimer pour mieux rejoindre l'autre avec plus de justesse, ne serait-ce qu'à travers les gestes quotidiens qui sont célébration de la communion... J'aime la vérité qu'enseignaient les prophètes : il n'y a pas

231

de race élue, il n'y a pas les bons et les méchants, et les méchants ne sont pas les autres. Ainsi ne peut-on pas entièrement fuir ses responsabilités, et il est toujours possible d'essayer de se changer soi-même pour que le royaume de justice advienne et que la gloire du vivant soit bonne aux yeux de ceux qui souffrent *(G. L., 53 ans, médecin, marié, Paris).*

Cette étape franchie, on tend l'oreille et la main, attentif, accueillant.

Quand on a fait ce voyage en solitaire pour se découvrir, il reste à vivre ce que l'on est. C'est même un besoin essentiel, une soif de partager ce que l'on sent. Mais communiquer avec l'autre reste une aventure difficile et qui fait mal parfois tant on se sent souvent impuissant. Et pourtant, la vraie vie, elle est là, dans ces moments privilégiés, où par un sourire, par quelques mots échangés, on s'est senti en plein accord avec l'autre.

Rechercher les contacts, les discussions vraies, aller vers l'autre, c'est ce que j'ai eu envie de faire le jour où je me suis sentie trop seule au milieu de mes pensées. C'est par le biais du travail que j'y parviens et par d'autres biais aussi (activités œcuméniques). Il est important parfois de repousser les murs et d'élargir son horizon.

Vivre libre pour moi, c'est être vraiment soi-même, dépouillé des habitudes et du conditionnement de la vie, être soi-même avec les autres, reconnu par les autres et acceptant les autres comme autant de richesses.

Programme ambitieux que je suis loin d'avoir réalisé, mais c'est de cette recherche qu'est faite ma « vraie vie » *(Christiane B., environ 30 ans, mariée, plusieurs enfants, Oullins).*

Un homme, père de famille heureux, décrit avec une fraîcheur d'adolescent ce qu'est pour lui cette relation à fleur d'âme, ce cœur à cœur éblouissant :

La vraie vie, pour moi, c'est de communiquer avec des gens. Vous leur parlez de façon sincère, vous vous livrez un peu (ou beaucoup : qu'est-ce qu'on risque?), sincèrement; sans essayer de « les avoir », vous parlez enfin de ces choses : les sentiments surtout que l'on ne dit pas, par pudeur, ou que l'on fait passer dans des clichés de telle sorte que l'on peut s'exprimer un peu sans risquer d'être crus. Vous faites ainsi le premier pas, vous vous présentez à visage découvert et c'est surprenant, alors, de voir comme les gens, beaucoup de gens attendent ça, comme ils ont besoin de communiquer, de sentir qu'ils ne sont pas seuls; car chacun est seul. La vraie vie, c'est ça, communiquer, aimer, vivre avec, vivre en *(De V., 44 ans, délégué médical, marié, trois enfants, Châtellerault).*

Les gens qui nous ont écrit ces lettres peuvent-ils être comptés parmi les 30 % qui consacrent du temps à la prière ou à la méditation? Chercher à se connaître, s'interroger sur soi-même, communiquer avec les autres, les aimer... N'y a-t-il pas là autant de formes de vie intérieure? Pourtant, il n'est pas certain que ces correspondants auraient répondu affirmativement à notre question.

Alors, la vie intérieure aurait-elle, elle aussi, subi les secousses et les transformations qui ébranlent tout aujourd'hui?

La mort : ils y pensent

Les Français n'aiment pas beaucoup le silence, le tête-à-tête avec eux-mêmes, cependant l'idée de la mort leur est plus familière qu'on ne croit : 54 % y pensent *(souvent :* 14 %, *de temps en temps :* 40 %).

On a beaucoup dit que la mort dans notre société était escamotée, éliminée de notre quotidien, dissimulée aux yeux et aux cœurs sensibles. Les « pompes » funèbres ont certes perdu de leur faste, le deuil vestimentaire est devenu plus discret, voire inexistant... On meurt plus fréquemment à l'hôpital que chez soi; on meurt dans la solitude, l'indifférence et l'anonymat, épargnant aux vivants de méditer sur l'agonie de ceux qu'ils aiment... Mais en revanche, la télévision, le cinéma font une grande consommation de morts et donnent la mort en spectacle presque quotidiennement à des millions de gens.

Le spectacle de la mort dans un film de fiction n'a, bien sûr, pas de commune mesure avec ce qu'elle est dans la réalité. La mort cinématographique est-elle pour autant déchargée de toute puissance émotionnelle et réduite à un schéma narratif? Tout dépend du film, de la qualité de ses interprètes et du talent de son réalisateur. Mais on ne saurait dire qu'un film comme *Cris et Chuchotements* d'Ingmar Bergman n'introduit pas le spectateur à une authentique méditation sur la mort...

La mort, enfin, est présente, presque quotidiennement, dans les actualités télévisées, les reportages sur les guerres et autres violences contemporaines. Même si, là encore, la réalité dépasse la représentation qui en est faite, la fréquence de ces images ne suffit-elle pas à expliquer qu'un Français sur deux ait le sentiment d'une certaine familiarité avec la mort?

Les visites au cimetière partagent les Français à peu près de la même façon que la pensée de la mort : une petite moitié (49 %) va souvent ou de temps en temps visiter les morts; l'autre moitié (51 %) ne le fait que très rarement ou jamais. Notons que les moins de 25 ans, pour 40 %, ne se rendent jamais au cimetière.

Mais, en même temps, un tiers des jeunes croient que la mort débouche sur « quelque chose d'autre » et, plus surprenant encore, 20 % pensent que l'on peut communiquer avec les morts! Le goût d'une partie de la jeunesse contemporaine pour les sciences occultes, la parapsychologie, les recherches mystiques les plus audacieuses, apparaît dans ces réponses.

Un quart des cadres supérieurs affirment également que l'on peut communiquer avec les morts! Peut-on affirmer après cela que nos contemporains n'ont aucun goût pour les choses de l'au-delà et s'en tiennent aux réalités sonnantes et trébuchantes?

> En inventoriant les moments importants de ma vie, je pense à la mort et à la compassion au sens fort du terme. Lorsqu'on accompagne quelqu'un dans sa souffrance et dans la mort, on est vraiment présent à soi et à l'autre. On vit alors quelque chose d'important qui est à vivre si l'on veut vraiment vivre *(psychologue-conseillère conjugale, Paris).*

Penser à la mort, c'est aussi envisager sa propre mort, à l'occasion d'une maladie, d'un accident...

> Né en 1910, dans l'humble loge d'un jardinier, gardien de propriété, mes parents m'ont conçu dans l'amour; malheureusement, ils ont dû m'abandonner pour un monde meilleur quand j'avais 7 ans. Aussitôt après cette catastrophe, me voilà étendu sur un lit de douleur, cloué par une méningite cérébro-spinale, meurtrière en ce temps... Je me souviens très bien de l'approche de la mort; nous sommes donc de vieilles connaissances, et c'est peut-être pour ça que je l'attends avec confiance mais sans impatience, car contrairement à tous les vieux autour de moi, je n'éprouve pas d'angoisse. Probablement qu'au dernier moment je la ressentirai, car il est bon de pouvoir prier jusqu'au bout *(R. R., architecte retraité, Clermont-Ferrand).*

234

Au terme d'une longue vie bien remplie et passionnément aimée, une institutrice de 70 ans trouve des mots simples pour décrire son intimité avec la mort :

> Maintenant, apaisée, je m'accepte avec sérénité. C'est avec une sorte d'humilité clairvoyante que j'assume le passé avec ses illusions, ses déceptions, ses erreurs et ses fautes. Je souhaite que la mort dont l'idée m'accompagne arrive doucement et qu'elle me soit miséricordieuse.
>
> Que puis-je désirer à mon âge? L'approfondissement de la vie spirituelle qui fut une constante ambition bien que jamais réalisée, mais ceci est un chapitre réservé... *(Mme G. D., 70 ans, institutrice à la retraite, mariée, quatre enfants, Paris).*

Une femme de 58 ans frémit, révoltée, à l'idée que « le bonheur simple » qu'elle savoure innocemment est menacé :

> La vie vaut la peine d'être vécue... J'essaie autour de moi de faire partager cette conviction, au hasard d'une conversation parfois. Mais bien sûr, nous avons été jusqu'à présent à l'abri des trop grandes douleurs... Pourtant, je crois que ma foi en Dieu me soutiendra si les épreuves surgissent. Et j'ai bien besoin de cette foi pour ne pas haïr la mort... alors que je sens si belle et si pleine chaque heure de ma vie *(Raymonde M., cinq enfants, Crécy-la-Chapelle).*

La vie éternelle

Penser à la mort, la redouter, l'attendre dans la sérénité ou même l'appeler, est une chose; croire en l'au-delà en est une autre. Les 54 % de Français qui pensent à la mort sont loin de se retrouver parmi ceux qui espèrent une forme de survie : ces derniers en effet ne sont qu'un bon tiers (34 %), les incrédules (54 %) l'emportant largement. Une minorité relativement importante (12 %) reste dans l'incertitude...

Quelques résultats attirent particulièrement l'attention : 45 % des cadres supérieurs croient à une forme de survie; en revanche, 45 % des agriculteurs et 65 % des ouvriers n'y croient pas.

Pourquoi les cadres supérieurs seraient-ils plus enclins que d'autres à espérer une vie éternelle? Parce que leur expérience de privilégiés les rassure sur l'au-delà? Ou tout simplement parce que cette catégorie socio-professionnelle est globalement, et apparemment, moins déchristianisée que d'autres?

Mais pourquoi les ouvriers sont-ils presque sept sur dix à ne pas espérer de survie? Parce qu'ils sont devenus hostiles ou étrangers à tout ce qui vient des Églises? Parce qu'ils préfèrent lutter pour améliorer leur condition sur terre que d'attendre la justice dans l'au-delà? Ou parce que la vie de tous les jours leur laisse peu de place pour une espérance aussi déraisonnable? On sera peut-être étonné d'apprendre que les agriculteurs, plus volontiers conservateurs et traditionalistes, affichent 45 % d'incroyants... Mais c'est oublier cent ans de propagande anticléricale à l'école communale; la vieille querelle entre le curé et l'instituteur n'a pas toujours tourné à l'avantage du premier. Quand, enfin, l'Église s'est aperçue des dommages et a tenté de transformer son enseignement, de le rénover, il était un peu tard : il n'y avait plus assez de curés de campagne et leurs églises s'étaient vidées. La campagne française est devenue, dans certaines régions, un véritable pays de mission...

La vie éternelle, d'ailleurs, sous la forme traditionnellement enseignée par les églises chrétiennes, n'a pas trouvé beaucoup d'écho non plus dans notre courrier, qui émane pourtant de milieux sinon croyants, du moins imprégnés de culture chrétienne. Le rappel que voici, impérieux et presque agressif, d'une stricte orthodoxie dans ce domaine, n'est-il pas la face visible et crispée d'une grande douleur cachée?

Pour un chrétien qu'est-ce que cela veut dire la VRAIE VIE? La vraie vie, n'est-ce pas la vie éternelle? De celle-là seulement nous sommes sûrs.

L'autre, celle que vous vous acharnez à vouloir faire entrer dans un cadre de bonheur terrestre, elle ne nous appartient pas. Elle peut vous être ravie à 10, 20, à 40 ans. Mais surtout, elle peut être ravie à ceux que vous aimez et qui ont, 10, 20, 30 ans... Allez donc parler de bonheur et de vraie vie aux PARENTS de ceux-là... Et savez-vous qu'ils sont nombreux, de plus en plus nombreux, les parents aux bras vides. Lisez les dernières statistiques :

— cause la plus importante des décès de jeunes de 15 à 20 ans : les accidents de la route,

— cause la plus importante des décès de jeunes de 20 à 30 ans : les suicides.

La vraie vie, c'est l'Évangile, c'est le spirituel, c'est ce qui ne finit pas *(J. B., Bois-le-Bois).*

Avec moins de sévérité, mais peut-être autant de foi, le correspondant suivant a une vision moins manichéenne de la vie éternelle :

> Je pense, je rêve, je revois le passé, je fais le décompte de mes nombreuses erreurs, je demande à Dieu de m'accorder la grâce dont j'ai tant besoin. Je prie.
>
> Je n'ai pas de folle envie. Sinon celle de parcourir ma vie ici-bas en tendant vers autre chose. Quelque chose qui me dépasse infiniment.
>
> Car ma vie de l'au-delà, j'en suis convaincu, a commencé sur cette terre *(Jean L., Bois-L'Abbé).*

Dans un petit livre sincère et dru, *la Vie en face* [1], une religieuse, Françoise Vandermeersch, peut écrire sans provoquer les foudres ecclésiastiques :

« Pendant très longtemps, j'ai pris au pied de la lettre les représentations du paradis, de l'enfer, du purgatoire, de l'état des âmes séparées, etc.

Aujourd'hui, je ne sais pas très bien ce que ça signifie, ou plutôt, je suis persuadée que le purgatoire, l'enfer, le paradis, nous les vivons maintenant. Il y a l'enfer dans la vie, il y a aussi du paradis. Le plus triste, c'est de mourir en ayant l'impression d'avoir raté sa vie. Je pense, même, à la limite, que la vie a suffisamment de sens en elle-même pour que nous ne soyons pas trop préoccupés de l'au-delà. Pour ma part, je le ressens comme co-extensif au temps et c'est dans l'aujourd'hui que je rencontre Dieu. S'il n'y avait rien après la mort, la vie conserverait son sens pour moi. »

Est-ce de la bonne théologie?... En tout cas, c'est un langage plus accessible à nos contemporains que celui des représentations classiques de la vie éternelle...

L'Église, aujourd'hui et demain

Les dogmes, aujourd'hui, personne ne s'y intéresse vraiment. De nombreux sondages ont analysé l'évolution de la pratique religieuse en France. On y voit décroître irrésistiblement le nombre des pratiquants :

1. Stock, 1976.

1952	IFOP-*Réalités*	37 %
1958	*la Vie catholique*	35 %
1968	SOFRES-*le Pèlerin*	25 %
1972	IFOP-*France-Soir*	21 %
1975	SOFRES-IT1	14 %

L'hebdomadaire chrétien *la Vie* a pu parler en 1976 [1] du « *schisme des silencieux quittant l'Église catholique sur la pointe des pieds* ». Les lettres que nous avons reçues se font l'écho de cette désaffection... On y relève de vieux griefs contre une religion de la peur et une morale crispée.

> On nous avait tellement parlé de l'enfer comme une chose réelle que j'y croyais dur comme fer. Aussi ai-je passé plusieurs années de mon enfance dans d'effroyables transes.
> Petit à petit, j'ai retrouvé le calme, mais le complexe de culpabilité, contracté alors, ne m'a jamais quitté. J'en veux terriblement à l'Église d'avoir permis de telles ambiguïtés et d'avoir pendant si longtemps affirmé des choses (telle l'existence de l'enfer) dont il n'est plus guère question maintenant *(A. D., 75 ans, photographe-technique, Charleville-Mézière).*

Plus jeune, mais lui aussi mal remis d'une éducation catholique oppressante, le correspondant suivant plaide pour une prière du corps :

> Ce que je reproche beaucoup à l'Église, telle que je l'ai comprise à l'école et chez mes parents, c'est d'être négative (ne pas faire ceci ou cela) et de traiter le corps comme la dernière des choses. Ce que j'ai compris du yoga : travailler le corps pour qu'il soit un outil bon et fonctionnant bien, dont on soit le plus maître possible. Il sert ainsi à méditer, ou à tout autre chose, mais c'est tout de même un vrai plaisir de sentir que tout ça fonctionne bien. La seule ombre à ce tableau, le manque de temps, ou plus exactement de courage pour m'isoler plus souvent, afin de mieux se voir, comprendre les autres ou prier *(Jean-Baptiste C., 29 ans, technicien en électronique, marié, un enfant).*

Les critiques les plus sévères et les plus angoissées viennent des croyants eux-mêmes. Professeur de lettres, ancienne militante de la JEC [2], éloignée de l'Église pendant des années, cette correspondante

1. *La Vie,* n° 1632, 7 décembre 1976.
2. Jeunesse étudiante chrétienne.

a retrouvé la foi au terme d'une difficile conversion. Avec son ardeur de convertie, elle est assez représentative de ces « chrétiens en recherche » qui ne sont jamais satisfaits de ce que l'Église leur propose, même quand il s'agit d'expériences novatrices, comme celle de Boquen par exemple :

> ... J'ai passé le plus clair de mon temps à « chercher » : un sens à la vie, à ma vie, la signification de ma foi d'enfant, bien oubliée. A La Rochelle, je n'ai pu me réintégrer dans ma paroisse, chat échaudé craignant l'eau froide. Je suis allée à plusieurs reprises à Boquen, le Boquen d'avant la débâcle de 73. Je suis aussi allée à Taizé... Je rêve de participer à la création d'un journal qui s'appellerait *Chrétiens en recherche* et où s'exprimerait toute cette quête tâtonnante, mais PAS FORCÉMENT POLITISÉE À GAUCHE, à laquelle Bernard Besret à BOQUEN n'a rien compris *(Christiane P., professeur, mariée, deux enfants, La Rochelle)*.

Le désarroi que révèle la lettre suivante n'est pas rare. C'est aussi celui des traditionalistes de Mgr Lefebvre même si les prétextes sont différents : dans les deux cas, des croyants reprochent à l'Église d'avoir changé... Tandis que d'autres lui font exactement le grief inverse !

> Nous sommes petits patrons (soixante-dix salariés) dans un petit bourg. Nous avons une formation « sur le tas », une ascendance de paysans, d'artisans, une famille nombreuse comme il sied dans le Haut-Doubs, une appartenance à l'Église par hérédité et par conviction personnelle, un attachement au sol par atavisme paysan, le flambeau de la foi que nous n'avons pu transmettre à nos enfants, et l'Église qui nous a lâchés, nous et surtout nos jeunes.
> En prenant des responsabilités, il y a trente ans, c'est-à-dire en montant une entreprise avec de l'argent emprunté, avec surtout un travail sans répit, jouant sur tous les plans pour s'en sortir, pour faire « son trou », avec l'esprit d'économie poussé jusqu'à l'austérité, nous avons cru qu'il fallait faire quelque chose d'ambitieux de sa vie, réaliser quelque chose, prendre en charge les autres en leur fournissant des emplois (entre autres). Tout cela nous l'avons cru dans la simplicité et réalisé à nos dépens. Nous nous trouvons donc « installés », satisfaits d'un résultat, bien consentants des sacrifices faits, conscients de nos devoirs envers nos salariés... mais blessés car les mentalités ont changé et nous avons l'impression d'avoir pris le mauvais convoi.

L'Église semble nous considérer (puisque patrons) comme des exploiteurs et ne manque aucune occasion de nous le montrer. Nous y sommes restés fidèles quand même, par attachement à Jésus-Christ, mais quelle épreuve! On se sent valable au denier du culte, à la gestion de l'école libre, à l'organisation de la kermesse, mais en quarantaine dans la vie de l'Église : conseil des laïcs quand nous y avons été élus, offre de service ou de participation tombant chaque fois dans l'oubli... Notre présence à l'assemblée est-elle une offense à l'égard des plus pauvres? Vue dans cette perspective, la perte de la foi de nos jeunes nous peine moins car comment comprendraient-ils cette attitude de l'Église? Il nous semble préférable qu'ils gardent le moral et croient en leur mission de patrons.

Voilà notre vie, nageant en eau froide et hostile, cherchant notre place dans ce petit coin de France; acceptant sans trop d'aigreur notre quarantaine; tremblant pour nos enfants sans la foi, ignorés par l'Église en tant « qu'errants », refusés en tant que riches, inquiets face à l'école libre souvent plus soucieuse de les politiser que de les scolariser.

Mais la joie tout de même à plein cœur parce que vivant en pleine nature... les amoncellements de neige, le village qui scintille sous la lune, cette immensité... cette pureté... ce silence... On se roulerait dans la nature : alors l'allégresse de l'environnement vaut bien mieux que nos tourments, il nous invite à rêver d'un monde où il ne serait plus de bon ton d'être « à gauche », où seraient acceptés les patrons au même titre que les autres, où l'argent ne serait pas la preuve de la valeur, où l'homme serait jugé sur sa personne et non sur son compte en banque (adulé ou méprisé selon la mode du moment). Quelle affaire vraiment que tout le monde n'ait pas le même emploi à l'intérieur et à l'extérieur d'une entreprise! *(Blanche P., environ 50 ans, entreprise familiale, Orchamp-Verres).*

L'Église, comme la société laïque d'ailleurs, récolte ici ce qu'elle a semé au XIXe siècle : une religion du « devoir d'État », appuyée sur les notables.

Alors, la religion, la spiritualité auront-elles, comme l'affirme le sondage, de moins en moins d'importance dans les trente années à venir? Le nombre déjà faible des croyants ira-t-il encore en régressant?

Pour Jean-François Six, prêtre catholique, directeur de la revue *Brèche,* le christianisme est en danger :

A la première lecture de ces données de l'IFOP, nous autres chrétiens, perturbés par la dégringolade de la pratique domini-cale, nous aurions tendance à nous réjouir puisque : « Il y a à peu près un tiers, 30 % de cette population qui consacre du temps à la méditation ou à la prière. »

C'est important ces 30 %, oui, mais... Mais si c'était 50 %, on pourrait avoir raison d'être aussi optimiste que pessimiste et dire que la bouteille est à moitié pleine plutôt qu'à moitié vide. Or, ce n'est pas 50 %, mais 30 % [...]

Question qu'on ne peut pas ne pas poser : ces 30 % qui « prient et qui méditent » sont-ils tous chrétiens? Certainement pas. Il y a, en ce moment, un certain courant de religiosité avec ses formes très diverses : les adeptes de Moon...; si certains ont été interrogés dans ce sondage, ils ont sans aucun doute répondu qu'ils priaient et méditaient; or quand le christianisme a com-mencé, il a rencontré, dans l'Empire romain, une immense reli-giosité au point que les philosophes comme saint Justin disaient que les martyrs étaient mis à mort « pour raison d'athéisme », car ils étaient athées de tous ces dieux.

La vague de néo-paganisme religieux, d'irrationnel et de mer-veilleux, telle qu'elle apparaît depuis quelques années est-elle, comme bien des chrétiens le croient facilement, une pierre d'at-tente et une chance pour l'avenir de la foi chrétienne? J'en doute beaucoup.

Tous ces chiffres alarmants, s'ils sont pour moi une souffrance, j'avoue qu'ils ne m'étonnent pourtant pas. Dix années comme responsable du secrétariat français pour les non-croyants me les ont fait vérifier, et chaque année davantage [1].

Mgr Daniel Pezeril, évêque-auxiliaire de Paris, pense au contraire que :

Nous sommes actuellement dans des conditions qui pré-ludent à la renaissance de la foi, parce que les trompe-l'œil sont usés, les fausses assurances sont usées, l'ère technocrate de la prospérité et du confort est usée. Les gens éprouvent une lassi-tude qui conduit à la révolte. Les solutions politiques médiocres qui nous sont proposées ne retiennent plus personne. On voit un peu partout proliférer des systèmes dérisoires. Or, la foi n'est pas un système, c'est une lumière crue et drue sur l'événe-

1. Interview recueillie par Gilbert Salachas.

ment. S'il y a inactualité de l'Église, c'est dans la mesure où l'Église n'est pas suffisamment ancrée dans le drame humain, dans la mesure où ses superstructures subsistent en dépit de la tempête qui sévit partout.

Certains prétendent que devant les grandes menaces et les grandes catastrophes, l'homme se pose enfin les grandes questions de fond; il semble que la menace engendre autre chose que la peur. Ce ne sont pas des réactions de panique qui font que tout d'un coup on s'accroche à la foi comme à un balcon vide quand la maison brûle. La pression de l'événement est moins source d'affolement que d'intelligence. L'abandon des attitudes conventionnelles conduit l'humanité à se poser des questions radicales, qui ne sont pas du tout des questions intellectuelles, mais des sursauts, des prises de conscience et de responsabilité devant l'événement. C'est une chance privilégiée pour la foi parce que c'est un appel à l'existence [1].

Du côté des fidèles, de ceux qui s'engagent dans l'Église militante, il y a surtout des femmes, du moins dans notre courrier. Elles s'occupent de catéchèse, d'alphabétisation, d'animation de quartier.

Cette infirmière qui travaillait pour élever ses deux enfants s'est remariée et a choisi de rester à la maison :

> Je voyais peu de monde. Nous venions d'emménager dans un quartier neuf, dans une tour de neuf étages... j'étais perdue, je me repliais sur moi, je perdais toute confiance en moi.
> Un appel fut lancé à la paroisse : on cherchait des catéchistes... J'avais une certaine expérience, je me suis proposée. Et ce fut le départ d'une ouverture, d'une nouvelle vie... Un centre de loisirs se formait dans le quartier : j'ai offert mes services. Je sentais le besoin d'approfondir ma foi, mon existence : j'ai suivi des cours. Je me sens à l'aise dans mon quartier, je le connais, je m'en sens solidaire. Et j'ai l'impression que ma « vraie vie », elle est faite de tout cela *(D. P., 46 ans, ancienne infirmière, quatre enfants, Paris).*

L'avenir de l'Église, les fidèles le prennent de plus en plus en charge :

> Les laïcs sont sollicités plus que jamais par l'Église. Dans trois ou quatre ans, nous n'aurons plus de prêtres, ici. Alors, j'ai suivi

---

1. Propos recueillis par Gilbert Salachas.

des conférences, puis des cours, puis des sessions pour acquérir (et plaquer sur mes trois ans de catéchisme et mon CEP des années trente) ce savoir minimal indispensable à l'éducation de la foi en catéchèse près des jeunes et des adolescents.

Une communauté chrétienne s'est constituée depuis quelques années à la chapelle Saint-Bernard, dans la gare Montparnasse, à Paris. Lieu de passage et de rencontre, Saint-Bernard est devenu pour des chrétiens mal à l'aise dans leur paroisse ou même éloignés de l'Église un lieu de prière.

Le père Bernard Feillet a été l'animateur de cette communauté avant d'être déplacé de manière un peu abrupte par son évêque. Il parie, lui, sur l'avenir de la vie spirituelle.

Que faites-vous quand vous ne travaillez pas?

A la limite, je suis un homme qui n'a rien à faire, qui commence ses journées dans une disponibilité totale. Je ne suis lié à aucune production.

Est-ce un privilège?

C'est pire que cela. C'est une exception exorbitante de vivre en profitant d'une société et de n'être lié qu'à la gratuité pure!

A quoi ou à qui avez-vous le sentiment d'être utile?

Actuellement, je crois être utile sur deux registres : le premier, celui qui me passionne le plus, celui de la communication des êtres dans ce qu'ils ont de plus intime, de plus intérieur, de plus fort : la prise de conscience de leur destin, de leur aventure personnelle et de leur place dans une aventure collective...
Au deuxième stade, j'essaie de faire exister des communautés chrétiennes qui soient très libérées de la normalisation ecclésiastique et puissent recevoir une lumière, tant de l'Évangile que de la vie intérieure : j'essaie de faire une Église au service de la spiritualité et non de la moralisation.
Il faut continuellement prendre ses distances par rapport à une société d'Église sur laquelle on s'appuie et qui n'a de sens que si on s'en détache... C'est tout un travail pour faire évoluer les mentalités, pour que la religion chrétienne ne s'intéresse plus à elle-même mais à l'être profond et au bonheur intérieur des gens.

Qu'entendez-vous par « normalisation ecclésiastique »?

Définir à l'avance pour les autres ce qu'ils doivent croire, ce qu'ils doivent faire, comment ils doivent se comporter. Je pense que l'Église est accompagnatrice, révélatrice, lieu de rencontre, d'intensité, et non pas d'encadrement social. Je souhaite que l'Église renonce à son rôle social, car maintenant ce rôle est assumé par d'autres. Je souhaite que l'Église soit plus désincarnée parce que les membres qui en feraient partie seraient eux-mêmes plus incarnés, parce qu'ils auraient leur place dans la société.

Et si la société en fait des robots?

Le rôle d'une Église est de faire prendre conscience de la nécessité d'une vie intérieure; et si les gens ont pris conscience de cette vie intérieure, ils modifieront eux-mêmes la société... Je ne crois pas que nous puissions avoir une prise directe sur cette société. Je souhaite que l'Église trouve l'Évangile suffisamment subversif pour qu'on puisse contester la société en ne s'occupant que de l'Évangile, que du spirituel.

On pourrait avoir une Église peu préoccupée d'elle-même, absorbant très peu le temps de ses participants, s'occupant de très peu de choses, mais que ce soit intense et révélateur. On est passé d'une Église qui a voulu s'occuper de tous les loisirs : l'Église-patronage, l'Église-kermesse, l'Église-théâtre populaire, etc., à une Église qui, n'arrivant pas toujours à vivre de l'Évangile, a voulu devenir une Église syndicale ou populiste ou préoccupée d'urbanisme, ou soucieuse des problèmes des quartiers... C'est un autre mode de patronage, un peu plus élaboré. A mon sens, on n'a pas besoin de l'Église pour cela. On a besoin des chrétiens, comme des autres. Mais le rôle de l'Église, c'est l'apprentissage de la contemplation, c'est l'initiation...

La vie spirituelle ne risque-t-elle pas de devenir marginale?

C'est un risque si la synthèse ne se fait pas dans les êtres. Mais je préfère ce risque plutôt que de compenser la vie spirituelle par un engagement social. Cette spiritualité n'est possible que si les gens sont très actifs dans la vie de la société : on peut prier d'autant plus spirituellement que l'ensemble de la vie est compromis dans les structures de la société.

Cela posera la question de la vie professionnelle des prêtres. Je crois que si les prêtres travaillent, ils seront renvoyés avec plus d'intérêt à la spiritualité ou, du moins, ils chercheront les voies d'une spiritualité possible, parce qu'ils devront découvrir eux-mêmes les chemins spirituels dans une vie extrêmement absorbée.

N'en revenez-vous pas à une vieille théorie combattue par des générations de chrétiens : la séparation du temporel et du spirituel?

Ce sont des problèmes dépassés! Il est acquis maintenant qu'il n'y a pas de spiritualité qui ne soit pas incarnée. La spiritualité dont je parle ne se dégage pas du temporel. De même qu'on ne peut parler de l'âme indépendamment du corps. C'est tellement évident pour moi que j'ai toute liberté pour parler de spiritualité.

Qu'entendez-vous au juste par vie spirituelle?

Prendre conscience de son être profond, s'interroger sur le pourquoi définitif de sa propre vie... Autrement dit, c'est une grande question où sont toujours affrontés l'amour et la mort.

Cette spiritualité est-elle accessible à tous?

C'est le rôle des communautés croyantes d'une part et des maîtres spirituels d'autre part d'aider chacun à se retrouver. Il faut que ceux qui ont exploré les chemins y conduisent les autres. Ce n'est pas seulement un chemin vers Dieu, mais un chemin vers le plus profond de chaque être. En allant au plus intime de soi-même, on devient capable d'une communication avec autrui. Ce n'est pas du narcissisme.

Croyez-vous qu'il y aura des prêtres dans l'avenir?

Je crois qu'il y aura des communautés chrétiennes qui vont susciter des ministres, des serviteurs, des gens au service de la communauté... Est-ce qu'ils seront prêtres? Je n'en sais rien... Je pense qu'il y aura des « présidents d'eucharistie » qui seront délégués ou ordonnés, pour un temps ou à vie...
Mais le sacerdoce me paraît une question mineure. Ce qui me paraît majeur, c'est la vie des communautés. On sera étonné de voir qu'on a moins besoin de prêtres professeurs (tous les prêtres sont de petits profs) que d'êtres capables de conjuguer l'expérience sur le terrain et la vie intérieure... On a besoin d'initiateurs.

Quelle est votre réaction en face de la montée de l'incroyance?

Elle représente un décapage fantastique de tout ce qui n'était peut-être pas la croyance. Beaucoup de gens n'ont plus confiance en l'Église, ni dans les hommes qui parlent en son nom, car ils les considèrent... incompétents en humanité.

Cela ne veut pas dire que la foi, cette espérance de l'homme en Dieu, est absente... C'est l'Église qui est en question plus que la foi...

Notre enquête ne donne pas l'impression que nos contemporains aient un besoin très vif de silence, de méditation, ou de foi...

C'est parce qu'il n'y a plus d'initiateurs. Il n'y a plus de gourous. On dit aux gens de venir faire retraite dans les monastères pour trouver Dieu. On les laisse huit jours en silence. Ils ne trouvent rien. Ils ont besoin d'un témoin qui leur parle à partir de son expérience et non à partir d'une théorie. Quand on dit que les gens ne peuvent pas affronter le silence, c'est parce que nous ne sommes pas encore assez riches pour mépriser la richesse, pour mépriser la réussite par les biens matériels. Quand on sera parvenu à considérer la vie intérieure comme une réussite, à ce moment-là, on pourra avoir des modes de loisir et de détente beaucoup plus dépouillés.

N'y a-t-il pas un risque de se perdre en route derrière des gourous qui se trompent?

C'est un risque personnel, oui... De toute façon, nous n'avons rien à perdre... Quand je parle de gourous, je veux seulement parler d'une certaine qualité de rencontre avec les êtres... Nous pouvons tous être le gourou d'un autre... Chacun de nous a un message pour un autre.

Dieu?

Dieu existe-t-il? La question est souvent posée par des croyants et des incroyants, avec la même véhémence. Elle ébranle des êtres qui ne font pas métier de théologien.

Tout ou presque m'intéresse, mais un seul but polarise mon esprit, mon cœur, tout au fond de moi, une question unique :

Dieu est-il? Cette interrogation, non quiète, est présente en tout temps. Lui seul m'occupe vraiment (ou plutôt l'idée de Dieu...) avec aussi la souffrance de mes frères. Lui seul est la question lancinante : comment se jeter en lui ou plutôt se laisser saisir par lui puisqu'il faut y entrer entièrement pour poser la question à fond, ou bien mener sa vie sans lui? Mais je ne sais faire ni l'un ni l'autre. Le rejeter tout simplement, mais est-ce peur du risque? je ne le fais pas et passe ma vie à osciller. Alors, vive la confiance aveugle. Mais comment obtenir cette confiance qui n'est pas spontanée? Je suis assez sceptique. Ma vraie vie, c'est cette inquiétude constante *(femme au foyer, anonyme).*

La même inquiétude, les mêmes questions se pressent entre les lignes suivantes avec, en plus, l'illusion souvent répandue que la foi donne le bonheur...

Alors il y a Dieu. Certains s'en remettent à lui, convaincus qu'il les aidera à mieux vivre. Dieu est amour, Dieu est charité. Ceux-là ont trouvé le bonheur, ils le croient. Regardez Maurice Clavel. En ce qui nous concerne, Claudine et moi, nous n'en sommes pas à ce stade. Dieu n'existe pas pour nous. Je ne peux donc pas comprendre ceux-là. Et pourtant la nécessité de croire en quelque chose habite chacun de nous tous.

Pour moi, poser le regard sur les montagnes ou sur une vallée verdoyante, ou sur le vigneron bêchant sa vigne, me ravit. C'est un instant de bonheur que je peux faire durer aussi longtemps que je le désire et que je savoure délicatement.

Question sur l'existence même de l'homme et par là de Dieu. Le bonheur existe-t-il? L'amour existe-t-il? La paix existe-t-elle? Où pourrions-nous trouver la vie? *(Robert O., Neuilly-sur-Marne).*

Et ce récit bouleversant qui laisse ouvertes tant de questions auxquelles on se garde de répondre :

Un vrai bonheur vaut plus qu'une vie. Je vous dis cela car je veux vous conter un événement dont vous allez comprendre combien il a pu m'impressionner. Il faut d'abord que je vous dise deux choses : la première est que, élevé de la manière la plus strictement (hélas!) chrétienne, je ne mets plus les pieds à l'Église où je m'embête vraiment trop (réciter des prières imprimées, pleurnicher des cantiques, écouter des sermons, me forcer? Pourquoi?); la deuxième chose est que toujours, sur la route, je prends beaucoup d'auto-stoppeurs (et si vous saviez combien j'y ai gagné!). Donc, un jour, remontant d'Angoulême à Poitiers, j'ai pris un vieil Arabe qui allait de Bordeaux à Paris; il n'avait pas mangé depuis plusieurs jours et il allait à pied puisque personne n'en voulait; c'est normal, il avait une allure de vagabond avec un physique d'Arabe! Si vous saviez ce que ça peut être, de porter le Christ dans sa voiture! Je ne suis pas mystique, loin de là; je m'enthousiasme souvent, mais je ne suis ni exalté ni évaporé; je crois rester toujours critique; pourtant, c'était bien lui dans ma voiture. Il n'était pas là pour moi, je n'étais pas visé; il attendait au bord de la route et n'importe qui pouvait le prendre; d'ailleurs, d'autres l'ont porté après moi. Comment expliquer à quel point je sens, physiquement, que c'était le Christ qui était là? C'est extraordinaire, inouï. Vous demandez : « Qu'est-ce que la vraie vie pour moi? »... Cet événement date de plusieurs mois et la même impression très profonde, très calme et très heureuse, continue. La vraie vie, ce serait cette rencontre si j'avais davantage la foi, mais ce n'est pas le cas... *(de V., 44 ans, délégué médical, marié, trois enfants, Châtellerault).*

Qu'elle soit en recul ou en progrès, la vie spirituelle des Français est en train de changer profondément. Tout en respectant la piété de leurs grand-mères, nos contemporains ne s'en accommodent plus. Question de mode ou de radiations nucléaires, ils rompent les amarres et partent à la recherche de terres inconnues. Dans l'Église ou hors de l'Église.

Vous vous interrogez sur les 70 % de Français qui déclarent ne pas consacrer de temps à la prière, en dehors de toute participation à des cérémonies religieuses, parce qu'ils n'en éprouvent pas le besoin.
J'ai 35 ans, je suis prêtre et je fais partie de ces 70 %. En positif, cela veut dire que j'éprouve le besoin de prier à plusieurs, que ce soit avec tel couple chez qui je passe une soirée, en réunion d'ACI[1], à telles eucharisties domestiques ou à telles célébrations dans notre Église, que ce soit à la cathédrale ou à Lourdes. J'ai besoin pour prier que nous soyons deux ou trois réunis au nom

1. Action catholique indépendante.

248

de Jésus. Il est vrai que je me nourris de la même façon. Pour manger correctement, que ce soit moi qui prépare le repas ou qu'un autre le fasse, il me faut être à table avec d'autres. Si je suis seul et que je veux quand même faire un vrai repas, alors j'allume la télévision et il y a une certaine présence. De même, seul, je prie avec la télévision : messe du dimanche matin, si je suis grippé, ou émission à thème chrétien, un rare soir sans réunion.

On nous a dit au séminaire que la prière se faisait toujours en Église. Pour ma part, je ne saurais prier en dehors d'un peuple réel, je ne saurais aller à Dieu en dehors d'une rencontre humaine. Ce n'est ni une théorie ni un titre de gloire. C'est une infirmité dont je me demande si elle n'est pas plus commune que l'on suppose... Et si vous aviez posé votre question autrement? *(abbé P. E. B., Champs-sur-Marne).*

Cette attitude n'est pas exceptionnelle : un prêtre parisien, à l'écoute de chrétiens de milieux très divers, a réagi de la même façon :

« Prendre du temps, pour méditer ou prier, en dehors de la participation à des cérémonies liturgiques? » J'aurais répondu « non » à votre question... La prière, la méditation ne sont pas affaire de temps... Je ne me mets pas en oraison à heures fixes, chaque jour. Je ne dis pas « ma » messe tous les jours, je ne lis pas « mon » bréviaire. Je ne peux pas dire la messe tout seul, pour moi... Je prie avec d'autres chrétiens, en assemblée, à l'occasion de rencontres... *(G. L., 35 ans, Paris).*

Les uns croient en Dieu, les autres pas. Cependant par une étrange rencontre, ils se font la même idée de la vie intérieure. Parce qu'ils sont d'accord pour refuser certains schémas anciens. En fait, des prêtres et des incroyants repoussent avec la même vigueur l'image d'une vie intérieure confinée, d'un tête-à-tête avec Dieu ou avec soi-même. Ils redoutent autant les uns que les autres d'être piégés par la routine et les attitudes stéréotypées. Dans l'expression « vie intérieure », ils retiennent surtout la vie... Comme cette jeune femme :

La vie intérieure, c'est quelque chose qui existe dans tout être humain. Il peut arriver qu'elle soit temporairement étouffée ou en veilleuse (comme ce peut être le cas de notre pouvoir créatif, de notre sensibilité, de notre goût de vivre...). Mais, vous comprenez, les hommes avaient déjà une vie intérieure au temps de la préhistoire (sans cela éprouverions-nous une émotion quelconque devant les peintures de Lascaux?); alors, ce serait bien étonnant qu'elle se soit évanouie en 1977, non?

Il m'a semblé qu'il y avait une certaine confusion entre la vie intérieure et puis ce que j'appellerais des techniques, comme le silence, la prière, la méditation...

Je ne veux pas dire que je rejette le silence ou la réflexion, mais il me paraît important de savoir que la vie intérieure ne saurait se réduire à la capacité de rester enfermé dans une chambre ou une chapelle. D'ailleurs, les croyants eux-mêmes ont su très tôt les risques et les dangers de la retraite, eux qui figuraient les moines au fond de leur cellule en proie à leurs démons intérieurs et ne réussissant pas toujours à les domestiquer... Dans le monde actuel, il est assez juste de dire qu'il est difficile de se rendre disponible pour la méditation; et puis on n'en a pas envie. Mais au lieu de se lamenter sur le malheur des temps, il me semble plus positif de chercher comment se manifeste la vie intérieure, qui est à mon sens aussi vitale que de manger, rire, aimer... Peut-être avons-nous du mal à en lire les signes parce que, malgré nous, nous attendons du spectaculaire... Autrefois, il y avait des processions, des messes solennelles, des prêtres qui lisaient leur bréviaire et à qui on venait confesser ses fautes : c'était rassurant. A travers les offices, les retraites, les angélus, la vie intérieure se manifestait. Maintenant, elle ne se voit plus. C'est peut-être justement qu'elle est devenue plus « intérieure ».

En fait, c'est chacun de nos gestes, de nos actions qui est le reflet, l'expression de notre vie intérieure. Et cela, il me semble que des tas de gens en prennent une conscience de plus en plus grande. C'est toute la vie qui se retrouve mise en question.

Ainsi, il y a peu de temps, j'ai été amenée à revoir mon comportement en face de la nourriture. Et je me suis rendu compte à quel point c'est positif, toute cette réflexion actuelle sur ce que nous consommons, le goût des aliments, le gaspillage, etc.

Manger, cela va bien au-delà de la simple nécessité vitale. Il y a le rythme du repas, la façon dont on aime ou méprise son corps en lui faisant absorber tel ou tel aliment, notre regard jeté sur l'autre dans le choix de ce qu'on va lui offrir à manger...

Autre exemple : il est de bon ton, dans certains groupes, de critiquer la mode, ces changements apportés d'une année à l'autre à la longueur des robes, etc. Mais il me semble qu'il y a une prise de conscience de l'importance du vêtement. Celui-ci est devenu expression de soi. Ce que je porte, la façon dont je me maquille est signe de ce que je suis en dedans, de la façon dont je me vois, de ce que je veux communiquer aux autres.

La vie intérieure, elle est derrière tout cela ou, plutôt, elle est au cœur même de tout cela.

Et puis, comment dire? tout ce travail en nous et autour de nous il se fait si lentement, de façon si pesante, avec tant de reculs, de chutes... on a l'impression qu'on n'en finira jamais, que tout est toujours à refaire et que nous sommes si seuls dans cette quête.

Alors nous rouspétons, nous désespérons, nous crions, nous nous lamentons, nous récriminons contre ce pauvre monde qui court à sa perte. Nous voudrions tellement, n'est-ce pas, que tout le monde s'aime, que les choses s'arrangent, qu'il n'y ait plus de guerres, de pollution, de divorces, que sais-je?

En ce qui me concerne, je me suis demandé pourquoi j'étais tellement agacée par les récriminations de ces prêtres, de ces religieuses, de ces croyants, par leur découragement. La réponse n'a pas trop tardé : c'est que je suis comme eux, tiens. Combien de fois il m'arrive à moi aussi de rouspéter après ces gens qui-ne-se-re-muent-pas, après ce gâchis de nos richesses, combien de fois aussi j'ai eu peur de l'avenir, combien de fois j'ai baissé les bras...

A mon sens, le danger qui menace la vie intérieure, ce n'est pas la technique, ce n'est pas le manque de temps ou de volonté pour réfléchir, ce n'est pas l'indifférence religieuse, c'est la certitude que nous pourrions avoir, quelle que soit notre croyance ou notre idéologie, d'être arrivés au port, d'être de ceux qui ont une vie intérieure tandis que les autres, les pauvres...

Il me semble qu'il faut inverser la vapeur. Nos progrès sont lents, tout est à refaire sans cesse, nous piétinons, nous régressons. Tant mieux, nous allons apprendre la patience. Les autres comme moi se découragent ou se consolent en dépensant de l'argent et en écoutant des chansons d'amour; comme moi aussi, ils se débattent dans leur solitude, leur angoisse, leurs « problèmes » et ils marchent malgré tout. Quelle chance, je vais apprendre à jeter sur eux un regard plus lucide, mais aussi plus chargé de tendresse. La famille n'est plus un havre de paix et de sécurité, les divorces sont plus nombreux, les enfants n'écoutent plus les parents... Eh oui! Mais n'apprenons-nous pas en même temps que l'amour n'est jamais acquis, qu'il est une chose fragile et toujours à reconstruire? Que parfois il faut bien admettre l'échec, si douloureux soit-il, et en tirer les conséquences? Ne découvrons-nous pas que ces relations souvent conflictuelles, difficiles à établir, moins sécurisantes sont aussi plus vraies, plus riches, plus positives finalement?

Et puis, n'est-ce pas passionnant tous ces tâtonnements?

Nous vivons une époque difficile, c'est vrai, peut-être la fin d'une civilisation, mais autre chose déjà est en train d'éclore; et puis il y a eu bien d'autres époques difficiles et même de bien plus terribles encore.

Je suis très frappée par le fait que nous avons tendance à considérer l'angoisse devant l'avenir, nos peurs d'une façon générale comme une tare, comme quelque chose de négatif. Bien sûr, cela peut arriver si cette angoisse nous paralyse absolument... Mais le plus souvent, il me semble au contraire que c'est un des plus grands progrès de la vie intérieure justement que de nous faire découvrir notre dénuement, notre solitude. Dieu n'intervient plus dans la vie des hommes, il n'est plus le refuge (personnellement, je ne crois pas en Dieu, plus exactement son existence même me laisse indifférente, mais le problème est à peu près le même à mon avis pour les croyants). Réjouissons-nous, nous allons pouvoir commencer à prendre à bras-le-corps toutes nos inquiétudes, nous allons apprendre à faire avec, elles vont devenir, elles deviennent le moteur qui nous fait chercher des solutions, une autre façon d'exister, de parler, d'aimer. Et puis, en même temps que nous voyons en face notre angoisse, ne voyons-nous pas aussi la solidarité qui nous lie à tous les hommes? Par exemple, je ne sais pas, toutes ces femmes qui se mettent en route, qui apprennent tout doucement à s'aimer elles-mêmes, qui commencent à oser dire comment elles aiment, comment elles veulent être reconnues, eh bien moi! elles m'apprennent à m'aimer mieux, elles me donnent envie de vivre plus, de dire moi aussi...

(Chantal C., Pont-de-la-Naye).

Postface

Et nunc, reges, intelligite... Saisissez d'abord, conducteurs de peuples, gouverneurs, leaders de partis, que pas une fois, on ne vous nomme, on ne vous somme.

Tous ces appels, comme lancés dans le vide, des flèches dans les nuages, comme si personne ne croyait qu'il y a, quelque part, un répondant. Toutes ces demandes vibrant dans la chair des jours, et qui ne vous sont pas adressées...

Par oubli? Tandis que ces Français comptent tellement sur vous, trop dit-on, pour le gouvernement des affaires publiques? Comment vous oublier, même un seul jour : vous interpellez, en grand format, sur les murs. Vous paraissez à chaque « une » des journaux. Chaque soir, vous venez tour à tour occuper le créneau, assurer la faction sur les petits écrans, peut-être par souci des Français, autant pour qu'ils ne vous oublient pas. Comment donc vous oublier? Mais ils ne vous voient pas dans leurs rêves.

Dès qu'ils se livrent en vrac, à cœur ouvert, qu'ils guettent leur destinée dans l'accumulation des gestes qu'ils font, ah! dans ce formidable souffle de vie, il n'y a donc jamais d'aspiration politique?

Tant de ces désirs au ras de l'existence, concrets, immédiats, est-ce qu'ils n'espèrent jamais que vous pourriez en lier la gerbe, moudre le grain, c'est-à-dire inventer avec eux une vie commune moins oppressante et plus gaie?

Quelle absence pessimiste.

Soit, si l'on n'attend pas que vous ayez réponse à tout. Mais que les Français vous croient irrémédiablement sourds à leurs questions charnelles, qu'ils vous perdent de vue dans leur vraie vie, parce qu'ils la croient chassée de vos programmes, et qu'ils aient l'air d'y consentir, comme à une fatalité, ça vous inquiète, je pense; ce livre est aussi pour votre sursaut.

« Ce divorce d'avec la vraie vie des Français est peut-être le plus grand danger menaçant les gouvernants et leurs conseillers [1]. *»*

1. Françoise Giroud, *La Comédie du pouvoir*, Fayard, 1977.

Entendez la voix étouffée dans le chœur : *« Je ne sers à rien... »* Comme une note grêle mais têtue, in peu tragique : *« Nos intelligences, nos désirs, nos initiatives, il n'y a donc personne pour les désirer, les accueillir?... »*

Tout ce levain perdu, ces splendeurs ignorées, piétinées?

Bonheur? Malheur? Ils ne sont pas si mythomanes. *« Nous vivons mieux que nos parents. »* Avec des biens qu'ils apprécient, des machines à laver, des voitures, des baignoires, la télévision et les week-ends. Des biens, des choses. Mais ils font, désormais, la part des choses.

On a l'impression que les Français, jusqu'à ces années-ci, étaient lancés dans une espèce de course, avec des bolides aux moteurs puissants : le travail productif, la croissance rapide, la consommation goulue. Et brusquement, la panne. Les moteurs grippés. Ou, pour choisir une autre image : des vérités, des dogmes dont s'enivra plus qu'une génération; et soudain, la gueule de bois, l'à quoi bon...

Ils déterrent des questions qu'on avait enfouies, comme sous la chaux vive les hardes des pestiférés. Des questions qui font penser, et qui freinent, par conséquent, la fuite en avant : ma vie a-t-elle un sens — direction et signification? Où ça va, certes, mais comment j'y vais...

Pour gagner sa vie, faut-il la perdre?

Ce qu'ils disent de plus fort sur eux-mêmes, les Français d'aujourd'hui, c'est qu'ils ne veulent plus perdre leur vie. Ils veulent mourir de leur vivant.

Ils redécouvrent un rapport au temps qui les déconcerte. Quoi, il ne m'est rien arrivé? Ma vie ce n'est qu'une seconde, une poignée d'eau?

Fugacité du temps, vieux thème des poètes, des prédicateurs et des philosophes. La nouveauté, c'est la hantise qu'en révèlent nos contemporains. On a lutté férocement contre les temps morts, pour s'apercevoir que le temps assassine.

L'accélération et l'ellipse, comme au cinéma, nous ont donné l'illusion d'allonger, de dominer le temps; le renouvellement perpétuel (« nouveau », crie sans cesse la publicité, escamotant l'ancien produit encore utile), celle de nier l'usure et la mort. Mais chacun pour soi les reconnaît.

« Le temps s'en va, le temps s'en va, madame, le temps non pas, mais nous, nous en allons... » La différence est que le temps n'est plus un fleuve. On vit en séquences, coincé dans l'actuel, piégé par les leurres et la précarité, enlisé dans la mare croupissante de l'instant, coupé de l'amont et de l'aval, de la source et de la mer.

Dans tous ces récits, pourtant, et ces paroles, vous avez vu défiler des rêves vieux de cent mille ans. Les Français qui traînent leur chariot dans les supermarchés et leur voiture dans les embouteillages sont hantés par les mêmes cauchemars, parcourus d'aussi fortes frayeurs et d'autant d'espoirs que leurs ancêtres quand ils les dessinaient dans les cavernes ou qu'ils nomadisaient avec leurs idoles.

Si l'on y pensait, les créations et les discours auraient une autre envergure. Tous les pouvoirs d'aujourd'hui sont vulgaires.

Eux-mêmes, nos concitoyens qu'on dit si affectionnés de l'Histoire, on croirait ici qu'ils ont tranché le cordon de la mémoire innombrable. Les millénaires n'ont pas marché pour eux. L'Histoire n'aiderait plus à vivre? De fait, tout paraît inédit et déconcerte; on flotte dans les expériences d'autrefois comme dans les vêtements trop grands de ses parents.

On a l'impression que tous les vieux grands mots, définitivement, ont cessé de servir; on les entend, on les voit autrement — et les réalités qu'ils renferment : celle du travail, par exemple, qu'on disait rédempteur et qui peut avilir, ou celle de la méditation, qui peut aliéner!... Tous les mots, sauf ceux du cœur : l'amour, l'amitié; parce que si ceux-là dépérissaient, ça signifierait que la vie elle-même s'éteint.

Elle pourrait s'éteindre, la vie. Ils le redoutent, preuve d'amour. En octobre 1974, M. Giscard d'Estaing ouvrait sa conférence de presse par ces mots pathétiques : « *Le monde est malheureux parce qu'il ne sait pas où il va et parce qu'il devine que s'il le savait, ce serait pour découvrir qu'il va à la catastrophe.* »

Ils disent : « *Nos enfants vivront plus mal que nous.* » Avec ce frissonnement, quand on jette un inconnu dans l'inconnu. Et puis, millénaire, l'instinct de conjurer l'horreur de sa propre mort en insinuant que le monde va mourir avec soi. Il y a une amère consolation de pharaon à vouloir enfouir dans son tombeau toutes les semences. A mesure qu'on s'en va, décréter que tout fout le camp, alors qu'on est seul à partir.

L'image de l'avenir que nos contemporains projettent n'est qu'un cliché d'instant qui prendrait la pose. C'est en fait le présent qu'ils dépeignent comme le voient leurs yeux; sur le mur du futur ils projettent les oiseaux d'angoisse qui planent sur notre temps.

Qui a lâché les oiseaux? Le directeur du *Nouvel Obs* et le Club de Rome? Ils n'ont pas inventé les camps de la mort et la bombe H. Depuis Auschwitz et le Goulag, pas un instant où nous ne tremblions pour la frêle liberté, où nous n'apprenions qu'elle est, quelque part, piétinée par les bottes. Quand on vit après Hiroshima, on garde à jamais dans un recoin de l'âme l'obsession que la planète, aussi, est mortelle.

« *Vaines alarmes! marchons gaiement,* claironnent les marchands du bonheur à prix unique, *l'humanité s'en sort toujours.* » Oui, certes, combattre les terreurs obscures de l'an mil qu'on devine dans les esprits; nocives par leur obscurité même; innommées, floues, serpentaires. Il faut ouvrir la gueule du dragon. Des périls abominables viendraient à notre rencontre.

Personne aujourd'hui n'est plus mystifié par le dogme de la science bienfaitrice universelle; les Français ne la condamnent pas non plus; c'est un pouvoir mais incohérent; c'est une puissance mais qui s'emballe toute seule. *« Elle expliquera tout, et nous n'en serons pas plus éclairés. Elle fera de nous des dieux ahuris »,* disait Jean Rostand.

Aujourd'hui, on le sait. On donne l'alarme, on désigne les combats. Et des combattants inclassables comme les écologistes, même récupérés par la mode qui récupère tout, ont du moins convaincu les Français (d'où leur profond écho dans ce pays) qu'ils n'étaient pas réduits à l'impuissance, qu'il suffirait de se lever ensemble pour sauver la planète. Aujourd'hui, on sait qu'elle est périssable mais qu'on peut la sauver. Comme on s'acharne à sauver son amour quand il est en péril. Se vanter de discerner le blé de l'orge, le lièvre du lapin de garenne? Vanteries d'amour : la terre, la nature, d'être si menacées, nous révèlent notre passion pour elles...

Cette soif de la vie... Quand le temps de la vieillesse sera venu, qu'aurons-nous vécu pour y puiser un peu de courage? Nos compatriotes, je l'ai dit, ce qu'ils nous crient de plus fort, c'est qu'ils veulent vivre; non pas mieux, pas d'abord [1], mais autrement.

Ils n'en peuvent plus d'une vie hachée, cloisonnée; de l'écartèlement entre le travail et les loisirs, de la course hagarde, avec la suffocation toute la semaine et l'air des champs parfois; la presse, la passivité toute l'année mais le droit de rêver, d'exister, d'exercer des dons et de dévorer les beautés de la création une fois l'an, dans le parc d'un seul mois... Ils disent : « ÇA SUFFIT. ÇA NE PEUT PLUS DURER COMME ÇA! » Ils se voient dans un miroir brisé en cent éclats. Ils veulent reconstituer leur image. Se refaire une âme. Ce qu'ils désirent est intérieur.

Qu'est-ce à dire? Ce n'est pas à moi de le désigner. On touche mille fois plus de questions que de certitudes. Jean Sullivan dit quelque part que l'Occident est le tiers monde spirituel. Mais ici, sous l'apparente désaffection de l'éternité, des croyances et des rituels, on découvre une vaste nappe métaphysique — ce flux de questions sur le temps et la mort, appels d'une vie autre, et besoin d'une valeur qui l'unifierait, lui donnerait signification...

On voit bien ce qu'ils refusent : une existence latente, avec le passé calfeutré, l'avenir aveuglé, comme si leur train s'était arrêté en rase campagne, suivant l'expression de Sartre, loin des refuges d'antan, sans horizon à poursuivre.

---

1. Pas d'abord : n'oublions pas allégrement les 12 à 15 millions (suivant les statistiques) de pauvres dans ce pays.

Aux millénaires d'épopées guerrières, personne encore n'a substitué l'épopée de la paix. Au moins par tout ce qui ne les comble pas, les Français ont l'air de l'attendre. D'être prêts, si l'on réinvente de grandes passions, à se refaire de grandes fêtes; pour célébrer les victoires anciennes de la vie, la bonté de ce qui est, les moissons à venir...

Comme disait Luther : « *Si l'on m'apprenait que la fin du monde est pour demain, je planterais quand même un pommier.* »

Francis Mayor

Annexe

Les résultats présentés dans les pages suivantes et sur lesquels nous nous sommes appuyés pour écrire cet ouvrage sont issus du sondage réalisé par l'IFOP à la demande de *Télérama*.

On trouvera dans ce document, outre les résultats portant sur l'ensemble des personnes interrogés, les variations les plus significatives en fonction des différents groupes de la population.

Parmi les choses suivantes, quelles sont les deux qui vous plaisent (ou vous plairaient) le plus dans le fait de vivre en ville?

		Sur 100 personnes interrogées (%)	
Avoir toutes les distractions à la portée de la main	24	— de 25 ans	36 %
		agriculteurs	15 %
Pouvoir facilement trouver un emploi ou en changer	23	— de 25 ans	38 %
		65 ans ou +	5 %
Pouvoir permettre à vos enfants de faire de meilleures études	41	35/49 ans	60 %
		agriculteurs	57 %
		65 ans ou +	15 %
Avoir tous les magasins pour les achats	33	+ de 65 ans	51 %
		agriculteurs	20 %
		cadres supérieurs	22 %
Côtoyer des gens issus de tous les milieux	15	Parisiens	19 %
		cadres supérieurs	19 %
		25/34 ans	11 %
		communes rurales	11 %
Avoir plus de choix pour se loger, trouver un logement	12	— de 25 ans	16 %
		petites villes	16 %
		cadres supérieurs	6 %
		agriculteurs	8 %
L'anonymat	8	cadres supérieurs	11 %
		ouvriers	5 %
Pouvoir être sollicité constamment par des activités intellectuelles, artistiques, politiques	21	agriculteurs	4 %
		ouvriers	12 %
		— de 25 ans	30 %
		Parisiens	36 %
Ne se prononcent pas	8 (1)		

1. Total supérieur à 100 en raison des réponses multiples.

Et parmi les choses suivantes, quelles sont les deux qui vous déplaisent (ou vous déplairaient) le plus dans le fait de vivre en ville?

		Sur 100 personnes interrogées (%)	
Le bruit	60	communes rurales	73 %
		18/24 ans	46 %
		+ de 65 ans	74 %
		Parisiens	47 %
L'air vicié, la pollution	40	inactifs	44 %
		18/24 ans	33 %
La durée des trajets	10	18/24 ans	25 %
		Parisiens	15 %
		65 ans ou +	3 %
La promiscuité, le fait de côtoyer des gens que vous n'aimez pas	4		
L'agressivité des gens qui habitent dans les villes	13	ouvriers	10 %
		villes moyennes	10 %
		18/24 ans	22 %
L'absence de nature	36	agriculteurs	43 %
L'aspect triste et monotone des constructions des immeubles	18	– de 25 ans	26 %
		agriculteurs	10 %
		cadres moyens	24 %
		65 ans ou +	13 %
L'anonymat	4		
L'insécurité	8	grandes villes	13 %
		communes rurales	3 %
ne se prononcent pas	1		
	(1)		

1. Total supérieur à 100 en raison des réponses multiples.

Rêvez-vous d'aller habiter à la campagne?

	Sur 100 personnes habitant une agglomération (%)
Oui	49
Non	36
Ne se prononcent pas	15
	100

Oui	18-35 ans	57 %	plus 65 ans	30 %
	agglomé. parisienne	53 %	villes moyennes	44 %
	grandes villes	51 %	petites villes	42 %

Rêvez-vous d'aller habiter en ville?

	Sur 100 personnes habitant une commune rurale (%)
Oui	5
Non	89
Ne se prononcent pas	6
	100

Avez-vous le sentiment d'appartenir à une ville ou à une région même si vous n'y résidez pas?

	Sur 100 personnes interrogées (%)
Oui	71
Non	26
Ne se prononcent pas	3
	100

Et avez-vous le sentiment de très bien connaître cette ville ou cette région?

	Sur 100 personnes ayant le sentiment d'appartenir à une ville ou à une région (%)
Oui	67
Non	31
Ne se prononcent pas	2
	100

En pensant à cette ville ou à cette région, diriez-vous que vous en connaissez « très bien » :

	Sur 100 personnes ayant le sentiment de très bien connaître une ville ou une région			
	oui (%)	non (%)	sans réponse (%)	total (%)
L'histoire	43	53	4	100
Le climat	97	2	1	100
De quoi vivent ses habitants	87	8	5	100
La végétation qui y pousse	89	7	4	100
Les richesses	79	15	6	100
Le folklore, les traditions	61	31	8	100
La gastronomie	74	19	7	100

Pourriez-vous reconnaître...

	Sur 100 personnes interrogées			
	oui (%)	non (%)	sans réponse (%)	total (%)
Le seigle de l'orge	62	36	2	100
Le lièvre du lapin de garenne	79	20	1	100
Le pin du sapin	88	10	2	100
Le chêne du hêtre	86	13	1	100
Le cerisier en fleur du pommier en fleur	85	13	2	100

A quel âge avez-vous commencé à travailler?

Sur 100 personnes
exerçant une profession

Moyenne	17 ans

65 ans et plus	14 ans	agriculteurs	14 ans
cadres supérieurs	19 ans	Parisiens	19 ans

Êtes-vous plutôt de ceux qui oublient leurs préoccupations professionnelles dès que la journée de travail est finie ou êtes-vous plutôt de ceux qui ne peuvent ou qui ont beaucoup de difficultés à se détacher de leurs préoccupations professionnelles?

	Sur 100 personnes exerçant une profession (%)
Oublie dès que la journée est finie	45
Ne peut se détacher de ses préoccupations professionnelles	48
Ne se prononcent pas	7
	100

Oublient	— de 25 ans : 56 %; Parisiens : 58 % ouvriers : 56 %
N'oublient pas	agriculteurs : 65 %; cadres supérieurs : 64 %

Pour avoir plus de temps libre, êtes-vous prêt à gagner un peu moins d'argent?

	Sur 100 personnes exerçant une profession (%)
Oui	46
Non	41
Ne se prononcent pas	13
	100

Oui	Parisiens	63 %	cadres supérieurs	63 %
	50/64 ans	37 %	cadres moyens	50 %
	ouvriers	38 %	agriculteurs	30 %

Le matin, quand vous pensez à la journée qui vous attend, qu'est-ce qui la rend agréable?

	Sur 100 personnes exerçant une profession (%)		
Plutôt votre travail	41	agriculteurs	55 %
Ou plutôt les moments hors travail	40	— 25 ans	53 %
		ouvriers	52 %
Ne se prononcent pas	19		
	100		

267

Après un week-end, est-ce que vous avez plutôt tendance à retrouver votre travail avec plaisir, ou est-ce que vous avez plutôt tendance à penser à votre prochain week-end?

		Sur 100 personnes exerçant une profession (%)	
Retrouver votre travail avec plaisir	47	{ + 65 ans	83 %
		cadres supérieurs	56 %
Penser à votre prochain week-end	32	{ − 25 ans	51 %
		ouvriers	43 %
Ne se prononcent pas	21	cadres supérieurs	24 %
	100		

Dans le cadre de votre activité professionnelle, avez-vous le sentiment...

	Sur 100 personnes exerçant une profession		
	oui (%)	non (%)	réponse (%)
De ne pas donner toute la mesure de vos capacités	39 a	54	7
D'être brimé	19 b	75	6
De n'être qu'un numéro parmi les autres	34 c	60	6
D'avoir des relations confiantes avec vos collègues	67	19 [1]	14
D'avoir la possibilité de faire une carrière intéressante	54	34 [2]	12

Oui	a. hommes	43 %
	b. agriculteurs	24 %
	− de 25 ans	23 %
	ouvriers	24 %
	femmes	21 %
	c. − de 25 ans	46 %
Non	1. grandes villes	23 %
	2. ouvriers	48 %
	femmes	41 %
	Parisiens	40 %

Considérez-vous ou non le travail comme...

	Sur 100 personnes exerçant une profession		
	oui (%)	non (%)	sans réponse (%)
Une malédiction	6	90 [1]	4
Une contrainte ennuyeuse	14 a	79	7
La meilleure façon d'occuper son temps	49 b	42 [2]	9
Le moyen de réaliser son ambition	60 c	30 [3]	10
L'occasion de rencontrer des gens	76 d	19 [4]	5
L'occasion de se faire des amis	69	34 [5]	7

Oui	a. Parisiens	28 %	
	— de 25 ans	22 %	
	b. + de 65 ans	92 %	
	c. agriculteurs	73 %	
	femmes	55 %	hommes 63 %
	d. — de 25 ans	76 %	
	femmes	80 %	
Non	1. + de 65 ans	100 %	
	cadres supérieurs	92 %	
	ouvriers	92 %	
	2. cadres moyens	53 %	
	Parisiens	58 %	
	— de 25 ans	58 %	
	3. Parisiens	40 %	
	4. agriculteurs	35 %	
	25/34 ans	23 %	
	5. Parisiens	32 %	
	25/34 ans	28 %	

Faites-vous des heures supplémentaires ou exercez-vous un second métier?

	Sur 100 personnes exerçant une profession (%)	
Oui	33	communes rurales 40 %
Non	63	
Ne se prononcent pas	4	
	100	

Si le temps que vous consacrez à faire des heures supplémentaires ou à exercer un second métier était libéré, à quoi les consacreriez-vous d'abord?

		Sur 100 personnes exerçant un second métier ou faisant des heures supplémentaires (%)	
A vos amis	7	{ — de 25 ans	11 %
		{ cadres moyens	12 %
A la lecture	5	cadres supérieurs	13 %
A pratiquer un sport	15	— de 35 ans	19 %
A votre famille	35	35/49 ans	45 %
A voir des spectacles	3	— de 25 ans	6 %
A créer quelque chose (travaux manuels, artistiques ou intellectuels)	24	50/64 ans	31 %
A votre vie sentimentale	7	— de 25 ans	19 %
Ne se prononcent pas	4		
	100		

Avez-vous le sentiment de « vous priver » souvent, de temps en temps, rarement ou jamais de quelque chose qui n'est pas de première nécessité?

	Sur 100 personnes interrogées (%)
Souvent	22 a
De temps en temps	37
Rarement	14
Jamais	26 b
Ne se prononcent pas	1
	100

Souvent	a. 35/49 ans	29 %	ouvriers	27 %
	femmes	25 %	agriculteurs	17 %
	65 ans et +	17 %		
Jamais	b. + de 65 ans	45 %		

Parmi les domaines suivants, quels sont les trois dans lesquels vous vous privez le plus fréquemment?

		Sur 100 personnes ayant le sentiment de se priver (%)	
Suivre la mode	28	petites villes	38 %
		agriculteurs	12 %
Les spectacles	39	grandes villes	46 %
		agriculteurs	25 %
Les voyages	47	agriculteurs	60 %
		65 ans et +	41 %
L'équipement de la maison	17	communes rurales	24 %
		cadres moyens et grandes villes	11 %
La voiture	10	65 ans et +	17 %
		agriculteurs	5 %
Les vacances	25	agriculteurs	59 %
		cadres supérieurs	17 %
Les week-ends	10	agriculteurs	19 %
		ouvriers	18 %
Les soins de beauté (coiffeur, hygiène, produits de beauté)	19	femmes	25 %
		hommes	11 %
Le restaurant	31	grandes villes	40 %
		agriculteurs	19 %
		cadres supérieurs	19 %
Les livres	11	+ de 65 ans	21 %
		50/64 ans	4 %
Les disques	8	– de 25 ans	12 %
		agriculteurs	3 %
		65 ans et +	5 %
Le sport	11	cadres supérieurs	18 %
		65 ans et +	5 %
Les consommations au café	9	villes moyennes	15 %
		communes rurales	4 %
Recevoir des amis	10	+ de 65 ans	15 %
		agriculteurs	4 %
Les soins corporels (tels que cures, massages, soins dentaires)	13	cadres supérieurs	17 %
		ouvriers	7 %
Ne se prononcent pas	1		
	(1)		

1. Total supérieur à 100 en raison des réponses multiples.

Supposez qu'une somme d'argent importante (par exemple, vingt millions d'anciens francs) vous échoit, qu'en feriez-vous?

	Sur 100 personnes interrogées (%)		
Vous les placeriez pour qu'ils vous rapportent des intérêts	16	+ de 65 ans	31 %
		25/34 ans	8 %
Vous prendriez une affaire à votre compte	6	25 ans	11 %
Vous achèteriez ou feriez bâtir une maison	46	professions libérales	40 %
		cadres moyens	55 %
		ouvriers	56 %
		65 ans et +	27 %
Vous achèteriez du terrain	12	agriculteurs	37 %
		65 ans et +	6 %
Vous achèteriez d'un coup tous les biens qui vous font envie	8	65 ans	13 %
Vous arrêteriez de travailler pendant un an	4	Parisiens	10 %
		35/49 ans	2 %
Ne se prononcent pas	8		
	100		

Personnellement, par rapport à l'argent, êtes-vous...

	Sur 100 personnes interrogées (%)
Plutôt une cigale	25
Plutôt une fourmi	63
Ne se prononcent pas	12
	100

Consacrez-vous une partie de votre temps libre à une activité telle que bricolage, jardinage, travaux manuels, tricot, couture, etc., et si oui, est-ce...

	Sur 100 personnes interrogées (%)
Parce que vous n'avez pas les moyens de faire autrement	9
Ou par plaisir	66
Ne consacrent pas une partie de leur temps libre à une de ces activités	23
Ne se prononcent pas	2
	100

Pensez-vous que ces travaux vous font...

	Sur 100 personnes occupant leur temps libre par une activité (%)	
Davantage dépenser d'argent qu'ils ne vous en font économiser	15	
Ou vous font davantage économiser d'argent qu'ils ne vous en font dépenser	73	{ agriculteurs 93 % { ouvriers 79 %
Ne se prononcent pas	12	
	100	

Avez-vous dans votre vie, une activité qui occupe votre temps libre, un loisir préféré, une passion?

	Sur 100 personnes interrogées (%)
Oui	63
Non	35
Ne se prononcent pas	2
	100

Cette passion coûte-t-elle de l'argent?

	Sur 100 personnes ayant un loisir préféré, une passion (%)
Beaucoup	6
Assez	17
Un peu	49
Pas du tout	28
Ne se prononcent pas	—
	100

LOISIR PRÉFÉRÉ OU PASSION :

	Sur 100 personnes ayant un loisir préféré, une passion (%)
Lecture	17
Sport [1]	16
Musique	9
Couture, tricot, etc.	9
Pêche, chasse	7
Bricolage	7
Marche à pied	7
Jardinage	6
Peinture dessin	4
Tennis, golf, équitation	3
Cinéma	3
Télévision	2
Famille	2
Politique	2
Jeux de cartes	2
Théâtre, opéra	2
Moto	1
Bateau, voile	1
Danse	1

1. Autre que tennis, golf, équitation...

A votre avis, se distraire sans dépenser d'argent, est-ce...

	Sur 100 personnes interrogées (%)		
Très facile	10 }	42	{ cadres supérieurs 47 %
Assez facile	32 }		50/64 ans 48 %
Assez difficile	38 }	57	{ − de 25 ans 67 %
			villes moyennes 65 %
Très difficile	19 }		agriculteurs 65 %
			ouvriers 61 %
Ne se prononcent pas	1		
	100		

Est-ce que dépenser, cela vous fait plaisir...

		Sur 100 personnes interrogées (%)	
Beaucoup	10	{ Parisiens	52 %
		{ Cadres supérieurs	44 %
Assez	24		
Un peu	30		
Pas du tout	32	{ agriculteurs	52 %
		{ + de 65 ans	40 %
Ne se prononcent pas	4		
	100		

Vous arrive-t-il de vous ennuyer?

		Sur 100 personnes interrogées (%)	
Souvent	8	{ — de 25 ans	48 %
		{ ouvriers	40 %
De temps en temps	27		
Rarement	26	Cadres supérieurs	77 %
Jamais	39		
Ne se prononcent pas	—		
	100		

Êtes-vous plutôt de ceux qui ont toujours besoin de faire quelque chose ou plutôt de ceux qui s'accommodent très bien de ne rien faire?

	Sur 100 personnes interrogées (%)
De ceux qui ont toujours besoin de faire quelque chose	80
De ceux qui s'accommodent très bien de ne rien faire	17
Ne se prononcent pas	3
	100

Consacrez-vous du temps à la méditation ou à la prière (en dehors de la participation à des cérémonies religieuses)?

	Sur 100 personnes interrogées (%)
Oui	30
Non	70
	100

Si vous ne le faites pas, est-ce...

	Sur 100 personnes ne consacrant pas de temps à la méditation (%)
Par manque de temps	10
Ou parce que vous n'en éprouvez pas le besoin	82
Ne se prononcent pas	8
	100

Parmi les choses suivantes, quelles sont les trois dont vous avez le sentiment de manquer le plus?

	Sur 100 personnes interrogées		
	en 1er (%)	en 2e (%)	en 3e (%)
De loisirs	12	8	7
De culture [1]	12	8	6
De chance	13	8	7
D'affection, d'amour	5	3	2
De nature, de vert	7	8	6
De silence	4	5	3
D'argent	17	13	10
De considération	1	2	2
De solitude	1	2	2
De temps [2]	13	12	10
D'autorité, d'influence	1	2	2
De dons	2	5	5
D'espace	2	5	7
De relations, d'amis	4	7	7
Ne se prononcent pas	6	12	24
	100	100	100

1. Moins de 25 ans : 6 %.
2. Cadres moyens : 22 %; moins de 25 ans : 19 %.

Avez-vous le sentiment d'avoir en vous des possibilités ou des capacités que la vie que vous menez laisse inemployées?

	Sur 100 personnes interrogées (%)
Oui	38 a
Non	54
Ne se prononcent pas	8
	100

Oui	a. — de 25 ans	48 %	25/34 ans	51 %
	cadres moyens	50 %	cadres supérieurs	48 %

Ont le sentiment d'avoir des possibilités ou des capacités que la vie qu'ils mènent laisse inemployées :

	Sur 100 personnes le sentiment d'avoir des capacités inemployées (%)
Capacités artistiques, culturelles, créatrices	24
Capacités intellectuelles	13
Capacités de travailler	11
Avoir un métier différent	9
Capacités physiques ou sportives	7
Capacités à aider les autres	6
Capacités à exercer des responsabilités	6
Non-utilisation de connaissances acquises durant la scolarité	6
Autres réponses	19
Non précisé	10
	100

Pensez-vous à la mort?

	Sur 100 personnes interrogées (%)
Souvent	14
De temps en temps	40
Rarement	22
Jamais	24
Ne se prononcent pas	—
	100

Croyez-vous à une forme de survie après la mort?

	Sur 100 personnes interrogées (%)		
Oui	34	— de 25 ans	30 %
		cadres supérieurs	45 %
Non	54	ouvriers	65 %
		agriculteurs	45 %
Ne se prononcent pas	12		
	100		

Allez-vous au cimetière?

	Sur 100 personnes interrogées (%)	
Souvent	12	
De temps en temps	37	
Rarement	32	
Jamais	19	— de 25 ans 39 %
Ne se prononcent pas	—	
	100	

Pensez-vous que l'on peut communiquer avec les morts?

		Sur 100 personnes interrogées (%)	
Oui	16	{ cadres supérieurs { — de 25 ans	24 % 20 %
Non	74	ouvriers	81 %
Ne se prononcent pas	10		
	100		

Au fur et à mesure que les années passent, avez-vous le sentiment que l'amour devient pour vous...

	Sur 100 personnes interrogées (%)
Cela devient plus important	26
Cela devient moins important	12
Cela reste aussi important	57
Ne se prononcent pas	5
	100

Et l'amitié, est-ce que cela devient, à mesure que les années passent...

	Sur 100 personnes interrogées (%)
Plus important	40
Moins important	5
Cela reste aussi important	53
Ne se prononcent pas	2
	100

Dans votre vie, l'amour physique est-ce que cela compte...

	Sur 100 personnes interrogées (%)
Beaucoup	33
Assez	40
Peu	12
Pas du tout	6
Ne se prononcent pas	9
	100

Vous arrive-t-il souvent, de temps en temps, rarement ou jamais...

Sur 100 personnes interrogées

	souvent (%)	de temps en temps (%)	rarement (%)	jamais (%)	ne se prononcent pas (%)
De voir des films érotiques	1	12	22	64	1
De lire des revues érotiques	1	9	17	73	1
D'aller dans une sex-shop	—	1	7	91	1
De lire des romans érotiques	1	7	12	78	2

Quelle a été votre réaction dominante devant la libéralisation des mœurs, a-t-elle provoqué en vous...

	Sur 100 personnes interrogées (%)
Le dégoût	9
L'indifférence	21
L'inquiétude	30
Un certain trouble	8
Un sentiment de libération	10
L'intérêt	13
L'enthousiasme	4
Ne se prononcent pas	—
	100

Quand on dispose de loisirs, on peut rechercher des choses très différentes. Vous, personnellement, si vous aviez une semaine de loisirs à prendre aujourd'hui, laquelle des choses suivantes recherchiez-vous en priorité? Et ensuite? Et laquelle vous attire le moins?

	Sur 100 personnes interrogées		
	en priorité (%)	et ensuite (%)	attire le moins (%)
Vous reposer de votre fatigue physique et nerveuse, pouvoir dormir et faire la sieste autant que vous en avez besoin	15	10	14
Vous dépenser, vous détendre, vous défouler, grâce à une activité sportive ou de plein air	14	12	7
Rechercher une distraction qui vous permette d'oublier, de vous changer complètement, peut-être de vous vider l'esprit	9	14	3
Connaître une région ou un pays nouveau, des gens différents, un paysage que vous ne connaissiez pas	41	21	2
Vous mettre à l'écart, prendre de la distance, faire retraite au calme, peut-être réfléchir sur vous-même et votre vie	3	6	14
Chercher un enrichissement culturel ou intellectuel, apprendre un art quelconque	5	14	6
Consacrer cette semaine à vos enfants, à votre foyer, à votre conjoint	12	16	3
Chercher une ou des aventures amoureuses	—	1	42
Ne se prononcent pas	1	6	9
	100	100	100

Si la tendance à la réduction du temps de travail se poursuit dans les années à venir, quelle solution aurait votre préférence?

	Sur 100 personnes interrogées (%)		
Davantage de temps libre chaque jour	23	cadres supérieurs	38 %
Davantage de temps libre en fin de semaine	37	cadres moyens	45 %
Davantage de congés annuels	25	ouvriers	36 %
Ne se prononcent pas	15		
	100		

281

Supposons que vous ayez la possibilité de prendre tout à coup une semaine de vacances, seul ou avec qui vous voudrez et tous frais payés. Parmi les propositions suivantes, laquelle vous attire le plus? Et ensuite? Et laquelle vous attire le moins?

	Sur 100 personnes interrogées		
	attire le plus (%)	et ensuite (%)	attire le moins (%)
Une semaine en hôtel à la montagne avec la possibilité de faire du ski	15	11	10
Une semaine chez vous pour faire ce que vous voulez, bricoler, jardiner, dormir ou n'importe quoi d'autre	6	6	8
Aller à la campagne pour être en plein air, faire de la marche à pied, pêcher ou chasser ou faire toute autre activité de plein-air	13	11	3
Une semaine au Club Méditerranée dans un pays ensoleillé au bord de la mer	19	13	10
Suivre un stage de poterie, de peinture, sculpture, musique, tissage ou autre activité artistique ou artisanale	4	7	13
Se rendre dans un pays pour en découvrir les habitants, les beautés et les problèmes	22 [1]	20	1
Prendre une semaine dans un endroit calme, où vous pourrez être au silence et dans la tranquillité	6	9	5
Faire la fête pendant une semaine, profiter d'un maximum de plaisirs pendant 1 semaine	3	5	35
Passer une semaine chez quelqu'un de votre famille qui vous est cher (enfant, parent, oncle, cousin, grand-parent...) pour le plaisir d'être avec lui ou avec eux	11	14	10
Ne se prononcent pas	1	4	5
	100	100	100

1. *Le plus :* agriculteurs : 36 %; cadres moyens : 29 %; moins de 25 ans : 22 %.

Avez-vous le sentiment qu'il y a encore des fêtes?

	Sur 100 personnes interrogées (%)		
Oui	62	communes rurales	69 %
Non	35	Parisiens	41 %
Ne se prononcent pas	3		
	100		

Lesquelles?

	%
Noël	55
Jour de l'an	27
Fêtes de village	17
Pâques	17
Fêtes familiales	15
Anniversaires et fêtes	11
Fêtes religieuses (Pentecôte, Toussaint)	11
14 juillet	10
Fêtes populaires, bals	10
Carnaval, mi-carême	8
Mariage, fiançailles, communions	5
Fêtes entre amis	4
Fêtes de clubs sportifs	3
Premier Mai	3
Fêtes des mères et des pères	1
Saint-Nicolas, Sainte-Barbe, Saint-Éloi	1
Autres réponses	5
Non précisé	1

Appréciez-vous beaucoup, assez, peu ou pas du tout...

	Sur 100 personnes interrogées				
	beaucoup (%)	assez (%)	peu (%)	pas du tout (%)	ne se prononcent pas (%)
Les fêtes de famille	48 [1]	31	14	6	1
Les fêtes populaires	18	29	12	19	2

1. *Beaucoup :* agriculteurs : 65 %.

Avez-vous le sentiment qu'il soit dangereux de se rendre dans un bal ou une fête populaire?

	Sur 100 personnes interrogées (%)
Oui	41
Non	50
Ne se prononcent pas	9
	100

Vous arrive-t-il d'hésiter à sortir parce que vous devez prendre votre voiture?

	Sur 100 personnes interrogées (%)		
Oui	19		
Non	62	agriculteurs	81 %
Ne se prononcent pas	19	25/34 ans	72 %
	100		

Si oui, pour quelles raisons :

	Sur 100 personnes qui hésitent (%)
En cas de fatigue	12
En cas de difficultés de stationnement	19
En cas d'embouteillages	23
A cause de la crainte des accidents	21
Ne se prononcent pas	25
	100

La voiture semble-t-elle indispensable ou pas pour vos loisirs?

	Sur 100 personnes interrogées (%)
Indispensable	61
Pas indispensable	33
Ne se prononcent pas	6
	100

MÈRES DE FAMILLE

Voulez-vous me dire pour chacune des choses suivantes, si vous y consacrez le temps que vous souhaitez, pas assez de temps à votre gré, ou si cela ne vous intéresse pas?

	Sur 100 mères de famille			
	le temps que vous souhaitez (%)	pas assez de temps (%)	ne vous intéresse pas (%)	ne se prononcent pas (%)
Jouer ou sortir avec vos enfants	44	46	2	8
Regarder tranquillement la télévision l'après-midi	27	27	40	6
Voir vos amis (es)	46	42	6	6
Voir des parents	47	42	6	5
Vous cultiver (lire, écouter des disques)	32	53	12	3
Pratiquer un art d'agrément, un artisanat ou un sport	12	46	37	5
Militer dans une association	6	15	73	6
Aller chez votre coiffeur ou vous faire une beauté	35	34	27	4
Aller chez une couturière ou dans un magasin de confection	33	27	34	6
Faire du lèche-vitrine	34	38	24	4
Faire la sieste	16	25	55	4

Avez-vous déjà eu envie de prendre des vacances sans votre famille (enfant (s) et mari)?

	Sur 100 mères de famille (%)
Oui	22
Non	77
Ne se prononcent pas	1
	100

ANNEXE

L'avez-vous déjà fait?

	Sur 100 mères de famille (%)
Oui	37
Non	63
	100

Entre ces deux façons de faire vos achats familiaux, laquelle a votre préférence?

	Sur 100 mères de famille (%)
Au jour le jour chez les petits commerçants	33
Une fois par semaine dans une grande surface, un supermarché	63
Ne se prononcent pas	4
	100

Pour vous, faire des achats dans une grande surface est-ce que c'est...

Plutôt une sortie agréable	51
Ou plutôt une corvée	43
Ne se prononcent pas	6
	100

Allez-vous au restaurant...

	Sur 100 mères de famille (%)
Souvent	4
De temps en temps	39
Rarement	32
Jamais	25
Ne se prononcent pas	—
	100

RETRAITÉS

Par rapport à l'idée que vous vous en faisiez lorsque vous étiez encore en activité, diriez-vous que la retraite...

	Sur 100 retraités (%)
Vous a plutôt déçu	16
Vous a plutôt agréablement surpris	32
Ni l'un, ni l'autre	43
Ne se prononcent pas	9
	100

Pour quelles raisons cela vous a-t-il déçu?

	Sur 100 retraités déçus (%)
Fatigue, maladie	31
Manque d'argent	36
Isolement	36
Inaction	31
Autre	6
Ne se prononcent pas	6
	100

Depuis que vous êtes à la retraite, avez-vous entrepris quelque chose de nouveau, et si oui, quoi parmi les choses suivantes?

	Sur 100 retraités (%)
Vous consacrer à une autre activité qui vous rapporte un revenu	5
Faire des voyages	13
Vous consacrer à une activité culturelle ou artistique	6
Militer dans un parti, une association politique, sociale, religieuse	3
Participer à un club du troisième âge	11
Faire du sport	3
Faire des études	1
Autre chose	17
N'a pas entrepris quelque chose de nouveau	57
Ne se prononcent pas	4
	100

Consacrez-vous plus de temps...

	Sur 100 retraités		
	oui (%)	non (%)	ne se pro-noncent pas (%)
A vos enfants ou petits-enfants	53	33	14
A votre conjoint	54	17	29

Pensez-vous que vos enfants...

	Sur 100 personnes interrogées (%)		
Ont (ou ont eu) plus de chance que vous	38	{ + de 65 ans	47 %
		35/49 ans	50 %
Qu'ils auront (ou ont) une meilleure vie que la vôtre	39	50/64 ans	47 %
		ouvriers	46 %
		cadres supérieurs	30 %
		cadres moyens	30 %

Dans l'ensemble, avez-vous le sentiment que, par rapport à la vie de vos parents, vous avez (ou avez-vous eu) une vie plutôt meilleure, plutôt moins bonne ou que c'est plutôt la même chose?

	Sur 100 personnes interrogées (%)	
Plutôt meilleure	76	agriculteurs 85 %
Plutôt moins bonne	8	ouvriers 10 %
La même chose	12	65 ans et + 16 %
Ne se prononcent pas	4	
	100	

Quand vous pensez à l'avenir, pour vous et ceux qui vous sont proches, est-ce que vous êtes...

	Sur 100 personnes interrogées (%)		
Très inquiet	10 }	62	ouvriers 70 %
Plutôt inquiet	52 }		
Plutôt confiant	30	33	
Très confiant	3		
Ne se prononcent pas	5		
	100		

Et êtes-vous confiant ou inquiet en ce qui concerne l'avenir de l'homme, de l'humanité?

	Sur 100 personnes interrogées (%)	
Très inquiet	12	66
Plutôt inquiet	54	
Plutôt confiant	23	25
Très confiant	2	
Ne se prononcent pas	9	
	100	

Pensez-vous qu'à l'heure actuelle l'expérience est une valeur reconnue ou périmée?

	Sur 100 personnes interrogées (%)
Valeur reconnue	65
Valeur périmée	23
Ne se prononcent pas	12
	100

Pour les vingt ou trente années à venir, comment avez-vous le sentiment qu'évolueront les hommes et la société? Par exemple, est-ce que...

		Sur 100 personnes interrogées (%)	
a. Les gens deviendront de plus en plus solidaires entre eux	14	Parisiens cadres supérieurs hommes	19 % 17 % 17 %
Ou est-ce qu'ils deviendront de plus en plus indifférents les uns à l'égard des autres	76	grandes villes agriculteurs	79 % 79 %
Ne se prononcent pas	10		
	100		
b. On aura de plus en plus de liberté	32	Parisiens	42 %
Ou de moins en moins de liberté	43	agriculteurs	58 %
Ne se prononcent pas	25		
	100		
c. On travaillera de plus en plus	17	— de 25 ans	24 %
Ou on travaillera de moins en moins	68	hommes	75 %
Ne se prononcent pas	15		
	100		
d. Les modes de vie et les façons de penser vont s'uniformiser dans tous les pays, toutes les régions	46	Parisiens cadres supérieurs cadres moyens	60 % 60 % 58 %
Ou les modes de vie et les façons de penser vont devenir de plus en plus différents d'un pays à l'autre	31	— de 25 ans petites villes ouvriers	38 % 48 % 38 %
Ne se prononcent pas	23		
	100		
e. Les villes vont se multiplier et devenir de plus en plus peuplées, étendues	44	Parisiens — de 25 ans cadres supérieurs	53 % 52 % 51 %
Ou les villes vont peu à peu se vider et les gens retourner vers les campagnes	45	ouvriers petites villes	54 % 52 %
Ne se prononcent pas	11		
	100		
f. La religion, la spiritualité auront de plus en plus d'importance	15	Parisiens cadres supérieurs	22 % 24 %
Ou la religion, la spiritualité auront de moins en moins d'importance	69	grandes villes — de 25 ans	72 % 74 %
Ne se prononcent pas	16		
	100		
g. La nature sauvage va disparaître	31	— de 25 ans Parisiens	42 % 41 %
Ou on parviendra à préserver la nature sauvage	57	communes rurales	65 %
Ne se prononcent pas	12		
	100		

Vous-mêmes, êtes-vous d'accord ou non avec l'opinion suivante : « Le progrès technique crée un cadre de vie tellement artificiel qu'il met en danger la vie de la prochaine génération »?

	Sur 100 personnes interrogées (%)

Tout à fait d'accord	37 ⎫	76	ouvriers 83 %
Plutôt d'accord	49 ⎭		
Plutôt pas d'accord	14	18	
Pas du tout d'accord	4		
Ne se prononcent pas	6		
	100		